ゼロから作るDeep Learning

Pythonで学ぶ
ディープラーニングの理論と実装

斎藤 康毅　著

Copyright ©2016 Koki Saitoh. All rights reserved.

本書で使用するシステム名、製品名は、いずれも各社の商標、または登録商標です。
なお、本文中では ™、®、© マークは省略している場合もあります。

本書の内容について、株式会社オライリー・ジャパンは最大限の努力をもって正確を期していますが、
本書の内容に基づく運用結果については責任を負いかねますので、ご了承ください。

まえがき

　SF 映画のような世界が、現実になってきました——人工知能が将棋やチェスのチャンピオンに勝利し、最近では囲碁のチャンピオンさえも打ち破りました。スマートフォンは人の話す言葉を理解し、ビデオ通話ではリアルタイムの"機械通訳"も可能です。カメラを搭載した"ぶつからない車"は人の命を守り、自動車の自動運転も実用化の兆しを見せています。このように周りを見渡してみると、人にしかできないと思われた作業を、人工知能はそつなくこなし、さらには人を凌駕しようとさえしています。私たちの世界は、人工知能の発展によって、新しい世界に移り変わろうとしているようです。

　このような発展目覚ましい世界の裏側では、「ディープラーニング（深層学習）」という技術が重要な役割を担っています。世界の研究者たちは、ディープラーニングを革新的な技術としてたたえ、ある人においては、数十年に一度のブレークスルーだと言って賞賛を惜しみません。実際、このディープラーニングという新しい言葉は、研究者や技術者だけにとどまらず、一般の方にも知られるワードとしてニュースや雑誌で紹介されるほどに注目を集めています。

　本書は、このように多くの注目を集める「ディープラーニング」をテーマとした本です。ディープラーニングの技術について、できるだけ深く（"ディープ"に）理解してもらうことを目的としています。そのために、本書では「ゼロから作る」ということをコンセプトに掲げています。

　本書の特徴は「作る」という過程を通じて、ディープラーニングの本質に迫ろうという点にあります。ディープラーニングのプログラムを実装する過程を通して、必要な技術を（できるだけ）省略することなく説明していきます。また、実際に動作するプログラムも提供することで、読者の手元でさまざまな実験を行えるように配慮して

います。

　ディープラーニングを作るためには、多くの試練があり、少なくない時間が必要になると思いますが、その分多くの学びや発見もあるはずです。そして、作るという作業は、掛け値なしに楽しくワクワクするものです。本書で行う「作る」という作業を通して、ディープラーニングで使われる技術について親しくなり、さらには、（できることなら）そこに楽しさを感じてもらえればと願っています。

　さて、ディープラーニングは、すでに世界中のあらゆる場所で動いています。誰もが手にするスマートフォンの中でもディープラーニングは動いています。自動運転を行う自動車の中でも、Web サービスに力を与えるサーバーの中でも、ディープラーニングは動いています。多くの人が気づかないところで、今日もディープラーニングは静かに踊り続けます。そしてこれからも、ディープラーニングのダンスは、さらに鮮やかさを増していくことでしょう。本書によって、ディープラーニングにまつわる技術を理解し、そして、ディープラーニングのダンスに魅了されることを願って、本書をスタートしたいと思います。

本書のコンセプト

　本書は「ディープラーニング」についての本です。ディープラーニングを理解するために必要な知識を、初歩的なことから一つひとつ積み重ねながら説明していきます。ディープラーニングとは何なのか、どういう特徴があるのか、どういう原理で動作しているのか、といったことをできるだけやさしい言葉で説明します。ただし、技術の概要だけを説明するのではなく、一歩踏み込んでより深く理解してもらうことを目的としています。そこが本書の特徴のひとつです。

　では、ディープラーニングについて、"より深く"理解するにはどうしたらよいでしょうか？　筆者が考えるに、そのための最も良い方法は、実際に作ってみることです。実際に動くプログラムをゼロから作り、ソースコードを読みながら考える——そのような作業が、ディープラーニングを（さらに言えば、高度に見える何らかの技術を）正しく理解する上で重要だと筆者は信じて疑いません。ここで、「ゼロから」という言葉を用いましたが、それはできるだけ外部の既成品（ライブラリやツールなど）には頼らないということを意味します。つまり、本書が目標とすることは、中身の分からないブラックボックスは極力使わずに、自分が理解できる最低限の知識から出発し、最先端のディープラーニングを作り上げることなのです。そして、その作るという過程を通して、ディープラーニングについてより深く理解してもらいたいと思って

います。

　本書を車の本にたとえるとしたら、本書は車の教習本ではありません。車の運転方法ではなく、車の原理について理解してもらうことを主眼とします。車の仕組みを理解してもらうために、車のボンネットを開け、一つひとつ部品を手に取って調べ、動かしてみます。そして、車のエッセンスをできるだけシンプルな形で抽出し、その車をプラモデルを組み立てるように作り上げていきます。本書が目標とすることは、車を作るという過程を通して、自分は実際に車を作れるのだという実感を持って、車に関する技術に親しくなってもらうことです。

　なお、本書では、ディープラーニングを作るために、Pythonというプログラミング言語を用います。Pythonはとても人気があり、初めての人でも取り組みやすいプログラミング言語です。特に、試作品（プロトタイプ）を作るのに適しており、思いついたことを即座に試し、結果を見ながら、さまざまな実験を行うことができます。本書では、ディープラーニングについての理論的なことを解説しながら、並行してPythonによってプログラムを実装し、さまざまな実験を行っていきます。

数式や理論的な説明だけでは理解できない場合、ソースコードを読んで動かしてみると、理解が鮮明になるということがよくあります。数式に迷ったらソースコードを読んで技術の流れを理解するといったことを、多くの方は経験されているのではないでしょうか。本書は、実際に作ること――コードに落とし込むこと――を通じて、ディープラーニングを理解しようという「エンジニアリング」を重視した本です。数式はたくさん登場しますが、それと同様に、プログラマー視点のソースコードもたくさん登場します。

誰のための本か？

　本書では手を動かし実装することを通して、ディープラーニングを深く理解してもらいます。ここでは、「誰のための本か」ということをより明確にするために、本書で行うことを以下に列挙します。

- 最低限の外部ライブラリだけ利用し、Pythonを使って、ゼロからディープラーニングによるプログラムを実装します。
- Pythonが初めての人でも理解できるように、Pythonの使い方について説明します。

- 実際に動く Python のソースコードとともに、読者の手元で実験できる学習環境を提供します。
- 簡単な機械学習の問題からスタートし、最終的には画像を高精度に認識するシステムを実装します。
- ディープラーニングやニューラルネットワークの理論について分かりやすく解説します。
- 誤差逆伝播法や畳み込み演算など、一見複雑そうに見える技術について実装レベルで理解できるように説明します。
- 学習係数の決め方、重みの初期値など、ディープラーニングを行う上で役に立つ実践的なテクニックについて紹介します。
- Batch Normalization や Dropout、Adam といった最近のトレンドの説明と実装も行います。
- なぜディープラーニングは優れているのか、なぜ層を深くすると認識精度が高くなるのか、なぜ隠れ層が重要なのか、といった"Why"に関する問題も取り上げます。
- 自動運転、画像生成、強化学習など、ディープラーニングの応用例についても紹介します。

誰のための本ではないか？

「誰のための本ではないか」を明確にすることも大切です。この本では行わないことを以下に列挙します。

- ディープラーニングについて、最新の研究に関する詳しい解説・紹介は行いません。
- Caffe や TensorFlow、Chainer などのディープラーニングのフレームワークの使い方の説明は行いません。
- ディープラーニング、特にニューラルネットワークについての詳しい理論的な解説は行いません。
- ディープラーニングで認識精度を高めるためのチューニングに関する詳しい説明は行いません。
- ディープラーニングの高速化のために GPU を扱った実装は行いません。
- 本書は、主に画像認識を主題にしています。自然言語処理や音声認識などの例

は扱いません。

このように、本書は最近の研究や理論的な詳細はカバーしていません。しかし、本書を読み終える頃には次のステップとして最新の論文やニューラルネットワークに関する理論的な技術書に進むことができるでしょう。

本書は画像認識を主題にします。主に、ディープラーニングを使って画像認識を行う際に必要な技術を学びます。自然言語処理や音声認識などは本書の対象外です。

本書の読み方

新しい知識を学ぶとき、説明を聞いただけでは腑に落ちなかったり、すぐに忘れてしまったりするものです。「聞いたことは忘れ、見たことは覚え、行ったことは理解できる[†1]」というように、新しいことを学ぶ際には、何よりも「実践」が大切です。本書では、あるテーマについて説明を行ったら、それを実践できる場——プログラムとして実行できるソースコード——をこまめに用意しています。

本書では、Python のソースコードを提供します。そのソースコードは、読者の手元で実際に動かすことができます。ソースコードを読みながら自分で考え、自分で思いついたことを新たに実装して試すことで、それまでの理解を確かなものとすることができます。また、さまざまな実験を通して、試行錯誤の場として本書のソースコードを用いることもできるでしょう。

本書は、「理論的な説明」と「Python による実装」を両輪として進むことになります。そのため、プログラミングのできる環境を用意することを推奨します。なお、本書で使用するコンピュータは Windows、Mac、Linux のいずれでも問題ありません。Python のインストール方法や使い方については、「1 章 Python 入門」で説明します。また、本書で使用するプログラムは、以下の GitHub リポジトリからダウンロードすることができます。

https://github.com/oreilly-japan/deep-learning-from-scratch

[†1] 荀子の言葉。

それでは、はじめよう！

　前置きはこれで終わりです。ここまでの説明によって、本書で行うことのイメージをつかみ、「よし、それなら少し先まで読んでみようか」と思っていただけたら幸いです。

　ところで、近頃ではディープラーニングに関するライブラリが数多く公開され、誰もが手軽に利用できるようになりました。実際のところ、そのようなライブラリを利用すれば、ディープラーニングのプログラムを動かすのは難しいことではありません。では、なぜわざわざ時間をかけて、ディープラーニングをゼロから作るのでしょうか？　その理由のひとつは、モノを作るという過程に学ぶべきことが多くあるからです。

　モノを作る過程では、いろいろな実験をします。時には頭を抱えて「なぜそのようになっているのか？」と立ち止まって考えます。そのような時間のかかる作業は、技術を深く理解する上で大切な知識になります。そのようにしてじっくりと時間をかけて得た知識は、既存のライブラリを使うにも、最先端の論文を読むにも、オリジナルのシステムを作るにも必ず役に立つはずです。そして、何より、作るという作業は単純に楽しいものです（楽しい以外に他に理由は必要でしょうか）。

　さあ、準備は整いました。それでは、ディープラーニングを作る旅へと出発しましょう！

謝辞

まず初めに、Deep Learning に関わる技術——機械学習やコンピュータ科学など——の研究を推し進めてきた研究者や技術者に感謝します。本書を書くことができたのも、彼・彼女らのおかげです。また、書籍や Web などで、有用な情報を公開してくれる方々にお礼申し上げます。中でも、スタンフォード大学の「CS231n」[5] という公開講座では、有用な技術や情報を惜しみなく提供する精神に、多くのことを学びました。

本書の執筆にあたっては、次の方々にご協力いただきました。チームラボ株式会社の加藤哲朗さん、喜多慎弥さん、飛永由夏さん、中野皓太さん、中村将達さん、林輝大さん、山本遼さん。株式会社トップスタジオの武藤健志さん、増子萌さん。株式会社 Flickfit の野村憲司さん。テキサス大学オースティン校 JSPS 海外特別研究員の丹野秀崇さん。ここで名前を挙げた方々には、本書の原稿を読んでいただき、多くのアドバイスを頂戴しました。ここに感謝申し上げます。なお、本書において不備や誤りがあるとしたら、すべて著者の責任であることを明記しておきます。

最後に、本書の構想から完成までのおよそ 1 年半に渡って変わることなく支え続けてくれた株式会社オライリー・ジャパンの宮川直樹さんに感謝します。ありがとうございました。

2016 年 9 月 1 日

斎藤 康毅

表記上のルール

本書では、次に示す表記上のルールに従います。

太字（Bold）
　　新しい用語、強調やキーワードフレーズを表します。

等幅（Constant Width）
　　プログラムのコード、コマンド、配列、要素、文、オプション、スイッチ、変数、属性、キー、関数、型、クラス、名前空間、メソッド、モジュール、プロパティ、パラメータ、値、オブジェクト、イベント、イベントハンドラ、XMLタグ、HTMLタグ、マクロ、ファイルの内容、コマンドからの出力を表します。その断片（変数、関数、キーワードなど）を本文中から参照する場合にも使われます。

等幅太字（**Constant Width Bold**）
　　ユーザーが入力するコマンドやテキストを表します。コードを強調する場合にも使われます。

等幅イタリック（*Constant Width Italic*）
　　ユーザーの環境などに応じて置き換えなければならない文字列を表します。

ヒントや示唆、興味深い事柄に関する補足を表します。

ライブラリのバグやしばしば発生する問題などのような、注意あるいは警告を表します。

意見と質問

本書の内容については、最大限の努力をもって検証、確認していますが、誤りや不正確な点、誤解や混乱を招くような表現、単純な誤植などに気がつかれることもあるかもしれません。そうした場合、今後の版で改善できるようお知らせいただければ幸いです。将来の改訂に関する提案なども歓迎いたします。連絡先は次のとおりです。

株式会社オライリー・ジャパン
電子メール japan@oreilly.co.jp

本書の Web ページには次のアドレスでアクセスできます。

http://www.oreilly.co.jp/books/9784873117584
https://github.com/oreilly-japan/deep-learning-from-scratch

オライリーに関するそのほかの情報については、次のオライリーの Web サイトを参照してください。

http://www.oreilly.co.jp/
http://www.oreilly.com/（英語）

目次

まえがき iii

1章　Python入門 1
1.1　Pythonとは 1
1.2　Pythonのインストール 2
  1.2.1　Pythonのバージョン 2
  1.2.2　使用する外部ライブラリ 2
  1.2.3　Anacondaディストリビューション 3
1.3　Pythonインタプリタ 4
  1.3.1　算術計算 4
  1.3.2　データ型 5
  1.3.3　変数 5
  1.3.4　リスト 6
  1.3.5　ディクショナリ 7
  1.3.6　ブーリアン 7
  1.3.7　if文 8
  1.3.8　for文 8
  1.3.9　関数 9
1.4　Pythonスクリプトファイル 9
  1.4.1　ファイルに保存 9
  1.4.2　クラス 10
1.5　NumPy 11

	1.5.1 NumPyのインポート ································· 11
	1.5.2 NumPy配列の生成 ···································· 12
	1.5.3 NumPyの算術計算 ···································· 12
	1.5.4 NumPyのN次元配列 ·································· 13
	1.5.5 ブロードキャスト ······································ 14
	1.5.6 要素へのアクセス ······································ 15
1.6	Matplotlib ··· 16
	1.6.1 単純なグラフの描画 ···································· 16
	1.6.2 pyplotの機能 ·· 17
	1.6.3 画像の表示 ·· 18
1.7	まとめ ·· 20

2章 パーセプトロン　　　　　　　　　　　　　　　　　　21

2.1	パーセプトロンとは ·· 21
2.2	単純な論理回路 ·· 23
	2.2.1 ANDゲート ··· 23
	2.2.2 NANDゲートとORゲート ····························· 23
2.3	パーセプトロンの実装 ··· 25
	2.3.1 簡単な実装 ·· 25
	2.3.2 重みとバイアスの導入 ································· 26
	2.3.3 重みとバイアスによる実装 ··························· 26
2.4	パーセプトロンの限界 ··· 28
	2.4.1 XORゲート ··· 28
	2.4.2 線形と非線形 ··· 30
2.5	多層パーセプトロン ·· 31
	2.5.1 既存ゲートの組み合わせ ······························ 31
	2.5.2 XORゲートの実装 ····································· 33
2.6	NANDからコンピュータへ ···································· 35
2.7	まとめ ·· 36

3章 ニューラルネットワーク　　　　　　　　　　　　　　39

3.1	パーセプトロンからニューラルネットワークへ ············· 39
	3.1.1 ニューラルネットワークの例 ························ 39

		3.1.2	パーセプトロンの復習	41

- 3.1.2 パーセプトロンの復習 ………………………………… 41
- 3.1.3 活性化関数の登場 …………………………………… 42
- 3.2 活性化関数 …………………………………………………… 44
  - 3.2.1 シグモイド関数 ……………………………………… 45
  - 3.2.2 ステップ関数の実装 ………………………………… 45
  - 3.2.3 ステップ関数のグラフ ……………………………… 47
  - 3.2.4 シグモイド関数の実装 ……………………………… 48
  - 3.2.5 シグモイド関数とステップ関数の比較 …………… 49
  - 3.2.6 非線形関数 …………………………………………… 51
  - 3.2.7 ReLU 関数 …………………………………………… 51
- 3.3 多次元配列の計算 …………………………………………… 53
  - 3.3.1 多次元配列 …………………………………………… 53
  - 3.3.2 行列の積 ……………………………………………… 54
  - 3.3.3 ニューラルネットワークの行列の積 ……………… 57
- 3.4 3層ニューラルネットワークの実装 ……………………… 58
  - 3.4.1 記号の確認 …………………………………………… 58
  - 3.4.2 各層における信号伝達の実装 ……………………… 60
  - 3.4.3 実装のまとめ ………………………………………… 64
- 3.5 出力層の設計 ………………………………………………… 66
  - 3.5.1 恒等関数とソフトマックス関数 …………………… 66
  - 3.5.2 ソフトマックス関数の実装上の注意 ……………… 68
  - 3.5.3 ソフトマックス関数の特徴 ………………………… 70
  - 3.5.4 出力層のニューロンの数 …………………………… 71
- 3.6 手書き数字認識 ……………………………………………… 72
  - 3.6.1 MNIST データセット ……………………………… 72
  - 3.6.2 ニューラルネットワークの推論処理 ……………… 75
  - 3.6.3 バッチ処理 …………………………………………… 78
- 3.7 まとめ ………………………………………………………… 81

4章 ニューラルネットワークの学習 83

- 4.1 データから学習する ………………………………………… 83
  - 4.1.1 データ駆動 …………………………………………… 84
  - 4.1.2 訓練データとテストデータ ………………………… 86

4.2 損失関数 ……………………………………………………………………… 87
　4.2.1 2乗和誤差 ……………………………………………………… 88
　4.2.2 交差エントロピー誤差 ……………………………………… 89
　4.2.3 ミニバッチ学習 ……………………………………………… 91
　4.2.4 ［バッチ対応版］交差エントロピー誤差の実装 ………… 94
　4.2.5 なぜ損失関数を設定するのか？ …………………………… 95
4.3 数値微分 ……………………………………………………………………… 97
　4.3.1 微分 …………………………………………………………… 97
　4.3.2 数値微分の例 ………………………………………………… 100
　4.3.3 偏微分 ………………………………………………………… 102
4.4 勾配 …………………………………………………………………………… 103
　4.4.1 勾配法 ………………………………………………………… 106
　4.4.2 ニューラルネットワークに対する勾配 …………………… 109
4.5 学習アルゴリズムの実装 ………………………………………………… 112
　4.5.1 2層ニューラルネットワークのクラス …………………… 113
　4.5.2 ミニバッチ学習の実装 ……………………………………… 117
　4.5.3 テストデータで評価 ………………………………………… 119
4.6 まとめ ………………………………………………………………………… 122

5章　誤差逆伝播法　123

5.1 計算グラフ …………………………………………………………………… 123
　5.1.1 計算グラフで解く …………………………………………… 124
　5.1.2 局所的な計算 ………………………………………………… 126
　5.1.3 なぜ計算グラフで解くのか？ ……………………………… 127
5.2 連鎖律 ………………………………………………………………………… 129
　5.2.1 計算グラフの逆伝播 ………………………………………… 129
　5.2.2 連鎖律とは …………………………………………………… 129
　5.2.3 連鎖律と計算グラフ ………………………………………… 131
5.3 逆伝播 ………………………………………………………………………… 132
　5.3.1 加算ノードの逆伝播 ………………………………………… 132
　5.3.2 乗算ノードの逆伝播 ………………………………………… 134
　5.3.3 リンゴの例 …………………………………………………… 135
5.4 単純なレイヤの実装 ……………………………………………………… 137

5.4.1　乗算レイヤの実装 …………………………………………… 137
　　　5.4.2　加算レイヤの実装 …………………………………………… 139
　5.5　活性化関数レイヤの実装 ……………………………………………… 141
　　　5.5.1　ReLU レイヤ ………………………………………………… 141
　　　5.5.2　Sigmoid レイヤ ……………………………………………… 143
　5.6　Affine ／ Softmax レイヤの実装 …………………………………… 147
　　　5.6.1　Affine レイヤ ………………………………………………… 147
　　　5.6.2　バッチ版 Affine レイヤ …………………………………… 150
　　　5.6.3　Softmax-with-Loss レイヤ ………………………………… 152
　5.7　誤差逆伝播法の実装 …………………………………………………… 156
　　　5.7.1　ニューラルネットワークの学習の全体図 ………………… 156
　　　5.7.2　誤差逆伝播法に対応したニューラルネットワークの実装 ……… 157
　　　5.7.3　誤差逆伝播法の勾配確認 …………………………………… 160
　　　5.7.4　誤差逆伝播法を使った学習 ………………………………… 162
　5.8　まとめ …………………………………………………………………… 163

6 章　学習に関するテクニック　165
　6.1　パラメータの更新 ……………………………………………………… 165
　　　6.1.1　冒険家の話 …………………………………………………… 166
　　　6.1.2　SGD …………………………………………………………… 166
　　　6.1.3　SGD の欠点 ………………………………………………… 168
　　　6.1.4　Momentum …………………………………………………… 170
　　　6.1.5　AdaGrad ……………………………………………………… 172
　　　6.1.6　Adam …………………………………………………………… 175
　　　6.1.7　どの更新手法を用いるか？ ………………………………… 175
　　　6.1.8　MNIST データセットによる更新手法の比較 …………… 176
　6.2　重みの初期値 …………………………………………………………… 177
　　　6.2.1　重みの初期値を 0 にする？ ………………………………… 178
　　　6.2.2　隠れ層のアクティベーション分布 ………………………… 179
　　　6.2.3　ReLU の場合の重みの初期値 ……………………………… 183
　　　6.2.4　MNIST データセットによる重み初期値の比較 ………… 184
　6.3　Batch Normalization ………………………………………………… 186
　　　6.3.1　Batch Normalization のアルゴリズム …………………… 187

	6.3.2	Batch Normalizationの評価	189
6.4	正則化		189
	6.4.1	過学習	190
	6.4.2	Weight decay	193
	6.4.3	Dropout	195
6.5	ハイパーパラメータの検証		197
	6.5.1	検証データ	198
	6.5.2	ハイパーパラメータの最適化	199
	6.5.3	ハイパーパラメータ最適化の実装	201
6.6	まとめ		203

7章　畳み込みニューラルネットワーク　　205

- 7.1 全体の構造 ･･････ 205
- 7.2 畳み込み層 ･･････ 206
  - 7.2.1 全結合層の問題点 ･･････ 207
  - 7.2.2 畳み込み演算 ･･････ 208
  - 7.2.3 パディング ･･････ 210
  - 7.2.4 ストライド ･･････ 211
  - 7.2.5 3次元データの畳み込み演算 ･･････ 214
  - 7.2.6 ブロックで考える ･･････ 216
  - 7.2.7 バッチ処理 ･･････ 218
- 7.3 プーリング層 ･･････ 219
  - 7.3.1 プーリング層の特徴 ･･････ 220
- 7.4 Convolution ／ Pooling レイヤの実装 ･･････ 221
  - 7.4.1 4次元配列 ･･････ 221
  - 7.4.2 im2col による展開 ･･････ 222
  - 7.4.3 Convolution レイヤの実装 ･･････ 224
  - 7.4.4 Pooling レイヤの実装 ･･････ 227
- 7.5 CNN の実装 ･･････ 229
- 7.6 CNN の可視化 ･･････ 233
  - 7.6.1 1層目の重みの可視化 ･･････ 234
  - 7.6.2 階層構造による情報抽出 ･･････ 235
- 7.7 代表的な CNN ･･････ 236

		7.7.1	LeNet	236
		7.7.2	AlexNet	237
	7.8	まとめ		238

8章　ディープラーニング　241

- 8.1 ネットワークをより深く ……… 241
  - 8.1.1 よりディープなネットワークへ ……… 241
  - 8.1.2 さらに認識精度を高めるには ……… 244
  - 8.1.3 層を深くすることのモチベーション ……… 246
- 8.2 ディープラーニングの小歴史 ……… 249
  - 8.2.1 ImageNet ……… 249
  - 8.2.2 VGG ……… 250
  - 8.2.3 GoogLeNet ……… 251
  - 8.2.4 ResNet ……… 252
- 8.3 ディープラーニングの高速化 ……… 254
  - 8.3.1 取り組むべき問題 ……… 255
  - 8.3.2 GPUによる高速化 ……… 256
  - 8.3.3 分散学習 ……… 257
  - 8.3.4 演算精度のビット削減 ……… 258
- 8.4 ディープラーニングの実用例 ……… 260
  - 8.4.1 物体検出 ……… 260
  - 8.4.2 セグメンテーション ……… 262
  - 8.4.3 画像キャプション生成 ……… 264
- 8.5 ディープラーニングの未来 ……… 265
  - 8.5.1 画像スタイル変換 ……… 266
  - 8.5.2 画像生成 ……… 267
  - 8.5.3 自動運転 ……… 268
  - 8.5.4 Deep Q-Network（強化学習） ……… 269
- 8.6 まとめ ……… 272

付録A　Softmax-with-Lossレイヤの計算グラフ　275

- A.1 順伝播 ……… 276
- A.2 逆伝播 ……… 278

A.3 まとめ ……………………………………………………… 285

参考文献 ……………………………………………………………… 287
    Python / NumPy ………………………………………………… 287
    計算グラフ（誤差逆伝播法）…………………………………… 287
    Deep Learning のオンライン授業（資料）…………………… 287
    パラメータの更新方法 ………………………………………… 287
    重みパラメータの初期値 ……………………………………… 288
    Batch Normalization / Dropout ……………………………… 288
    ハイパーパラメータの最適化 ………………………………… 289
    CNN の可視化 ………………………………………………… 289
    代表的なネットワーク ………………………………………… 289
    データセット …………………………………………………… 290
    計算の高速化 …………………………………………………… 290
    MNIST データセットの精度ランキングおよび最高精度の手法 ………… 291
    ディープラーニングのアプリケーション …………………… 291
索引 …………………………………………………………………… 293

1章
Python入門

　Pythonというプログラミング言語がこの世に登場して、すでに20年以上が経ちました。その間、Pythonは独自の進化を遂げながら、多くのユーザーを獲得しています。そして、現在では最も人気のある言語として、多くの人から愛用されるプログラミング言語になりました。

　これから、Pythonを使って、ディープラーニングによるシステムを実装していきます。それに先立ち本章では、Pythonについて簡単に紹介し、その使い方を見ていきたいと思います。なお、PythonやNumPy、Matplotlibについて知識のある方は、本章を読み飛ばして先に進んでも差し支えありません。

1.1　Pythonとは

　Pythonは、シンプルで読みやすく、覚えやすいプログラミング言語です。オープンソースであり、無料で自由に利用することができます。英語のような文法でプログラムを書くことができ、手間のかかるコンパイルはありません。そのため、Pythonは気軽に利用することができ、特にプログラミングが初めてという方に最適な言語です。事実、大学や専門学校などのコンピュータサイエンスの授業では、最初の言語として、Pythonを採用することが多くあります。

　また、Pythonを用いれば、可読性の高いコードを書くことができると同時に、パフォーマンスの高い（処理速度の速い）コードを書くこともできます。大量のデータの処理や高速なレスポンスが必要な場合、Pythonはそのような任務を着実に遂行してくれます。そのため、Pythonは初心者だけでなく、プロフェッショナルからも愛用されています。実際、GoogleやMicrosoft、FacebookなどのITの最先端で戦う

企業では、Python が頻繁に使われています。

そして、Python は、科学の分野、特に機械学習やデータサイエンスの分野でよく使われます。Python の高いパフォーマンス性に加えて、NumPy や SciPy といった数値計算や統計処理を行う優れたライブラリなどによって、Python はデータサイエンスの分野で確固としたポジションを占めているのです。さらに、ディープラーニングのフレームワークに関しても、Python を利用する場面は多くあります。たとえば、Caffe や TensorFlow、Chainer や Theano といった有名なディープラーニングのフレームワークでは、Python から操作できるインタフェースが提供されています。そのため、Python を学べば、ディープラーニングのフレームワークを使う際にも必ず役に立つことでしょう。

このように、Python は、データサイエンスの分野で特に最適なプログラミング言語です。そして、初心者からプロフェッショナルまで、幅広い層のユーザーに利用されるだけの優れた資質を備えています。そのため、本書の目標——ディープラーニングをゼロから作ること——を達成するには、Python は最適なプログラミング言語だと言えます。

1.2 Python のインストール

それでは、Python を手元の環境（PC）にインストールしましょう。ここでは、インストールに際して注意する点を説明します。

1.2.1 Python のバージョン

Python には、2系と3系の2つのバージョンが存在します。現在、Python の使われている状況を眺めると、最新の3系だけではなく、古株の2系も多く利用されています。そのため、Python のインストールに際しては、どちらのバージョンをインストールするか、慎重に選択する必要があります。というのは、その2つのバージョンには完全な互換性はないからです（正確には、「後方互換」がありません）。つまり、Python 3系で書いたプログラムが Python 2系では実行できないといったことが起こります。本書では、Python 3系を使用します。もし Python 2系だけをインストールしているという方は、別途、Python 3系のインストールをおすすめします。

1.2.2 使用する外部ライブラリ

本書の目標とすることは、ゼロからディープラーニングを実装することでした。

そのため、外部のライブラリは極力使用しないというのが方針ですが、次の2つのライブラリは例外として用いることにします。ひとつはNumPy、もうひとつはMatplotlibというライブラリです。なお、これら2つのライブラリを用いる理由は、ディープラーニングの実装を効率良く進めることにあります。

NumPyは数値計算のためのライブラリです。NumPyには、高度な数学アルゴリズムや配列（行列）を操作するための便利なメソッドが数多く用意されています。本書のディープラーニングの実装においては、それらの便利なメソッドを用いて、効率的に実装を進めていきます。

Matplotlibはグラフ描画のためのライブラリです。Matplotlibを用いれば、実験結果の可視化や、また、ディープラーニングの実行途中のデータを視覚的に確認することができます。本書では、これらのライブラリを使用して、ディープラーニングを実装していきます。

本書では下記のプログラミング言語とライブラリを使用します。
- Python 3系（2016年8月時点の最新バージョンは3.5）
- NumPy
- Matplotlib

次は、これからPythonをインストールするという方を対象に、Pythonのインストール方法を説明します。すでに上記の要件を満たしている方は読み飛ばしてください。

1.2.3 Anacondaディストリビューション

Pythonのインストールについてはいくつか方法がありますが、本書ではAnacondaというディストリビューションの利用を推奨します。ちなみに、ディストリビューションとは、ユーザーが一括してインストールできるように、必要なライブラリなどがひとつにまとめ上げられたものです。Anacondaは、データ分析に重点を置いたディストリビューションです。先ほど説明したNumPyやMatplotlibといった、データ分析に有用なライブラリも含まれています。

前に述べたとおり、本書ではバージョンが3系のPythonを使用します。そのため、Anacondaディストリビューションも3系をインストールします。それでは、下記リンクより、各自のOSに合ったディストリビューションをダウンロードし、インストールを行いましょう。

https://www.anaconda.com/distribution

1.3　Pythonインタプリタ

　Pythonをインストールしたら、Pythonのバージョンをまず初めに確認します。ターミナル（Windowsの場合はコマンドプロンプト）を開き、`python --version`というコマンドを入力してみましょう。このコマンドは、インストールされたPythonのバージョンを出力します。

```
$ python --version
Python 3.4.1 :: Anaconda 2.1.0 (x86_64)
```

　上のように、Python 3.4.1（インストールしたバージョンによって数字は異なる）と表示されたら、Python 3系が正常にインストールされているということです。続いて、`python`と入力し、Pythonインタプリタを起動します。

```
$ python
Python 3.4.1 |Anaconda 2.1.0 (x86_64)| (default, Sep 10 2014, 17:24:09)
[GCC 4.2.1 (Apple Inc. build 5577)] on darwin
Type "help", "copyright", "credits" or "license" for more information.
>>>
```

　Pythonインタプリタは「対話モード」とも呼ばれ、ユーザーとPythonが対話的にプログラミングを行うことができます。対話的というのは、たとえば、ユーザーが「1+2は？」と尋ねれば、Pythonインタプリタが「3です」と答えるようなやりとりが行えることを意味します。それでは、実際に入力してみます。

```
>>> 1 + 2
3
```

　このように、Pythonインタプリタでは、対話的に（インタラクティブに）プログラミングを行うことができます。ここでは、この対話モードを使って、Pythonプログラミングの簡単な例を見ていくことにします。

1.3.1　算術計算

　加算や乗算などの算術計算は、次のように行います。

```
>>> 1 - 2
-1
>>> 4 * 5
20
>>> 7 / 5
1.4
>>> 3 ** 2
9
```

*は乗算、/は除算、**は累乗を意味します（3 ** 2 は 3 の 2 乗）。なお、Python 2 系では、整数どうしの除算の結果は整数になります。たとえば、7 ÷ 5 の結果は 1 です。一方、Python 3 系では、整数の除算の結果は小数（浮動小数点数）になります。

1.3.2 データ型

プログラミングでは、**データ型**（data type）というものがあります。データ型とは、データの性質を表すもので、たとえば、整数、小数、文字列といった型があります。Python には `type()` という関数があり、この関数でデータの型を調べることができます。

```
>>> type(10)
<class 'int'>
>>> type(2.718)
<class 'float'>
>>> type("hello")
<class 'str'>
```

上の結果より、10 は int（整数型）、2.718 は float（浮動小数点型）、"hello" は str（文字列型）という型であることが分かります。なお、「型」と「クラス」という言葉は同じ意味で使われる場合があります。ここで、<class 'int'> のように結果が出力されますが、これは「10 は int というクラス（型）です」と解釈できます。

1.3.3 変数

x や y などのアルファベットを使って**変数**（variable）を定義することができます。また、変数を使って計算したり、変数に別の値を代入したりすることもできます。

```
>>> x = 10     # 初期化
>>> print(x)   # x を出力する
10
>>> x = 100    # 代入
>>> print(x)
```

```
100
>>> y = 3.14
>>> x * y
314.0
>>> type(x * y)
<class 'float'>
```

 Pythonは「動的型付き言語」に分類されるプログラミング言語です。動的というのは、変数の型が状況に応じて自動的に決定されるということです。上の例では、xの型がint(整数)であるということをユーザーが明示的に指定していません。10という整数で初期化するという状況から、xの型はintであることをPythonが判断しているのです。また、整数と小数の掛け算の結果は小数になっていることが分かります(型の自動変換)。なお、「#」はコメントアウトと言い、それ以降の文字はPythonからは無視されます。

1.3.4 リスト

単一の数値だけでなく、リスト(配列)としてデータをまとめることができます。

```
>>> a = [1, 2, 3, 4, 5] # リストの作成
>>> print(a)    # リストの中身を出力する
[1, 2, 3, 4, 5]
>>> len(a)      # リストの長さを取得
5
>>> a[0]        # 最初の要素にアクセス
1
>>> a[4]
5
>>> a[4] = 99 # 値を代入
>>> print(a)
[1, 2, 3, 4, 99]
```

 要素へのアクセスはa[0]のように行います。この[ ]の中にある数を、インデックス(添字)と呼び、インデックスは0からスタートします(インデックスの0が最初の要素に対応します)。また、Pythonのリストには**スライシング**(slicing)という便利な記法が用意されています。スライシングを用いれば、単一の値へのアクセスだけでなく、リストのサブリスト(部分リスト)にアクセスすることができます。

```
>>> print(a)
[1, 2, 3, 4, 99]
>>> a[0:2] # インデックスの0番目から2番目(2番目は含まない!)まで取得
[1, 2]
>>> a[1:]  # インデックスの1番目から最後まで取得
```

```
[2, 3, 4, 99]
>>> a[:3]     # 最初からインデックスの 3 番目（3 番目は含まない！）まで取得
[1, 2, 3]
>>> a[:-1]    # 最初から最後の要素のひとつ前まで取得
[1, 2, 3, 4]
>>> a[:-2]    # 最初から最後の要素の 2 つ前まで取得
[1, 2, 3]
```

リストのスライシングを行うには、a[0:2] のように書きます。a[0:2] により、インデックスの 0 番目から 2 番目のひとつ手前の要素までが取り出されます。なお、インデックス番号で −1 は最後の要素、−2 は最後からひとつ前の要素に対応します。

1.3.5　ディクショナリ

リストは 0 から始まるインデックス番号で、0、1、2、…という順に値が格納されました。ディクショナリは、キーと値をペアとしてデータを格納します。ディクショナリは、『広辞苑』のような辞書のように、単語と意味が対応づけられて格納されます。

```
>>> me = {'height':180} # ディクショナリを作成
>>> me['height']        # 要素にアクセス
180
>>> me['weight'] = 70   # 新しい要素を追加
>>> print(me)
{'height': 180, 'weight': 70}
```

1.3.6　ブーリアン

Python には、bool という型があります。これは、True と False という 2 つの値のどちらかを取ります。また、bool 型に対する演算子として、and や or、not があります（数値に対する演算子は、+、-、*、/ などがあるように、型に応じて使用できる演算子が決まります）。

```
>>> hungry = True      # お腹空いている？
>>> sleepy = False     # 眠い？
>>> type(hungry)
<class 'bool'>
>>> not hungry
False
>>> hungry and sleepy  # 空腹 かつ 眠い
False
>>> hungry or sleepy   # 空腹 または 眠い
True
```

1.3.7 if文

条件に応じて、処理を分岐するには if/else を用います。

```
>>> hungry = True
>>> if hungry:
...     print("I'm hungry")
...
I'm hungry
>>> hungry = False
>>> if hungry:
...     print("I'm hungry") # 空白文字によるインデント
... else:
...     print("I'm not hungry")
...     print("I'm sleepy")
...
I'm not hungry
I'm sleepy
```

Pythonでは、空白文字が重要な意味を持ちます。今回のif文においても、if hungry:の次の文は、頭に4つの空白文字があります。これはインデントを表し、先の条件（if hungry）が満たされた際に実行されるコードを表します。このインデントはタブ文字を使って表現することもできますが、Pythonでは空白文字を使用することが推奨されています。

Pythonは、インデントを表すために空白文字を使用します。インデントのレベルごとに4つの空白文字を使うのが一般的です。

1.3.8 for文

ループ処理を行うには、for文を用います。

```
>>> for i in [1, 2, 3]:
...     print(i)
...
1
2
3
```

ここでは、[1, 2, 3] というリストの中の要素を出力する例を示しています。for … in …:という構文を用いると、リストなどのデータ集合の各要素に順にアクセスすることができます。

1.3.9　関数

まとまりのある処理を関数（function）として定義することができます。

```
>>> def hello():
...     print("Hello World!")
...
>>> hello()
Hello World!
```

また、関数は引数を取ることができます。

```
>>> def hello(object):
...     print("Hello " + object + "!")
...
>>> hello("cat")
Hello cat!
```

なお、文字列の連結は + で行います。

Python インタプリタを終了するには、Linux や Mac OS X の場合、Ctrl-D（Ctrl キーを押しながら D キーを押す）を入力します。Windows の場合、Ctrl-Z を入力し、Enter キーを押します。

1.4　Pythonスクリプトファイル

これまで、Python インタプリタによる例を見てきました。Python インタプリタは、対話的に Python を実行できるモードで、簡単な実験を行うにはとても便利です。しかし、まとまった処理を行おうとすると、毎回プログラムを入力する必要があるので少し不便です。そのような場合は、Python プログラムをファイルとして保存し、そのファイルを（まとめて）実行します。ここでは、そのような Python スクリプトファイルによる例を見ていきます。

1.4.1　ファイルに保存

それでは、テキストエディタを開き、hungry.py というファイルを作成します。hungry.py は、次の 1 行だけからなるファイルです。

```
print("I'm hungry!")
```

続いて、ターミナル（Windows はコマンドプロンプト）を開き、先の hungry.py が作成された場所に移動します。そして、hungry.py という

ファイル名を引数として、python コマンドを実行します。ここでは、~/deep-learning-from-scratch/ch01 というディレクトリに hungry.py があるものと仮定します（本書が提供するソースコードでは、ch01 ディレクトリ下に hungry.py があります）。

```
$ cd ~/deep-learning-from-scratch/ch01   # ディレクトリの移動
$ python hungry.py
I'm hungry!
```

このように、python hungry.py というコマンドから、Python プログラムを実行することができます。

1.4.2 クラス

これまで、int や str などのデータ型を見てきました（type() という関数でオブジェクトの型を調べることができました）。それらのデータ型は、「組み込み」のデータ型と言って、初めから Python に組み込まれたデータ型です。ここでは、新しいクラスを定義します。ユーザーが自分でクラスを定義すれば、独自にデータ型を作成することができます。また、オリジナルのメソッド（クラス用の関数）や属性を定義することも可能です。

Python では class というキーワードを使って、クラスを定義します。クラスは次のようなフォーマット（ひな形）に従います。

```
class クラス名:
    def __init__(self, 引数, …):    # コンストラクタ
        ...
    def メソッド名1(self, 引数, …):  # メソッド1
        ...
    def メソッド名2(self, 引数, …):  # メソッド2
        ...
```

ここで、__init__ という特別なメソッドがありますが、これは初期化を行うメソッドです。この初期化用メソッドは**コンストラクタ**（constructor）とも呼ばれ、クラスのインスタンスが作成される際に一度だけ呼ばれます。また、Python では、メソッドの第一引数に自分自身（自身のインスタンス）を表す self を明示的に書くのが特徴です（他の言語から移ってきた人からすると、このように self を書く作法は奇妙に感じるかもしれません）。

それでは、簡単な例として、クラスをひとつ作成してみます。ここでは、次のプログラムを man.py として保存します。

```
class Man:
    def __init__(self, name):
        self.name = name
        print("Initialized!")

    def hello(self):
        print("Hello " + self.name + "!")

    def goodbye(self):
        print("Good-bye " + self.name + "!")

m = Man("David")
m.hello()
m.goodbye()
```

ターミナルから man.py を実行します。

```
$ python man.py
Initialized!
Hello David!
Good-bye David!
```

ここでは、Man という新しいクラスを定義しています。上の例では、この Man というクラスから、m というインスタンス（オブジェクト）を生成します。

Man クラスのコンストラクタ（初期化メソッド）は、name という引数を取り、その引数でインスタンス変数である self.name を初期化します。**インスタンス変数**とは、個々のインスタンスに格納される変数のことです。Python では、self.name のように、self の後に属性名を書くことでインスタンス変数の作成およびアクセスができます。

1.5 NumPy

ディープラーニングの実装では、配列や行列の計算が多く登場します。NumPy の配列クラス（numpy.array）には便利なメソッドが多く用意されており、ディープラーニングの実装においても、それらのメソッドを利用します。ここでは、これから先使用していく NumPy について簡単に説明します。

1.5.1 NumPy のインポート

NumPy は外部ライブラリです。ここで言う「外部」とは、標準の Python には含まれないということです。そのため、まず初めに NumPy ライブラリを読み込む（イ

ンポートする）作業を行います。

```
>>> import numpy as np
```

Python では、ライブラリを読み込むために import という文を用います。ここでは、import numpy as np と書いていますが、これは直訳するならば、「numpy を np として読み込む」ということになります。そのように書くことで、これ以降 NumPy に関するメソッドは np として参照することができます。

1.5.2 NumPy 配列の生成

NumPy の配列を作成するために、np.array() というメソッドを用います。np.array() は、Python のリストを引数に取り、NumPy 用の配列 (numpy.ndarray) を作成します。

```
>>> x = np.array([1.0, 2.0, 3.0])
>>> print(x)
[ 1.  2.  3.]
>>> type(x)
<class 'numpy.ndarray'>
```

1.5.3 NumPy の算術計算

NumPy 配列の算術計算の例を示します。

```
>>> x = np.array([1.0, 2.0, 3.0])
>>> y = np.array([2.0, 4.0, 6.0])
>>> x + y   # 要素ごとの足し算
array([ 3.,  6., 9.])
>>> x - y
array([ -1.,  -2., -3.])
>>> x * y   # element-wise product
array([  2.,   8.,  18.])
>>> x / y
array([ 0.5,  0.5,  0.5])
```

ここで注意すべき点は、配列の x と y の要素数が同じであるという点です（両者とも要素数が 3 の 1 次元配列）。x と y の要素数が同じ場合、算術計算は各要素に対して行われます。要素数が違う場合はエラーになるので、要素数を合わせることは大切なことです。ちなみに、「要素ごと」という言葉は、英語で element-wise と言います。たとえば、「要素ごとの積」は element-wise product と言います。

NumPy 配列は element-wise な計算だけではなく、NumPy 配列と単一の数値（ス

カラ値）の組み合わせで算術計算を行うこともできます。その場合、NumPy 配列の各要素とスカラ値の間で計算が行われます。この機能はブロードキャストと言います（詳細は後ほど説明します）。

```
>>> x = np.array([1.0, 2.0, 3.0])
>>> x / 2.0
array([ 0.5,  1. ,  1.5])
```

1.5.4　NumPyのN次元配列

NumPy は、1 次元の配列（1 列に並んだ配列）だけではなく、多次元の配列も作成することができます。たとえば、2 次元配列（行列）は次のように作成できます。

```
>>> A = np.array([[1, 2], [3, 4]])
>>> print(A)
[[1 2]
 [3 4]]
>>> A.shape
(2, 2)
>>> A.dtype
dtype('int64')
```

ここでは、2 × 2 の A という行列を作成しました。なお、行列 A の形状は shape で、行列 A の要素のデータ型は dtype で参照することができます。それでは続いて、行列の算術計算を見てみましょう。

```
>>> B = np.array([[3, 0],[0, 6]])
>>> A + B
array([[ 4,  2],
       [ 3, 10]])
>>> A * B
array([[ 3,  0],
       [ 0, 24]])
```

配列の場合と同様に、行列の算術計算も同じ形状の行列どうしであれば、要素ごとに計算が行われます。また、行列に対してスカラ値（単一の数値）で算術計算を行うことも可能です。これもブロードキャストによる機能です。

```
>>> print(A)
[[1 2]
 [3 4]]
```

```
>>> A * 10
array([[ 10, 20],
       [ 30, 40]])
```

NumPyの配列（np.array）は、N次元の配列を作成することができます。N次元配列とは、1次元配列、2次元配列、3次元配列、…と好きな次元数の配列を作れることを意味します。数学では、1次元配列は**ベクトル**、2次元配列は**行列**と呼びます。また、ベクトルや行列を一般化したものを**テンソル**と呼びます。本書では基本的に、2次元配列を「行列」、3次元以上の配列を「テンソル」または「多次元配列」と呼びます。

1.5.5　ブロードキャスト

　NumPyでは形状の異なる配列の演算も可能です。先ほどの例では、Aという2×2の行列に対して、10というスカラ値の掛け算を行いました。その際どのようなことが行われているかというと、図1-1で示すように、10というスカラ値が2×2の要素に拡大されて演算が行われているのです。この賢い機能は、**ブロードキャスト**（broadcast）と言います。

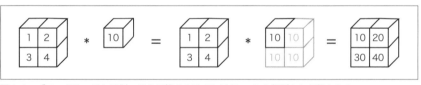

図1-1　ブロードキャストの例：スカラ値である10が2×2の行列として扱われる

　ブロードキャストの別の例として、次の計算を見てみましょう。

```
>>> A = np.array([[1, 2], [3, 4]])
>>> B = np.array([10, 20])
>>> A * B
array([[ 10, 40],
       [ 30, 80]])
```

　ここでは、図1-2のように、1次元配列であるBが2次元配列Aと同じ形状になるように"賢く"変形されて、要素ごとの演算が行われます。

　このようにNumPyでは、ブロードキャストという機能があるため、形状の異なる配列どうしの演算をスマートに行うことができます。

1.5 NumPy

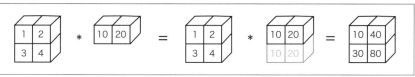

図1-2　ブロードキャストの例2

1.5.6　要素へのアクセス

要素のインデックスは、(いつものとおり) 0 から始まります。各要素へのアクセスは次のように行います。

```
>>> X = np.array([[51, 55], [14, 19], [0, 4]])
>>> print(X)
[[51 55]
 [14 19]
 [ 0  4]]
>>> X[0]      # 0 行目
array([51, 55])
>>> X[0][1] # (0,1) の要素
55
```

for 文を使って各要素にアクセスすることもできます。

```
>>> for row in X:
...     print(row)
...
[51 55]
[14 19]
[0 4]
```

NumPy は、これまで見てきたインデックス操作に加えて、配列によって各要素にアクセスすることも可能です。

```
>>> X = X.flatten()        # X を 1 次元の配列へ変換
>>> print(X)
[51 55 14 19  0  4]
>>> X[np.array([0, 2, 4])] # インデックスが 0、2、4 番目の要素を取得
array([51, 14,  0])
```

この記法を応用すれば、ある条件を満たす要素だけを取得することができます。たとえば、X から 15 以上の値だけを抜き出すには次のように書くことができます。

```
>>> X > 15
array([ True,  True, False,  True, False, False], dtype=bool)
>>> X[X>15]
array([51, 55, 19])
```

NumPyの配列に対して不等号などの演算子を使うと（上記の例では X > 15）、結果はブーリアンの配列になります。ここでは、このブーリアン配列を使って、配列の各要素を取り出しています（True に対応する要素を取り出す）。

Python などの動的言語は、C や C++ などの静的言語（コンパイル型言語）に比べて処理が遅いと言われます。実際、重たい処理を対象とすれば、C/C++ でプログラムを書いたほうがよいでしょう。そこで、Python でパフォーマンスが要求される場合は、処理の中身を C/C++ で実装するといったことが行われます。その場合、Python は、C/C++ で書かれたプログラムを呼び出す、いわば「仲介人」のような役割を担います。NumPy についても、主な処理は C や C++ で実装されています。そのため、パフォーマンスを損なうことなく、Python の便利なシンタックスを使うことができるのです。

1.6　Matplotlib

ディープラーニングの実験においては、グラフの描画やデータの可視化が重要になってきます。Matplotlib はグラフ描画のためのライブラリです。Matplotlib を使えば、グラフの描画やデータの可視化が簡単に行えます。ここでは、グラフの描画方法と画像の表示方法について説明します。

1.6.1　単純なグラフの描画

グラフを描画するためには、`matplotlib` の `pyplot` というモジュールを利用します。早速、sin 関数を描画する例を見てみましょう。

```
import numpy as np
import matplotlib.pyplot as plt

# データの作成
x = np.arange(0, 6, 0.1) # 0 から 6 まで 0.1 刻みで生成
y = np.sin(x)
```

```
# グラフの描画
plt.plot(x, y)
plt.show()
```

　ここでは、NumPy の arange メソッドによって、[0, 0.1, 0.2, …, 5.8, 5.9] というデータを生成し、これを x としています。この x の各要素を対象に、NumPy の sin 関数―― np.sin() ――を適用し、x、y のデータ列を plt.plot メソッドに与え、グラフを描画します。最後に、plt.show() でグラフを表示して終了です。上のコードを実行すると、図1-3 の画像が表示されます。

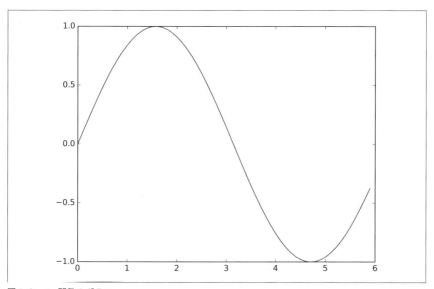

図1-3　sin 関数のグラフ

1.6.2　pyplot の機能

　先の sin 関数に加えて、cos 関数も追加して描画してみます。さらに、タイトルや x 軸ラベル名の描画など、pyplot の他の機能も利用してみます。

```
import numpy as np
import matplotlib.pyplot as plt

# データの作成
x = np.arange(0, 6, 0.1) # 0から6まで0.1刻みで生成
```

```
y1 = np.sin(x)
y2 = np.cos(x)

# グラフの描画
plt.plot(x, y1, label="sin")
plt.plot(x, y2, linestyle = "--", label="cos") # 破線で描画
plt.xlabel("x") # x 軸のラベル
plt.ylabel("y") # y 軸のラベル
plt.title('sin & cos') # タイトル
plt.legend()
plt.show()
```

結果は**図1-4**のグラフになります。図のタイトルや軸のラベル名が記載されていることが分かります。

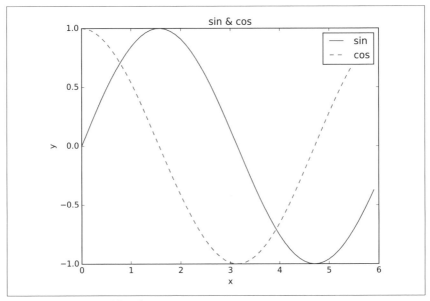

図1-4 sin 関数と cos 関数のグラフ

1.6.3 画像の表示

pyplot には、画像表示のためのメソッド imshow() も用意されています。また、画像の読み込みは、matplotlib.image モジュールの imread() を利用することができます。それでは、例をひとつ示しましょう。

```
import matplotlib.pyplot as plt
from matplotlib.image import imread

img = imread('lena.png') # 画像の読み込み（適切なパスを設定する！）
plt.imshow(img)

plt.show()
```

このコードを実行すると、図1-5の画像が表示されます。

図1-5　画像の表示

　ここでは、lena.png という画像がカレントディレクトリにあると想定していま す。読者の環境においては、適宜、ファイル名やファイルのパスを変更する必要があ るでしょう。なお、本書が提供するソースコードでは、dataset ディレクトリにサン プル画像として lena.png があります。たとえば、Python インタプリタで、ch01 ディレクトリから上のコードを実行する場合は、画像のパスである'lena.png' を '../dataset/lena.png' に変更すれば正しく動作します。

1.7 まとめ

本章は、ディープラーニングの下準備のページです。とりわけ、ディープラーニング（ニューラルネットワーク）の実装に向けて必要なプログラミングの解説が中心となりました。次章から、Python を使って実際に動くコードを示しながら、ディープラーニングの世界に踏み込んでいきます。

本章では、Python について必要最低限の説明にとどめましたが、さらに知識を深めたい方は、次に紹介する書籍などが参考になるでしょう。Python については『入門 Python 3』[1] がおすすめです。Python プログラミングを基礎から応用まで丁寧に解説する実践的な入門書です。NumPy については『Python によるデータ分析入門』[2] が分かりやすくまとまっています。書籍以外では、「Scipy Lecture Notes」[3] というタイトルの Web サイトに、科学技術の計算をテーマとした NumPy や Matplotlib の丁寧な説明があります。興味のある方は参考にしてください。

それでは、本章のまとめとして、ここで学んだことを以下に列挙します。

本章で学んだこと

- Python はシンプルで覚えやすいプログラミング言語である。
- Python はオープンソースで自由に使うことができる。
- 本書のディープラーニングの実装では Python 3 系を利用する。
- 外部ライブラリとして NumPy と Matplotlib を利用する。
- Python の実行モードには「インタプリタ」と「スクリプトファイル」の 2 つのモードがある。
- Python では関数やクラスといったモジュールとして実装をまとめることができる。
- NumPy には多次元配列を操作するための便利なメソッドが数多くある。

2章
パーセプトロン

　本章では、**パーセプトロン**（perceptron）というアルゴリズムについて説明します。パーセプトロンは、ローゼンブラットというアメリカの研究者によって 1957 年に考案されたアルゴリズムです。この昔からあるアルゴリズムをなぜ今さら学ぶのかというと、パーセプトロンはニューラルネットワーク（ディープラーニング）の起源となるアルゴリズムでもあるからです。そのため、パーセプトロンの仕組みを学ぶことは、ニューラルネットワークやディープラーニングへと進む上で重要な考え方を学ぶことにもなります。

　本章ではパーセプトロンについて説明し、パーセプトロンを使って簡単な問題を解いていきます。その過程を通して、パーセプトロンに親しんでもらいます。

2.1　パーセプトロンとは

　パーセプトロン[†1]は、複数の信号を入力として受け取り、ひとつの信号を出力します。ここで言う「信号」とは、電流や川のような「流れ」をもつものをイメージするとよいでしょう。電流が導線を流れ、電子を先に送り出すように、パーセプトロンの信号も流れを作り、情報を先へと伝達していきます。ただし、実際の電流とは違い、パーセプトロンの信号は「流す／流さない（1 か 0)」の二値の値です。本書では、0を「信号を流さない」、1 を「信号を流す」に対応させて記述します。

　さて、図2-1 には、2 つの信号を入力として受け取るパーセプトロンの例を示して

[†1] 本章で述べるパーセプトロンは正確には「人工ニューロン」や「単純パーセプトロン」と呼ばれるものです。ただし、基本的な処理内容は共通することが多いため、ここでは単に「パーセプトロン」と呼ぶことにします。

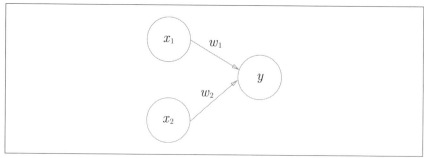

図2-1 2入力のパーセプトロン

います。x_1、x_2 は入力信号、y は出力信号、w_1、w_2 は重みを表します（w は weight の頭文字）。図の○は「ニューロン」や「ノード」と呼ばれます。入力信号は、ニューロンに送られる際に、それぞれに固有の重みが乗算されます（$w_1 x_1$、$w_2 x_2$）。ニューロンでは、送られてきた信号の総和が計算され、その総和がある限界値を超えた場合にのみ 1 を出力します——これを「ニューロンが発火する」と表現することもあります。ここでは、その限界値を**閾値**と呼び、θ という記号で表すことにします。

　パーセプトロンの動作原理は、たったこれだけです！ 以上のことを数式で表すと次の式 (2.1) のようになります。

$$y = \begin{cases} 0 & (w_1 x_1 + w_2 x_2 \leqq \theta) \\ 1 & (w_1 x_1 + w_2 x_2 > \theta) \end{cases} \tag{2.1}$$

　パーセプトロンは、複数ある入力信号のそれぞれに固有の重みを持ちます。そして、その重みは、各信号の重要性をコントロールする要素として働きます。つまり、重みが大きければ大きいほど、その重みに対応する信号の重要性が高くなるのです。

重みは、電流で言うところの「抵抗」に相当します。抵抗は電流の流れにくさを決めるパラメータであり、抵抗が低ければ低いほど大きな電流が流れます。一方、パーセプトロンの重みは、その値が大きければ大きいほど、大きな信号が流れることを意味します。抵抗も重みも信号の流れにくさ（流れやすさ）をコントロールするという点では同じ働きをします。

2.2　単純な論理回路
2.2.1　ANDゲート

それでは、パーセプトロンを使って簡単な問題を考えてみることにします。ここでは、論理回路を題材とし、最初に AND ゲートについて考えたいと思います。AND ゲートとは、2 入力 1 出力のゲートです。図2-2 のような入力信号と出力信号の対応表を「真理値表」と呼びますが、AND ゲートは、図2-2 に示すように、2 つの入力が 1 のときだけ 1 を出力し、それ以外は 0 を出力します。

x_1	x_2	y
0	0	0
1	0	0
0	1	0
1	1	1

図2-2　AND ゲートの真理値表

さて、この AND ゲートをパーセプトロンで表現したいと思います。ここで行う作業は、図2-2 の真理値表を満たすように w_1、w_2、θ の値を決めることです。それでは、どのような値に設定すれば、図2-2 の条件を満たすパーセプトロンを作ることができるでしょうか？

実は、図2-2 を満たすようなパラメータの選び方は無限にあります。たとえば、$(w_1, w_2, \theta) = (0.5, 0.5, 0.7)$ のときに、図2-2 のように動作します。また、$(0.5, 0.5, 0.8)$ や $(1.0, 1.0, 1.0)$ のときも同様に AND ゲートの条件を満たします。そのようなパラメータを設定すれば、x_1 と x_2 の両方が 1 のときだけ、重み付き信号の総和が、与えられた閾値 θ を上回ります。

2.2.2　NANDゲートとORゲート

続いて NAND ゲートを考えましょう。NAND とは、Not AND を意味し、その振る舞いは、AND ゲートの出力を逆にしたものになります。真理値表で表すと、次

に示す**図2-3**のように、x_1 と x_2 の両方が 1 のときだけ 0 を出力し、それ以外は 1 を出力します。それでは、NAND ゲートのパラメータは、どのような組み合わせが考えられるでしょうか？

x_1	x_2	y
0	0	1
1	0	1
0	1	1
1	1	0

図2-3　NAND ゲートの真理値表

NAND ゲートを表現するには、たとえば、$(w_1, w_2, \theta) = (-0.5, -0.5, -0.7)$ の組み合わせが考えられます（他の組み合わせも無限に考えられるでしょう）。実は、AND ゲートを実現するパラメータの値に対して、それらの符号をすべて反転するだけで、NAND ゲートを実現することもできます。

x_1	x_2	y
0	0	0
1	0	1
0	1	1
1	1	1

図2-4　OR ゲートの真理値表

同じ流れで、**図2-4**の OR ゲートについて考えます。OR ゲートは入力信号の少なくともひとつが 1 であれば、出力が 1 になる論理回路です。この OR ゲートは、どのようなパラメータを設定すればよいでしょうか？　考えてみてください。

ここでパーセプトロンのパラメータを決めているのは、コンピュータではなく私たち人間です。真理値表という「学習データ」を見ながら、人の手によってパラメータの値を考えました（思いつきました）。機械学習の問題では、このパラメータの値を決める作業をコンピュータに自動で行わせます。**学習**とは、適切なパラメータを決める作業であり、人が行う仕事は、パーセプトロンの構造（モデル）を考え、コンピュータに学習データを与えることになります。

以上のように、パーセプトロンを使えば、AND、NAND、OR という論理回路を表現できることが分かりました。ここで重要な点は、パーセプトロンの構造は、AND、NAND、OR ゲートのすべてで同じであるということです。実際、その 3 つのゲートで異なるものは、パラメータ（重みと閾値）の値だけでした。つまり、同じ構造のパーセプトロンが、パラメータの値を適切に調整するだけで、カメレオン俳優がさまざまな人物を演じるように、AND や NAND や OR に変身したのです。

2.3　パーセプトロンの実装

2.3.1　簡単な実装

それでは、先の論理回路を Python で実装しましょう。ここでは、引数として x1 と x2 を受け取る AND という関数を定義します。

```
def AND(x1, x2):
    w1, w2, theta = 0.5, 0.5, 0.7
    tmp = x1*w1 + x2*w2
    if tmp <= theta:
        return 0
    elif tmp > theta:
        return 1
```

パラメータの w1、w2、theta は関数内で初期化し、重み付き入力の総和が閾値を超えると 1 を返し、それ以外は 0 を返します。それでは、**図2-2** のとおり出力されるか確認しましょう。

```
AND(0, 0) # 0 を出力
AND(1, 0) # 0 を出力
AND(0, 1) # 0 を出力
AND(1, 1) # 1 を出力
```

期待したとおりの出力になっていますね！　これで、AND ゲートは実現することができました。同様の手順で、NAND ゲートや OR ゲートも実装することができます

が、ここでは、この実装に少しだけ手を加えたいと思います。

2.3.2　重みとバイアスの導入

先の AND ゲートの実装は素直で分かりやすいのですが、これ以降のことを考えて、別の実装方式へと修正したいと思います。それに先立ち、式 (2.1) の θ を $-b$ として、パーセプトロンの動作を次の式 (2.2) で表します。

$$y = \begin{cases} 0 & (b + w_1 x_1 + w_2 x_2 \leqq 0) \\ 1 & (b + w_1 x_1 + w_2 x_2 > 0) \end{cases} \tag{2.2}$$

式 (2.1) と式 (2.2) は記号の表記を変えただけで、まったく同じことを表しています。ここで、b を**バイアス**と呼び、w_1 や w_2 を**重み**と呼びます。式 (2.2) で表されるように、パーセプトロンでは、入力信号に重みが乗算された値とバイアスの和が計算され、その値が 0 を上回れば 1 を出力し、そうでなければ 0 を出力します。それでは、NumPy を使って、式 (2.2) の方式で実装してみましょう。ここでは、Python のインタプリタで逐次結果を確認しながら進むことにします。

```
>>> import numpy as np
>>> x = np.array([0, 1])         # 入力
>>> w = np.array([0.5, 0.5])     # 重み
>>> b = -0.7                     # バイアス
>>> w*x
array([ 0. ,  0.5])
>>> np.sum(w*x)
0.5
>>> np.sum(w*x) + b
-0.19999999999999996   # およそ-0.2（浮動小数点数による演算誤差）
```

この例で示すように、NumPy 配列の乗算では、2 つの配列の要素数が同じ場合、その要素どうしが乗算されます。そのため、`w*x` の計算では、各要素の乗算が計算されることになります（ `[0, 1] * [0.5, 0.5] => [0, 0.5]` ）。また、`np.sum(w*x)` では各要素の総和が計算されます。この重み付き和にバイアスを加算すれば、式 (2.2) の計算は終了です。

2.3.3　重みとバイアスによる実装

「重みとバイアスによる方式」を用いれば、AND ゲートは次のように実装することができます。

```
def AND(x1, x2):
    x = np.array([x1, x2])
    w = np.array([0.5, 0.5])
    b = -0.7
    tmp = np.sum(w*x) + b
    if tmp <= 0:
        return 0
    else:
        return 1
```

ここで $-\theta$ をバイアス b と命名しましたが、バイアスは、重みの w_1 や w_2 とは別の働きをすることに注意しましょう。具体的に言うと、w_1 や w_2 は入力信号への重要度をコントロールするパラメータとして機能しますが、バイアスは発火のしやすさ——出力信号が 1 を出力する度合い——を調整するパラメータとして機能します。たとえば、b が -0.1 であれば、入力信号の重み付き和が 0.1 を上回るだけでニューロンが発火します。しかし、もし b が -20.0 であれば、入力信号の重み付き和が 20.0 を上回らなければニューロンは発火しません。このように、バイアスの値によって、ニューロンの発火のしやすさが決まります。なお、w_1 や w_2 は「重み」と呼び、b は「バイアス」と区別して呼びますが、文脈によっては、b、w_1、w_2 のすべてのパラメータを指して「重み」と呼ぶこともあります。

バイアスという用語には、「ゲタはき」という意味があります。これは、入力が何もないときに（入力が 0 のときに）、出力にどれだけゲタをはかせるか（値を上乗せするか）ということを意味します。実際、式 (2.2) の $b + w_1 x_1 + w_2 x_2$ の計算では、入力の x_1 と x_2 が 0 の場合、バイアスの値だけが出力されます。

それでは、続いて NAND ゲートと OR ゲートを実装しましょう。

```
def NAND(x1, x2):
    x = np.array([x1, x2])
    w = np.array([-0.5, -0.5]) # 重みとバイアスだけが AND と違う！
    b = 0.7
    tmp = np.sum(w*x) + b
    if tmp <= 0:
        return 0
    else:
        return 1


def OR(x1, x2):
    x = np.array([x1, x2])
    w = np.array([0.5, 0.5]) # 重みとバイアスだけが AND と違う！
```

```
b = -0.2
tmp = np.sum(w*x) + b
if tmp <= 0:
    return 0
else:
    return 1
```

　前節で説明したとおり、AND、NAND、OR は同じ構造のパーセプトロンであり、違いは重みパラメータの値だけでした。NAND と OR ゲートの実装においても、AND と異なる箇所は重みとバイアスの値を設定する箇所だけになります。

2.4　パーセプトロンの限界

　これまで見てきたように、パーセプトロンを用いれば、AND、NAND、OR の 3 つの論理回路を実装することができました。それでは続いて XOR ゲートについて考えてみたいと思います。

2.4.1　XOR ゲート

　XOR ゲートは**排他的論理和**とも呼ばれる論理回路です。図2-5 に示すように、x_1 と x_2 のどちらかが 1 のときだけ出力が 1 になります（「排他的」とは自分以外は拒否することを意味します）。さて、この XOR ゲートをパーセプトロンで実装するには、どのような重みパラメータを設定すればよいでしょうか？

x_1	x_2	y
0	0	0
1	0	1
0	1	1
1	1	0

図2-5　XOR ゲートの真理値表

　実は、これまで見てきたパーセプトロンでは、この XOR ゲートを実現することができません。なぜ AND や OR は実現できて、XOR は実現できないのでしょうか？

それを説明するために、ここでは図を描いて視覚的に考えてみたいと思います。

まず OR ゲートの挙動を視覚的に考えてみます。OR ゲートは、たとえば、重みパラメータが $(b, w1, w2) = (-0.5, 1.0, 1.0)$ のとき、図2-4 の真理値表を満たします。このとき、パーセプトロンは次の式 (2.3) で表現されます。

$$y = \begin{cases} 0 & (-0.5 + x_1 + x_2 \leqq 0) \\ 1 & (-0.5 + x_1 + x_2 > 0) \end{cases} \quad (2.3)$$

式 (2.3) で表されるパーセプトロンは、$-0.5 + x_1 + x_2 = 0$ の直線で分断された 2 つの領域を作ります。直線で分けられた片方の領域は 1 を出力し、もう片方は 0 を出力します。これを図で表すと、図2-6 のようになります。

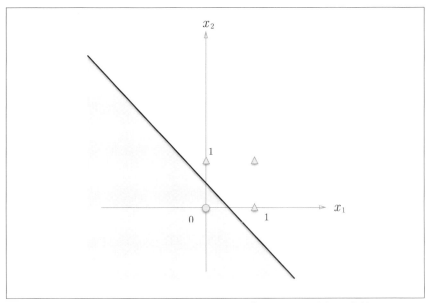

図2-6 パーセプトロンの可視化：グレーの領域はパーセプトロンが 0 を出力する領域であり、この領域は OR ゲートの性質を満たす

OR ゲートは $(x_1, x_2) = (0, 0)$ のとき 0 を出力し、$(0, 1)$、$(1, 0)$、$(1, 1)$ のとき 1 を出力します。図では、0 を○、1 を△で表しています。OR ゲートを作ろうと思えば、図2-6 の○と△を直線によって分ける必要があります。実際、先の直線は、4 つの点を正しく分けることができています。

それでは、XOR ゲートの場合はどうでしょうか。OR ゲートのときのように、1本の直線によって○と△を分ける領域を作り出すことができるでしょうか？

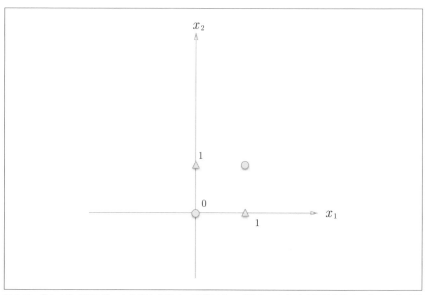

図2-7 ○と△は XOR ゲートの出力を表す。直線によって○と△を分ける領域を作ることはできるだろうか？

図2-7 の○と△を直線によって分けることは、いくら考えてもできないでしょう。実は、1 本の直線では、○と△を分けることができないのです。

2.4.2　線形と非線形

図2-7 の○と△は、1 本の直線では分けることができません。しかし、もし"直線"という制約を外すことができたら、○と△を分けることができます。たとえば、図2-8 のように○と△を分ける領域を作ることができます。

パーセプトロンの限界は、このように 1 本の直線で分けた領域だけしか表現できない点にあります。図2-8 のようなクネッとした曲線をパーセプトロンでは表現できないのです。ちなみに、図2-8 のような曲線による領域を**非線形**な領域と言い、直線による領域を**線形**な領域と言います。線形・非線形という言葉は機械学習の分野でよく耳にしますが、イメージとしては図2-6 や図2-8 のようなものを頭に浮かべることができます。

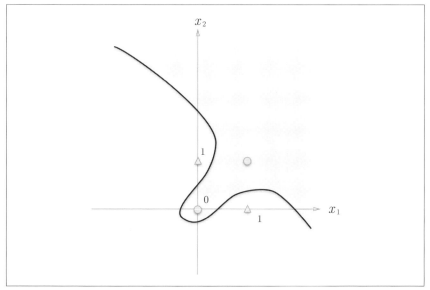

図2-8 曲線であれば、○と△を分けることができる

2.5 多層パーセプトロン

　残念ながら、パーセプトロンはXORゲートを表現できませんでした。しかし、それは悲しいニュースではありません。実はパーセプトロンの素晴らしさは、"層を重ねる"ことができる点にあります（層を重ねることでXORを表現できるようになるというのが、本節の筋書きです）。ここでは「層を重ねる」とはどういうことかという説明は後回しにして、XORゲートの問題を別の視点から考えたいと思います。

2.5.1 既存ゲートの組み合わせ

　さて、XORゲートを作るにはいくつか方法があります。ひとつの方法は、これまで作ってきたAND、NAND、ORゲートを組み合わせて配線することです。ここでは、AND、NAND、ORゲートを**図2-9**の記号で表記します。ちなみに、**図2-9**のNANDゲートの先端にある○は出力が反転することを意味します。

　それでは、XORゲートを作るにはANDとNANDとORをどのように配線すればよいでしょうか？ 少し考えてみましょう。ヒント：**図2-10**の「？」のそれぞれにAND、NAND、ORのいずれかを代入してXORを完成させることができます。

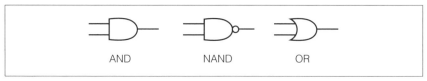

図2-9　AND、NAND、OR ゲートの記号

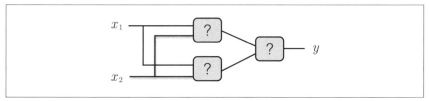

図2-10　AND、NAND、OR ゲートのいずれかを「？」に挿入して XOR を完成させよう！

前節で述べたパーセプトロンの限界は、正確に言うと、「単層のパーセプトロンでは XOR ゲートを表現できない」または「単層のパーセプトロンでは非線形領域は分離できない」ということになります。これから、パーセプトロンを組み合わせることで（層を重ねることで）、XOR ゲートを実現できることを見ていきます。

　XOR ゲートは**図2-11**の配線で実現できます。ここでは、x_1 と x_2 が入力信号、y が出力信号を表します。x_1 と x_2 は NAND と OR ゲートへの入力であり、NAND と OR の出力が AND ゲートの入力になります。

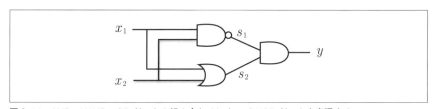

図2-11　AND、NAND、OR ゲートの組み合わせによって XOR ゲートを実現する

　それでは、**図2-11**の配線が本当に XOR を実現できているのか確かめてみましょう。ここでは NAND の出力を s_1、OR の出力を s_2 として、真理値表を埋めてみます。結果は**図2-12**のようになります。x_1、x_2、y に着目すると、確かに XOR の出力になっていますね。

x_1	x_2	s_1	s_2	y
0	0	1	0	0
1	0	1	1	1
0	1	1	1	1
1	1	0	1	0

図 2-12 XOR ゲートの真理値表

2.5.2 XOR ゲートの実装

続いて図 2-11 の配線で表される XOR ゲートを Python で実装してみます。これまで定義した関数 AND、NAND、OR を使えば、次のように（簡単に！）実装することができます。

```
def XOR(x1, x2):
    s1 = NAND(x1, x2)
    s2 = OR(x1, x2)
    y = AND(s1, s2)
    return y
```

この XOR 関数は、期待したとおりの結果を出力します。

```
XOR(0, 0) # 0 を出力
XOR(1, 0) # 1 を出力
XOR(0, 1) # 1 を出力
XOR(1, 1) # 0 を出力
```

これで XOR ゲートを完成させることができました。それでは今実装した XOR を、パーセプトロンの表現で（ニューロンを明示的に示して）表してみます。すると図 2-13 のようになります。

XOR は、図 2-13 に示すような多層構造のネットワークです。ここでは、一番左の段を第 0 層、その右の段を第 1 層、一番右の段を第 2 層と呼ぶことにします。

さて、図 2-13 のパーセプトロンは、これまで見てきた AND や OR のパーセプトロン（図 2-1）とは異なる形をしています。実際、AND や OR が単層のパーセプトロンであったのに対して、XOR は 2 層のパーセプトロンです。ちなみに、層を複数重ねたパーセプトロンを**多層パーセプトロン**（multi-layered perceptron）と言うこ

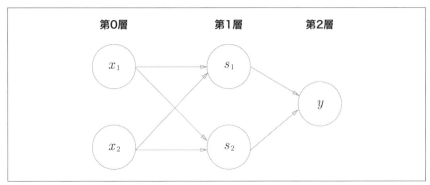

図2-13 XORのパーセプトロンによる表記

とがあります。

図2-13 のパーセプトロンは合計で 3 層から構成されますが、重みを持つ層は実質 2 層（第 0 層と第 1 層の間、第 1 層と第 2 層の間）であるため「2 層のパーセプトロン」と呼ぶことにします。文献によっては、図2-13 のパーセプトロンは 3 層から構成されるため、「3 層のパーセプトロン」と呼ぶ場合があります。

図2-13 に示すような 2 層のパーセプトロンでは、第 0 層と第 1 層のニューロンの間で信号の送受信が行われ、続いて第 1 層と第 2 層の間で信号の送受信が行われます。この動作をより詳しく述べると、次のようになります。

1. 第 0 層の 2 つのニューロンが入力信号を受け取り、第 1 層のニューロンへ信号を送る
2. 第 1 層のニューロンが第 2 層のニューロンへ信号を送り、第 2 層目のニューロンは y を出力する

ちなみに、この 2 層構造のパーセプトロンの動作は、パイプラインによる組み立て作業にたとえることができます。1 段目（1 層目）の作業者は流れてくる"部品"に手を加え、仕事が完了したら 2 段目（2 層目）の作業者に部品を渡します。2 層目の作業者は、1 層目の作業者から渡された"部品"に手を加え、その部品を完成させて出荷（出力）します。

このように、XOR ゲートのパーセプトロンでは、作業者の間で"部品の手渡し"

が行われます。そのような構造（2層構造）にすることで、パーセプトロンはXORゲートを実現することが可能になりました。これは、「単層のパーセプトロンでは表現できなかったことが、層をひとつ増やすことによって実現できるようになった」と解釈できます。つまり、パーセプトロンは、層を重ねることで（層を深くすることで）、より柔軟な表現が可能になったと言えるのです。

2.6　NANDからコンピュータへ

　多層のパーセプトロンは、これまで見てきた回路よりも複雑な回路を作ることができます。たとえば、足し算を行うための加算器もパーセプトロンで作ることができます。また、2進数を10進数に変換するエンコーダや、ある条件を満たすときに出力が1になるような回路（パリティチェック用の回路）も、パーセプトロンで表現できます。そして、実のところ、パーセプトロンを用いれば、"コンピュータ"も表現することができるのです！

　ところで、コンピュータとは情報を処理する機械です。コンピュータに何らかの入力を与えれば、ある決まった方法で処理して結果を出力します。ある決まった方法で処理をするということは、コンピュータもパーセプトロンと同じように入力と出力を持ち、ある決まったルールに従って計算をするということになります。

　コンピュータの内部ではとても複雑な処理を行っているように思えますが、実は（驚くかもしれませんが）NANDゲートの組み合わせだけで、コンピュータが行う処理を再現することができるのです。NANDゲートだけからコンピュータを作れるという驚くべき事実は何を意味するのか——それは、パーセプトロンでもコンピュータを表現できるということです。なぜなら、これまで見てきたように、NANDゲートはパーセプトロンで作ることができたからです。つまり、NANDゲートの組み合わせでコンピュータを作ることができるのならば、パーセプトロンの組み合わせだけからでもコンピュータを表現することが可能であるということになります（パーセプトロンの組み合わせは幾層にも重なった単一のパーセプトロンとして表現できます）。

　「NANDゲートの組み合わせだけからコンピュータが作れる」と言うと、にわかに信じられないかもしれません。この点に興味のある方は『コンピュータシステムの理論と実装——モダンなコンピュータの作り方』（オライリー・ジャパン）という本をおすすめします。この本では、コンピュータを深く理解することをテーマに掲げ、「NANDからテトリスへ」という標語のもと、実際にNAND

からテトリスが動くコンピュータを作ります。この本を読めば、NAND という単純な素子だけから、コンピュータという複雑なシステムが作られることを実感できるでしょう。

このように、多層のパーセプトロンはコンピュータも作れるほどに複雑な表現も可能です。それでは、どのような構造のパーセプトロンであれば、コンピュータを表現できるのでしょうか？ どれだけ層を深くすれば、コンピュータを作ることができるのでしょうか？

この問いに対する答えは、理論上 2 層のパーセプトロンであればコンピュータを作ることができる、と言えます。というのも、2 層のパーセプトロン（正確には活性化関数に非線形なシグモイド関数を用いたもの：詳細は次章を参照）を用いれば、任意の関数を表現可能であることが証明されています。しかし、2 層のパーセプトロンの構造で、適切な重みを設定してコンピュータを作るとなると、それはとても骨の折れる作業になるでしょう。実際に NAND などの低レベルな素子からスタートしてコンピュータを作る場合は、必要な部品（モジュール）を段階的に作り上げていくというのが自然な作り方です——最初に AND や OR ゲート、次に半加算器と全加算器、次に算術論理演算装置（ALU）、次に CPU といった具合に。そのため、パーセプトロンによるコンピュータの表現も、層が幾重にも重なった構造として作られるのが自然な流れです。

本書ではコンピュータを実際に作ることはしませんが、パーセプトロンは層を重ねることで非線形な表現も可能になり、原理的には（理論上）コンピュータが行う処理も表現できるということを覚えておきましょう。

2.7 まとめ

本章ではパーセプトロンについて学びました。パーセプトロンはとてもシンプルなアルゴリズムなので、その仕組みはすぐに理解できたでしょう。このパーセプトロンは、次章で学ぶニューラルネットワークの基礎になります。そのため、本章で学んだことはとても重要です。

本章で学んだこと

- パーセプトロンは入出力を備えたアルゴリズムである。ある入力を与えたら、決まった値が出力される。
- パーセプトロンでは、「重み」と「バイアス」をパラメータとして設定する。
- パーセプトロンを用いれば、AND や OR ゲートなどの論理回路を表現できる。
- XOR ゲートは単層のパーセプトロンでは表現できない。
- 2層のパーセプトロンを用いれば、XOR ゲートを表現することができる。
- 単層のパーセプトロンは線形領域だけしか表現できないのに対して、多層のパーセプトロンは非線形領域を表現することができる。
- 多層のパーセプトロンは、（理論上）コンピュータを表現できる。

3章
ニューラルネットワーク

　前章ではパーセプトロンについて学びましたが、パーセプトロンについては良いニュースと悪いニュースがありました。良いニュースとは、パーセプトロンは複雑な関数であっても、それを表現できるだけの可能性を秘めているということです。たとえば、コンピュータが行うような複雑そうな処理であっても、パーセプトロンは（理論上）表現できることを前章で説明しました。悪いニュースは、重みを設定する作業——期待する入力と出力を満たすように適切な重みを決める作業——は、今のところ人の手によって行われているということです。前章では、AND や OR ゲートの真理値表を見ながら、私たち人間が適切な重みを決めました。

　ニューラルネットワークは、先の悪いニュースを解決するためにあります。具体的に言うと、適切な重みパラメータをデータから自動で学習できるというのがニューラルネットワークの重要な性質のひとつです。本章では、ニューラルネットワークの概要を説明し、ニューラルネットワークが識別を行う際の処理に焦点を当てます。そして、次章にて、データから重みパラメータを学習する方法を学びます。

3.1　パーセプトロンからニューラルネットワークへ

　ニューラルネットワークは、前章で説明したパーセプトロンと共通する点が多くあります。ここでは、前章のパーセプトロンと異なる点を中心に、ニューラルネットワークの仕組みを解説していきます。

3.1.1　ニューラルネットワークの例

　ニューラルネットワークを図で表すと、**図3-1** のようになります。ここで、一番

左の列を**入力層**、一番右の列を**出力層**、中間の列を**中間層**と呼びます。中間層は**隠れ層**と呼ぶこともあります。「隠れ」という言葉は、隠れ層のニューロンが（入力層や出力層とは違って）人の目には見えない、ということを表しています。なお、本書では、入力層から出力層へ向かって、順に第 0 層、第 1 層、第 2 層と呼ぶことにします（層の番号を 0 から開始する理由は、後ほど Python で実装する際に都合が良いためです）。図3-1 では、第 0 層が入力層、第 1 層が中間層、第 2 層が出力層に対応することになります。

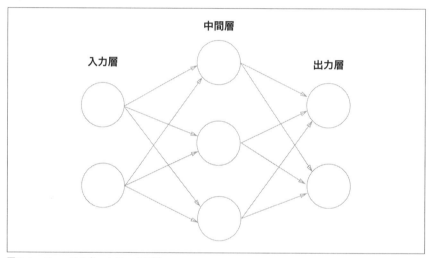

図3-1　ニューラルネットワークの例

図3-1 のネットワークは全部で 3 層から構成されますが、重みを持つ層は実質 2 層であるため「2 層ネットワーク」と呼ぶことにします。書籍によっては、ネットワークを構成する層の数に従って、**図3-1** を「3 層ネットワーク」と呼ぶ場合があるので注意が必要です。本書では、実質的に重みを持つ層の数——入力層、隠れ層、出力層の合計数から 1 を引いた数——によって、ネットワーク名を表すことにします。

図3-1 を見るかぎり、前章で見たパーセプトロンと同じような形をしています。実際、ニューロンのつながり方に関して言えば、前章で見たパーセプトロンと何ら変わりありません。それでは、ニューラルネットワークではどのように信号を伝達するの

でしょうか？

3.1.2　パーセプトロンの復習

　これからニューラルネットワークにおける信号の伝達方法を見ていきますが、それに先立ち、ここではパーセプトロンの復習から始めたいと思います。それでは初めに、図3-2 の構造のネットワークを考えましょう。

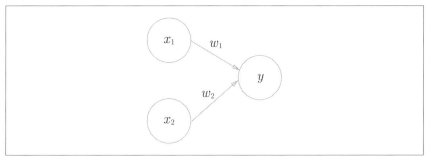

図3-2　パーセプトロンの復習

　図3-2 は、x_1 と x_2 の 2 つの入力信号を受け取り、y を出力するパーセプトロンです。図3-2 のパーセプトロンを数式で表すと、次の式 (3.1) で表されるのでした。

$$y = \begin{cases} 0 & (b + w_1 x_1 + w_2 x_2 \leqq 0) \\ 1 & (b + w_1 x_1 + w_2 x_2 > 0) \end{cases} \tag{3.1}$$

　ここで、b は「バイアス」と呼ばれるパラメータで、これはニューロンの発火のしやすさをコントロールします。一方、w_1 や w_2 は各信号の「重み」を表すパラメータで、これらは各信号の重要性をコントロールします。

　ところで、図3-2 のネットワークにはバイアス b が図示されていません。もしバイアスを明示するならば、図3-3 のように表すことができます。図3-3 では、重みが b で入力が 1 の信号が追加されています。このパーセプトロンの動作は、x_1 と x_2 と 1 の 3 つの信号がニューロンの入力となり、それら 3 つの信号にそれぞれの重みが乗算され、次のニューロンに送信されます。次のニューロンでは、それらの重み付けされた信号の和が計算され、その和が 0 を超えたら 1 を出力し、そうでなければ 0 を出力します。ちなみに、バイアスの入力信号は常に 1 であるため、図で表す際には、ニューロンを灰色で塗りつぶし、他のニューロンと差別化することにします。

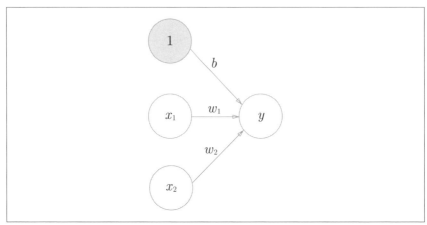

図3-3　バイアスを明示的に示す

　それでは、式 (3.1) をよりシンプルな形に書き換えたいと思います。式 (3.1) を簡略化するためには、場合分けの動作——0 を超えたら 1 を出力し、そうでなければ 0 を出力するという動作——をひとつの関数で表します。ここでは $h(x)$ という新しい関数を導入し、式 (3.1) を次の式 (3.2)、(3.3) のように書き換えます。

$$y = h(b + w_1 x_1 + w_2 x_2) \tag{3.2}$$

$$h(x) = \begin{cases} 0 & (x \leqq 0) \\ 1 & (x > 0) \end{cases} \tag{3.3}$$

　式 (3.2) は、入力信号の総和が $h(x)$ という関数によって変換され、その変換された値が出力 y になるということを表しています。そして、式 (3.3) で表される $h(x)$ 関数は、入力が 0 を超えたら 1 を返し、そうでなければ 0 を返します。そのため、式 (3.1) と式 (3.2)、(3.3) は同じことを行っているのです。

3.1.3　活性化関数の登場

　さて、ここで登場した $h(x)$ という関数ですが、このような関数——入力信号の総和を出力信号に変換する関数——は、一般に**活性化関数**（activation function）と呼ばれます。「活性化」という名前が意味するように、活性化関数は入力信号の総和がどのように活性化するか（どのように発火するか）ということを決定する役割があります。

それではさらに式 (3.2) を書き換えていきます。式 (3.2) では、重み付きの入力信号の総和を計算し、そして、その和が活性化関数によって変換される、という 2 段階の処理を行っています。そのため、式 (3.2) を丁寧に書くとすれば、次の 2 つの式に分けて書くことができます。

$$a = b + w_1 x_1 + w_2 x_2 \tag{3.4}$$

$$y = h(a) \tag{3.5}$$

式 (3.4) では、重み付き入力信号とバイアスの総和を計算し、それを a とします。そして、式 (3.5) において、a が $h()$ で変換され y が出力される、という流れになります。

さて、これまでニューロンはひとつの○で図示してきましたが、式 (3.4) と (3.5) を明示的に示すとすれば、次の**図 3-4** のように表すことができます。

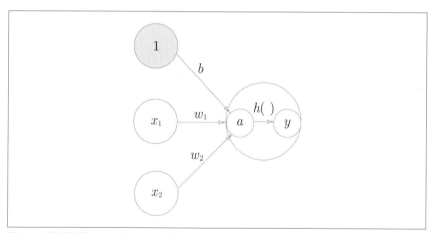

図 3-4　活性化関数によるプロセスを明示的に図示する

図 3-4 で表されるように、これまでのニューロンの○の中に、活性化関数によるプロセスを明示的に図示しています。つまり、重み付き信号の和の結果が a というノードになり、そして、活性化関数 $h()$ によって y というノードに変換される、ということがはっきりと示されているわけです。なお、本書では、「ニューロン」と「ノード」という用語を同じ意味で用います。ここで、a と y の○を「ノード」と呼んでいます

が、これは、これまでの「ニューロン」と同じ意味で用いています。

　また、ニューロンの図示方法についてですが、通常はこれまでどおり**図3-5**の左図のように、ひとつの○で表します。本書では、ニューラルネットワークの動作が明瞭化できる場合は、**図3-5**の右図のように、活性化のプロセスも含めて図示することにします。

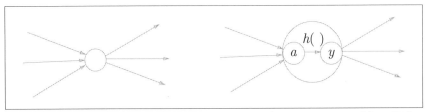

図3-5　左図は一般的なニューロンの図、右図は活性化によるプロセスをニューロン内部に明示的に表した図（入力信号の総和を a、活性化関数を $h()$、出力を y で表記）

　それでは続いて活性化関数について詳しく見ていくことにします。この活性化関数が、パーセプトロンからニューラルネットワークへ進むための架け橋になります。

　「パーセプトロン」という言葉が指すアルゴリズムは、本書では厳密な統一がなされずに使われています。一般的に、「単純パーセプトロン」といえば、それは単層のネットワークで、活性化関数にステップ関数（閾値を境にして出力が切り替わる関数）を使用したモデルを指します。「多層パーセプトロン」というと、それはニューラルネットワーク——多層で、シグモイド関数などの滑らかな活性化関数を使用するネットワーク——を指すのが一般的です。

3.2　活性化関数

　式 (3.3) で表される活性化関数は、閾値を境にして出力が切り替わる関数で、それは「ステップ関数」や「階段関数」と呼ばれます。そのため、「パーセプトロンでは、活性化関数にステップ関数を利用している」と言うことができます。つまり、活性化関数の候補としてたくさんある関数の中で、パーセプトロンは「ステップ関数」を採用しているのです。パーセプトロンでは活性化関数にステップ関数を用いているならば、活性化関数にステップ関数以外の関数を使ったらどうなるのでしょうか？ 実は、活性化関数をステップ関数から別の関数に変更することで、ニューラルネットワークの世界へと進むことができるのです！ それでは早速、ニューラルネットワークで利

用される活性化関数を紹介しましょう。

3.2.1 シグモイド関数

ニューラルネットワークでよく用いられる活性化関数のひとつは、式 (3.6) で表されるシグモイド関数（sigmoid function）です。

$$h(x) = \frac{1}{1 + \exp(-x)} \tag{3.6}$$

式 (3.6) の $\exp(-x)$ は e^{-x} を意味します。e はネイピア数の $2.7182\cdots$ の実数を表します。式 (3.6) で表されるシグモイド関数は一見複雑そうですが、シグモイド関数も単なる「関数」です——関数は、何か入力を与えれば、何らかの出力が返される変換器です。たとえば、シグモイド関数に 1.0 や 2.0 を入力すると、$h(1.0) = 0.731\cdots$、$h(2.0) = 0.880\cdots$ のように、ある値が出力されます。

ニューラルネットワークでは活性化関数にシグモイド関数を用いて信号の変換を行い、その変換された信号が次のニューロンに伝えられます。実は、前章で見たパーセプトロンとこれから見ていくニューラルネットワークの主な違いは、この活性化関数だけなのです。その他の点——ニューロンが多層につながる構造や、信号の伝達方法——は基本的に前章のパーセプトロンと同じです。それでは、活性化関数として利用されるシグモイド関数について、ステップ関数と比較しながら詳しく見ていくことにしましょう。

3.2.2 ステップ関数の実装

ここでは Python を使ってステップ関数をグラフで表します（関数の形を視覚的に確認することは、関数を理解する上で重要です）。ステップ関数は、式 (3.3) で表されるように、入力が 0 を超えたら 1 を出力し、それ以外は 0 を出力する関数でした。ステップ関数を単純に実装するとすれば、次のようになるでしょう。

```
def step_function(x):
    if x > 0:
        return 1
    else:
        return 0
```

この実装は単純で分かりやすいのですが、引数の x は実数（浮動小数点数）しか入力することができません。つまり、step_function(3.0) といった使い方はできますが、NumPy の配列を引数に取るような使い方——たとえば、

step_function(np.array([1.0, 2.0])) のような使い方――はできないのです。ここでは今後のことを考え、NumPy 配列に対応した実装に修正したいと思います。そのためには、たとえば、次のような実装が考えられるでしょう。

```
def step_function(x):
    y = x > 0
    return y.astype(np.int)
```

上の関数の中身はたった 2 行ですが、NumPy の便利な"トリック"を使っているため、少し分かりにくいかもしれません。ここでは、どのようなトリックを使っているのか、次の Python インタプリタの例を見ながら説明します。次の例では、x という NumPy 配列を用意し、その NumPy 配列に対して不等号による演算を行います。

```
>>> import numpy as np
>>> x = np.array([-1.0, 1.0, 2.0])
>>> x
array([-1.,  1.,  2.])
>>> y = x > 0
>>> y
array([False,  True,  True], dtype=bool)
```

NumPy 配列に対して不等号の演算を行うと、配列の各要素に対して不等号の演算が行われ、ブーリアンの配列が生成されます。ここでは、x という配列の要素に対し 0 より大きい要素は True に、0 以下の要素は False に変換され、新しい配列 y が生成されます。

さて、先の y という配列はブーリアンの配列でしたが、私たちの望むステップ関数は、0 か 1 の「int 型」を出力する関数です。そのため、配列 y の要素の型をブーリアンから int 型に変換します。

```
>>> y = y.astype(np.int)
>>> y
array([0, 1, 1])
```

ここで示したように、NumPy 配列の型の変換には astype() メソッドを用います。astype() メソッドでは、引数に希望する型――この例では、np.int――を指定します。なお、Python ではブーリアン型から int 型に変換すると、True が 1 に、False が 0 に変換されます。以上が、ステップ関数の実装で使われる NumPy の"トリック"の説明でした。

3.2.3 ステップ関数のグラフ

それでは、上で定義したステップ関数をグラフで表してみましょう。そのために、ライブラリとして matplotlib を使用します。

```
import numpy as np
import matplotlib.pylab as plt

def step_function(x):
    return np.array(x > 0, dtype=np.int)

x = np.arange(-5.0, 5.0, 0.1)
y = step_function(x)
plt.plot(x, y)
plt.ylim(-0.1, 1.1) # y軸の範囲を指定
plt.show()
```

np.arange(-5.0, 5.0, 0.1) は、−5.0 から 5.0 までの範囲を 0.1 刻みで NumPy 配列を生成します（[-5.0, -4.9, …, 4.9] を生成します）。step_function() は、NumPy 配列を引数に取り、配列の各要素に対してステップ関数を実行し、結果を配列として返します。この x、y 配列をプロットすると、結果は次の図3-6のようになります。

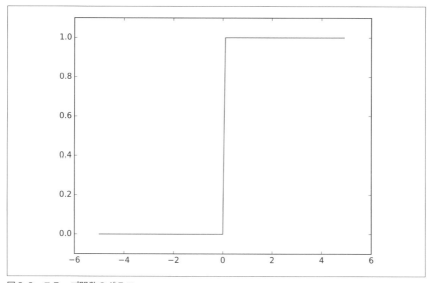

図3-6 ステップ関数のグラフ

図3-6で表されるように、ステップ関数は0を境にして、出力が0から1（または1から0）へ切り替わります。なお、図3-6のように階段状に値が切り替わる形から、ステップ関数は「階段関数」と呼ばれることもあります。

3.2.4　シグモイド関数の実装

続いてシグモイド関数を実装しましょう。式(3.6)のシグモイド関数は、Pythonで次のように書くことができます。

```
def sigmoid(x):
    return 1 / (1 + np.exp(-x))
```

ここで np.exp(-x) は数式の $\exp(-x)$ に対応します。この実装は特に難しいことはありませんが、引数の x に NumPy 配列を入力しても、結果は正しく計算されることに注意しましょう。実際、この sigmoid 関数に NumPy 配列を入力すると、次のように正しく計算されます。

```
>>> x = np.array([-1.0, 1.0, 2.0])
>>> sigmoid(x)
array([ 0.26894142,  0.73105858,  0.88079708])
```

シグモイド関数の実装が NumPy 配列に対応していることは、NumPy のブロードキャストに秘密があります（詳しくは「1.5.5 ブロードキャスト」を参照）。ブロードキャストの機能により、スカラ値と NumPy 配列での演算が行われると、スカラ値と NumPy 配列の各要素どうしで演算が行われます。ここでもひとつ具体例を示しましょう。

```
>>> t = np.array([1.0, 2.0, 3.0])
>>> 1.0 + t
array([ 2.,  3.,  4.])
>>> 1.0 / t
array([ 1.        ,  0.5       ,  0.33333333])
```

上の例では、スカラ値（例では 1.0）と NumPy 配列の間で数値演算（+ や / など）が行われています。結果として、スカラ値と NumPy 配列の各要素の間で演算が行われ、演算の結果が NumPy 配列として出力されています。先のシグモイド関数の実装でも、np.exp(-x) は NumPy 配列を生成するため、1 / (1 + np.exp(-x)) の結果は、NumPy 配列の各要素の間で計算されることになります。

それでは、シグモイド関数をグラフに描画します。描画のためのコードは、先のステップ関数のコードとほとんど同じです。唯一異なる箇所は、y を出力する関数を

sigmoid 関数に変更する点です。

```
x = np.arange(-5.0, 5.0, 0.1)
y = sigmoid(x)
plt.plot(x, y)
plt.ylim(-0.1, 1.1) # y軸の範囲を指定
plt.show()
```

上のコードを実行すると、図3-7のグラフが得られます。

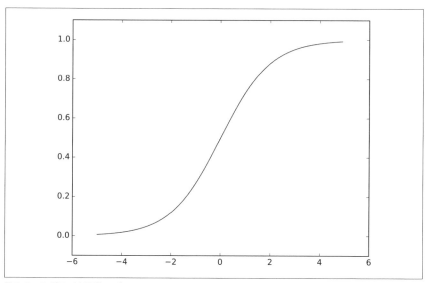

図3-7　シグモイド関数のグラフ

3.2.5　シグモイド関数とステップ関数の比較

　シグモイド関数とステップ関数を見比べてみましょう。ステップ関数とシグモイド関数を図3-8に示します。2つの関数の異なっている点はどこでしょうか？ また、どのような点が共通する性質と言えるでしょうか？ 図3-8を観察して考えてみましょう。

　図3-8を見てまず気づく点は「滑らかさ」の違いだと思います。シグモイド関数は滑らかな曲線であり、入力に対して連続的に出力が変化します。一方、ステップ関数は0を境に急に出力を変えています。このシグモイド関数の滑らかさが、ニューラルネットワークの学習において重要な意味を持ちます。

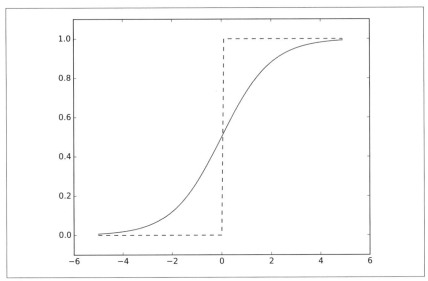

図3-8　ステップ関数とシグモイド関数（破線はステップ関数）

　また、（先の滑らかさに関連していますが）ステップ関数が 0 か 1 のどちらかの値しか返さないのに対して、シグモイド関数は実数——0.731…や 0.880…など——を返すという点も異なります。つまり、パーセプトロンではニューロン間を 0 か 1 の二値の信号が流れていたのに対して、ニューラルネットワークでは連続的な実数値の信号が流れます。

　ところで、このような 2 つの関数の動作を"水"に関連づけて語るとすれば、ステップ関数は「ししおどし」に、シグモイド関数は「水車」にたとえられるでしょう——ステップ関数が「ししおどし」のように、水を次へ流すか流さないか（0 か 1 か）の 2 つの動きをするのに対して、シグモイド関数は「水車」のように流れてきた水の量に比例して、次へ流す水の量を調整します。

　続いて、ステップ関数とシグモイド関数の共通する性質についてです。ステップ関数とシグモイド関数では、"滑らかさ"という点では異なりますが、図3-8 を大きな視点で見ると同じような形をしていることが分かります。実際、両者とも入力が小さいときに出力は 0 に近く（0 であり）、入力が大きくなるに従い出力が 1 に近づく（1 になる）という構造をしています。つまり、ステップ関数とシグモイド関数は、入力信号が重要な情報であれば大きな値を出力し、入力信号が重要でなければ小さな値を出力するのです。そして、どんなに入力信号の値が小さくても、またどんなに入力信

号の値が大きくても、出力信号の値を 0 から 1 の間に押し込めるのも両者の共通点です。

3.2.6 非線形関数

ステップ関数とシグモイド関数の共通点は他にもあります。重要な共通点は、両者はともに**非線形関数**であるということです。シグモイド関数は曲線、ステップ関数は階段のような折れ曲がった直線で表され、ともに非線形な関数に分類されます。

活性化関数の説明では、「非線形関数」「線形関数」という用語がよく登場します。そもそも関数は、何かの値を入力すれば何かの値を返す「変換器」です。この変換器に何か入力したとき、出力が入力の定数倍になるような関数を線形関数と言います（数式で表すと $h(x) = cx$。c は定数）。そのため、線形関数はまっすぐな 1 本の直線になります。一方、非線形関数は、読んで字のごとく（「線形関数に非ず」）、線形関数のように単純な 1 本の直線ではない関数を指します。

ニューラルネットワークでは、活性化関数に非線形関数を用いる必要があります。これは言い換えると、活性化関数には線形関数を用いてはならない、ということです。なぜ線形関数を用いてはならないのでしょうか。それは、線形関数を用いると、ニューラルネットワークで層を深くすることの意味がなくなってしまうからです。

線形関数の問題点は、どんなに層を深くしても、それと同じことを行う「隠れ層のないネットワーク」が必ず存在する、という事実に起因します。このことを具体的に（やや直感的に）理解するために、次の簡単な例を考えてみましょう。ここでは、線形関数である $h(x) = cx$ を活性化関数として、$y(x) = h(h(h(x)))$ を行う計算を 3 層のネットワークに対応させて考えることにします。この計算は、$y(x) = c \times c \times c \times x$ の掛け算を行いますが、同じことは $y(x) = ax$（ただし、$a = c^3$）の 1 回の掛け算で、つまり、隠れ層のないネットワークで表現できるのです。この例のように、線形関数を用いた場合、多層にすることの利点を生かすことができません。そのため、層を重ねることの恩恵を得るためには、活性化関数に非線形関数を使う必要があるのです。

3.2.7 ReLU 関数

これまでに、活性化関数としてステップ関数とシグモイド関数を紹介しました。シグモイド関数は、ニューラルネットワークの歴史において、古くから利用されてきま

したが、最近では **ReLU**(Rectified Linear Unit)という関数が主に用いられます。

ReLU は、入力が 0 を超えていれば、その入力をそのまま出力し、0 以下ならば 0 を出力する関数です（図 3-9 参照）。

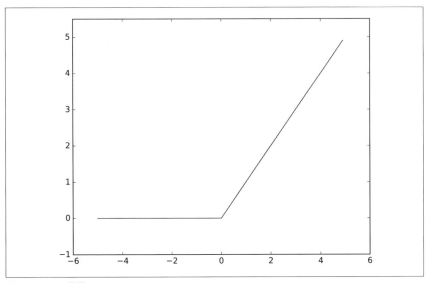

図 3-9　ReLU 関数

ReLU 関数を数式で表すと、次の式 (3.7) のように書くことができます。

$$h(x) = \begin{cases} x & (x > 0) \\ 0 & (x \leqq 0) \end{cases} \tag{3.7}$$

グラフや数式のとおり、ReLU 関数はとてもシンプルな関数です。そのため、ReLU 関数の実装も簡単で、次のように書くことができます。

```
def relu(x):
    return np.maximum(0, x)
```

ここでは、NumPy の `maximum` という関数を使っています。この `maximum` は、入力された値から大きいほうの値を選んで出力する関数です。

さて、本章の残りでは、活性化関数にシグモイド関数を使用していきますが、本書の後半では、主に ReLU 関数を使っていきます。

3.3 多次元配列の計算

NumPy の多次元配列を使った計算をマスターすれば、ニューラルネットワークの実装を効率的に進めることができます。そのため、ここでは NumPy による多次元配列の計算について説明し、その後にニューラルネットワークの実装を行っていきます。

3.3.1 多次元配列

多次元配列とは、簡単に言うと「数字の集合」です。数字が 1 列に並んだものや長方形状に並べたもの、3 次元状に並べたものや（より一般化した）N 次元状に並べたものを多次元配列と言います。それでは NumPy を使って、多次元配列を作成します。まずは、これまで見てきた 1 次元の配列からです。

```
>>> import numpy as np
>>> A = np.array([1, 2, 3, 4])
>>> print(A)
[1 2 3 4]
>>> np.ndim(A)
1
>>> A.shape
(4,)
>>> A.shape[0]
4
```

ここで示すように、配列の次元数は np.ndim() 関数で取得できます。また、配列の形状はインスタンス変数の shape から取得できます。上の例では、A は 1 次元の配列であり、4 つの要素から構成されていることが分かります。なお、ここでは A.shape の結果がタプルになっていることに注意しましょう。これは、1 次元配列の場合であっても、多次元配列の場合と同じ統一された結果を返すからです。たとえば、2 次元配列のときは (4,3)、3 次元配列のときは (4,3,2) といったタプルが返されるため、次元数が 1 の 1 次元配列のときも同様にタプルとして結果が返されます。それでは続いて、2 次元の配列を作成します。

```
>>> B = np.array([[1,2], [3,4], [5,6]])
>>> print(B)
[[1 2]
 [3 4]
 [5 6]]
>>> np.ndim(B)
2
```

```
>>> B.shape
(3, 2)
```

ここでは「3 × 2 の配列」である B を作成しています。3 × 2 の配列とは、最初の次元に 3 つの要素があり、次の次元に 2 つの要素があるという意味です。なお、最初の次元は 0 番目の次元、次の次元は 1 番目の次元に対応します（Python のインデックスは 0 から始まります）。また、2 次元配列は**行列**（matrix）と呼びます。**図3-10** に示すように、配列の横方向の並びを**行**（row）、縦方向の並びを**列**（column）と呼びます。

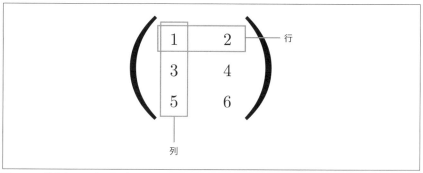

図3-10　横方向の並びを「行」、縦方向の並びを「列」と言う

3.3.2　行列の積

続いて、行列（2 次元配列）の積について説明します。行列の積は、たとえば、2 × 2 の行列の場合、**図3-11** のように計算します（次の手順で計算することが定義されています）。

この例で示すように、行列の積は、左側の行列の行（横方向）と右側の行列の列（縦方向）の間の要素ごとの積とその和によって計算が行われます。そして、その計算の結果は新しい多次元配列の要素として格納されます。たとえば、**A** の 1 行目と **B** の 1 列目の結果は 1 行 1 列目の要素、**A** の 2 行目と **B** の 1 列目は 2 行 1 列目の要素といったようになります。なお、本書では数式の表記において、行列は太字で表すことにします。たとえば、行列は **A** のように表記し、要素がひとつのスカラ値（たとえば、a や b）とは区別します。さて、この計算を Python で実装すると次のようになります。

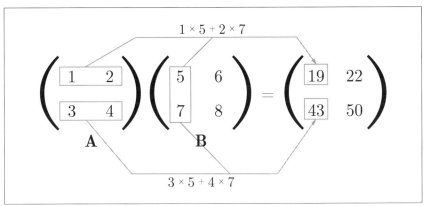

図 3-11　行列の積の計算方法

```
>>> A = np.array([[1,2], [3,4]])
>>> A.shape
(2, 2)
>>> B = np.array([[5,6], [7,8]])
>>> B.shape
(2, 2)
>>> np.dot(A, B)
array([[19, 22],
       [43, 50]])
```

　ここで、A と B は 2×2 の行列であり、A と B の行列の積を NumPy の関数 np.dot() で計算します（この dot は「ドット積」を意味します）。np.dot（ドット積）は、1 次元配列の場合はベクトルを、2 次元配列では行列の積を計算します。ここで注意が必要なのは、np.dot(A, B) と np.dot(B, A) は異なる値になりえるということです。通常の演算（+ や * など）と違って、行列の積では、被演算子（A、B）の順番が異なると、結果も異なります。

　さて、ここでは 2×2 の形状の行列について、その積を求める例を示しましたが、別の形状の行列の積についても、同様に計算することができます。たとえば、2×3 の行列と 3×2 の行列の積を Python で実装すると次のようになります。

```
>>> A = np.array([[1,2,3], [4,5,6]])
>>> A.shape
(2, 3)
>>> B = np.array([[1,2], [3,4], [5,6]])
>>> B.shape
(3, 2)
>>> np.dot(A, B)
```

```
array([[22, 28],
       [49, 64]])
```

2×3の行列 A と 3×2 の行列 B の積は上のように実装できます。ここで注意すべき点は「行列の形状（shape）」についてです。具体的に言うと、行列 A の 1 次元目の要素数（列数）と行列 B の 0 次元目の要素数（行数）を同じ値にする必要があります。実際に上の例では、行列 A は 2×3、行列 B は 3×2 であり、行列 A の 1 次元目の要素数（3）と行列 B の 0 次元目の要素数（3）は同じ値です。もしこの値が異なれば、行列の積は計算できません。たとえば、2×3 の行列 A と 2×2 の行列 C の積を Python で行うとすれば、次のようなエラーが出力されます。

```
>>> C = np.array([[1,2], [3,4]])
>>> C.shape
(2, 2)
>>> A.shape
(2, 3)
>>> np.dot(A, C)
Traceback (most recent call last):
  File "<stdin>", line 1, in <module>
ValueError: shapes (2,3) and (2,2) not aligned: 3 (dim 1) != 2 (dim 0)
```

このエラーが述べていることは、行列 A の 1 次元目と行列 C の 0 次元目の次元の要素数が一致していない、ということです（次元のインデックスは 0 番目から始まります）。つまり、多次元配列の積では、2 つの行列で対応する次元の要素数を一致させる必要があるということです。これは大切な点なので、図3-12 でもう一度確認しましょう。

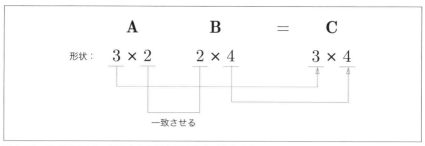

図3-12　行列の積では、対応する次元の要素数を一致させる

図3-12 には、3×2 の行列 A と 2×4 の行列 B の積によって、3×4 の行列 C が生成される例が示されています。この図が示すように、行列 A と B の対応する次

元の要素数は一致させる必要があります。そして、計算結果である行列 C は、行列 A の行数と行列 B の列数から構成されます——これも重要な点です。

なお、A が 2 次元の行列で、B が 1 次元の配列の場合でも、次の図3-13 で示すように、「対応する次元の要素数を一致させる」という同じ原則が成り立ちます。

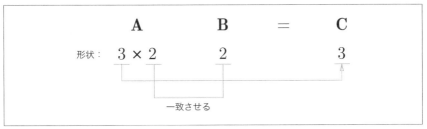

図3-13 　A が 2 次元の行列、B が 1 次元の配列でも、対応する次元の要素数を一致させる

図3-13 の例を Python で実装すると次のようになります。

```
>>> A = np.array([[1,2], [3, 4], [5,6]])
>>> A.shape
(3, 2)
>>> B = np.array([7,8])
>>> B.shape
(2,)
>>> np.dot(A, B)
array([23, 53, 83])
```

3.3.3　ニューラルネットワークの行列の積

それでは、NumPy 行列を使ってニューラルネットワークの実装を行いましょう。ここでは図3-14 の簡単なニューラルネットワークを対象とします。このニューラルネットワークは、バイアスと活性化関数は省略し、重みだけがあるものとします。

実装に関しては、X、W、Y の形状に注意しましょう。特に、X と W の対応する次元の要素数が一致していることが重要な点です。

```
>>> X = np.array([1, 2])
>>> X.shape
(2,)
>>> W = np.array([[1, 3, 5], [2, 4, 6]])
>>> print(W)
[[1 3 5]
 [2 4 6]]
>>> W.shape
(2, 3)
```

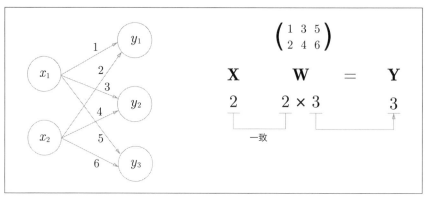

図3-14　ニューラルネットワークの計算を行列の積で行う

```
>>> Y = np.dot(X, W)
>>> print(Y)
[ 5  11  17]
```

ここで示したように、np.dot（多次元配列のドット積）を使えば、Y の結果を一度に計算することができます。これが意味することは、もし Y の要素数が 100 や 1000 であったとしても、一度の演算で計算できるということです！ もし np.dot を使わなければ、Y の要素をひとつずつ取り出して計算しなければならない（または、for 文を使って計算をしなければならない）ので、とても面倒です。そのため、行列の積によって一度で計算ができるというテクニックは、実装上とても重要であると言えます。

3.4　3層ニューラルネットワークの実装

それでは"実践的"なニューラルネットワークの実装を行いましょう。ここでは図3-15 に示す 3 層ニューラルネットワークを対象として、その入力から出力への処理（フォワード方向への処理）を実装します。実装に関しては、前節で説明した NumPy の多次元配列を使います。NumPy 配列をうまく使うことで、ほんの少しのコードでニューラルネットワークのフォワード処理を完成させることができます。

3.4.1　記号の確認

ここではニューラルネットワークで行う処理を説明するにあたって、$w_{12}^{(1)}$ や $a_1^{(1)}$ などの記号を導入します。やや込み入った印象を受けるかもしれませんが、これら

3.4 3層ニューラルネットワークの実装

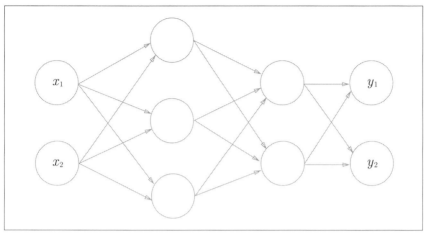

図3-15 3層ニューラルネットワーク：入力層（第0層）は2つ、ひとつ目の隠れ層（第1層）は3つ、2つ目の隠れ層（第2層）は2つ、出力層（第3層）2つのニューロンから構成される

の記号は本節だけで使用するものなので、軽く読み飛ばしてもらっても問題ありません。

 本節での重要な点は、ニューラルネットワークの計算は、行列の計算としてまとめて行えるということです。ニューラルネットワークの各層の計算は、行列の積でまとめて行える（より大きな視点で考えることができる）ので、細かい記号の規則について忘れてしまっても（覚えなくても）、以降の説明を理解するにあたってまったく問題はありません。

それでは初めに記号の定義から始めます。次の図3-16 を見てください。図3-16 は入力層の x_2 のニューロンから、次層のニューロン $a_1^{(1)}$ への重みだけをピックアップして図示しています。

図3-16 に示すとおり、重みや隠れ層のニューロンの右上には「(1)」とあります。これは、第1層の重み、第1層のニューロン、ということを意味する番号です。また、重みの右下には2つ数字が並びますが、これは、次層のニューロンと前層のニューロンのインデックス番号から構成されます。たとえば、$w_{12}^{(1)}$ は前層の2番目のニューロン（x_2）から次層の1番目のニューロン（$a_1^{(1)}$）への重みであることを意味します。重み右下のインデックス番号は「次層の番号、前層の番号」の順に並ぶことにします。

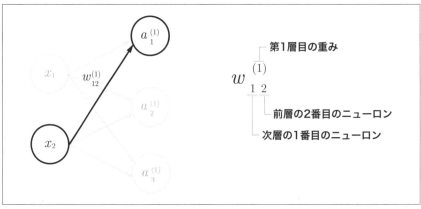

図3-16　重みの記号

3.4.2　各層における信号伝達の実装

それでは、入力層から「第1層目の1番目のニューロン」への信号の伝達を見ていきます。図で表すと図3-17のようになります。

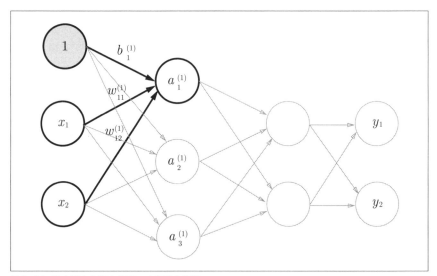

図3-17　入力層から第1層目への信号の伝達

図3-17に示すとおり、バイアスのためのニューロンである①が追加されています。ここでは、バイアスの右下のインデックスがひとつしかないことに注意しましょう。

3.4 3層ニューラルネットワークの実装

これは、前層のバイアスニューロン（①ニューロン）がひとつだけしか存在しないためです。

それではこれまでの確認も含めて、$a_1^{(1)}$ を数式で表しましょう。$a_1^{(1)}$ は重み付き信号とバイアスの和で次のように計算されます。

$$a_1^{(1)} = w_{11}^{(1)} x_1 + w_{12}^{(1)} x_2 + b_1^{(1)} \tag{3.8}$$

また、行列の積を用いると、第1層目の「重み付き和」は次の式でまとめて表すことができます。

$$\mathbf{A}^{(1)} = \mathbf{X}\mathbf{W}^{(1)} + \mathbf{B}^{(1)} \tag{3.9}$$

ただし、$\mathbf{A}^{(1)}$、$\mathbf{X}$、$\mathbf{B}^{(1)}$、$\mathbf{W}^{(1)}$ は下記のとおりです。

$$\mathbf{A}^{(1)} = \begin{pmatrix} a_1^{(1)} & a_2^{(1)} & a_3^{(1)} \end{pmatrix}, \mathbf{X} = \begin{pmatrix} x_1 & x_2 \end{pmatrix}, \mathbf{B}^{(1)} = \begin{pmatrix} b_1^{(1)} & b_2^{(1)} & b_3^{(1)} \end{pmatrix}$$

$$\mathbf{W}^{(1)} = \begin{pmatrix} w_{11}^{(1)} & w_{21}^{(1)} & w_{31}^{(1)} \\ w_{12}^{(1)} & w_{22}^{(1)} & w_{32}^{(1)} \end{pmatrix}$$

それでは、NumPy の多次元配列を使って、式 (3.9) を実装しましょう（ここでは入力信号、重み、バイアスは適当な値に設定しています）。

```
X = np.array([1.0, 0.5])
W1 = np.array([[0.1, 0.3, 0.5], [0.2, 0.4, 0.6]])
B1 = np.array([0.1, 0.2, 0.3])

print(W1.shape) # (2, 3)
print(X.shape)  # (2,)
print(B1.shape) # (3,)

A1 = np.dot(X, W1) + B1
```

この計算は前節で行った計算と同じです。`W1` は 2 × 3 の配列、`X` は要素数が 2 の 1 次元配列です。ここでもやはり、`W1` と `X` の対応する次元の要素数が一致していますね。

続いて、第1層目の活性化関数によるプロセスを見ていきます。この活性化関数によるプロセスを図で表すと、次の図3-18のようになります。

図3-18 に示すとおり、隠れ層での重み付き和（重み付き信号とバイアスの総和）を a で表し、活性化関数で変換された信号を z で表すことにします。また、図では活性

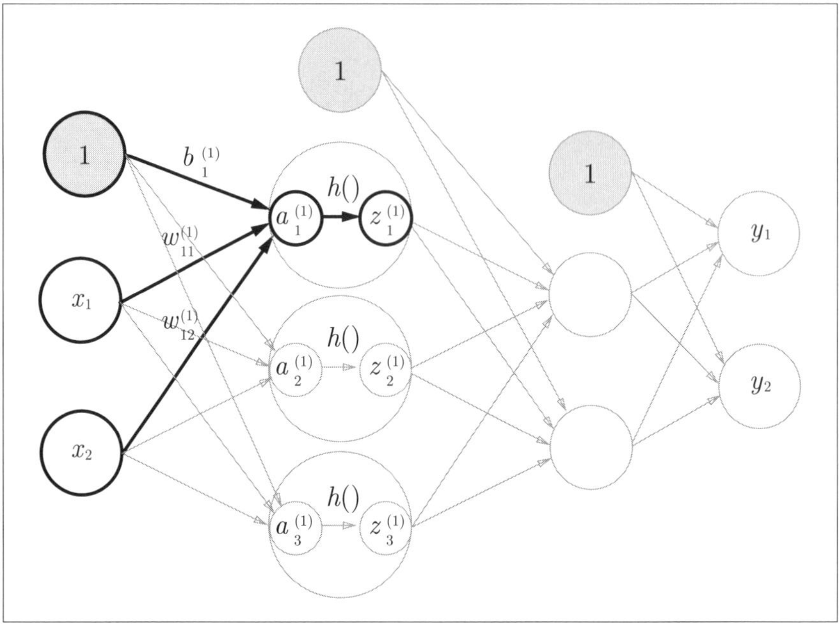

図3-18 入力層から第1層への信号の伝達

化関数を $h()$ で表し、ここではシグモイド関数を使うことにします。これを Python で実装すると、次のようになります。

```
Z1 = sigmoid(A1)

print(A1) # [0.3, 0.7, 1.1]
print(Z1) # [0.57444252, 0.66818777, 0.75026011]
```

この sigmoid() 関数は、前に定義した関数です。この関数は、NumPy 配列を受け取り、同じ要素数からなる NumPy 配列を返します。

それでは続いて、第1層から第2層目までの実装を行います(**図3-19**)。

```
W2 = np.array([[0.1, 0.4], [0.2, 0.5], [0.3, 0.6]])
B2 = np.array([0.1, 0.2])

print(Z1.shape) # (3,)
print(W2.shape) # (3, 2)
print(B2.shape) # (2,)
```

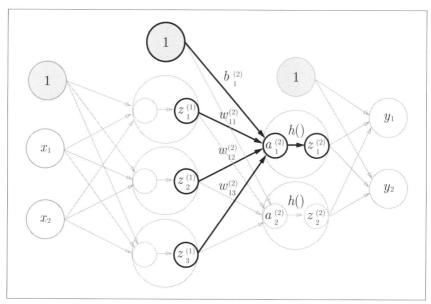

図3-19　第1層から第2層への信号の伝達

```
A2 = np.dot(Z1, W2) + B2
Z2 = sigmoid(A2)
```

　この実装は、第1層の出力（Z1）が第2層への入力になっている点を除けば、先ほどの実装とまったく同じです。NumPy配列を使うことで、層から層への信号の伝達が簡単に書けることが分かります。

　最後に、第2層目から出力層への信号の伝達です（**図3-20**）。出力層の実装も、これまでの実装とほとんど同じです。ただし、最後の活性化関数だけが、これまでの隠れ層とは異なります。

```
def identity_function(x):
    return x

W3 = np.array([[0.1, 0.3], [0.2, 0.4]])
B3 = np.array([0.1, 0.2])

A3 = np.dot(Z2, W3) + B3
Y = identity_function(A3) # もしくは Y = A3
```

　ここでは、identity_function()という関数を定義して、この関数——これ

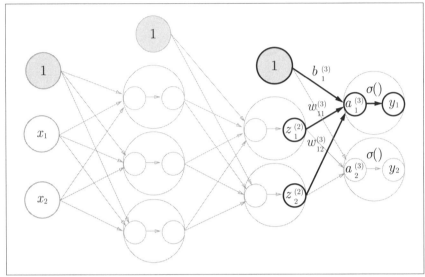

図3-20 第2層から出力層への信号の伝達

を「恒等関数」と言います――を出力層の活性化関数として利用します。恒等関数は、入力をそのまま出力する関数です。そのため、この例では、わざわざ `identity_function()` を定義する必要はないのですが、これまでの流れと統一するため、このような実装にしています。なお、**図3-20** の表記では、出力層の活性化関数は $\sigma()$ で表し、隠れ層の活性化関数 $h()$ とは異なることを示しています（σ は「シグマ」と言います）。

出力層で利用する活性化関数は、解く問題の性質に応じて決めます。たとえば、回帰問題では恒等関数、2クラス分類問題ではシグモイド関数、多クラス分類ではソフトマックス関数を使うのが一般的です。出力層の活性化関数については、次節で詳しく説明します。

3.4.3 実装のまとめ

これで3層ニューラルネットワークの説明は終わりです。それでは、ここまで行ってきた実装をまとめて書いてみることにします。なお、ここでは、ニューラルネットワークの実装の慣例として、重みだけを `W1` といったように大文字で表記し、それ以外（バイアスや中間結果など）は小文字で表記します。

3.4 3層ニューラルネットワークの実装

```python
def init_network():
    network = {}
    network['W1'] = np.array([[0.1, 0.3, 0.5], [0.2, 0.4, 0.6]])
    network['b1'] = np.array([0.1, 0.2, 0.3])
    network['W2'] = np.array([[0.1, 0.4], [0.2, 0.5], [0.3, 0.6]])
    network['b2'] = np.array([0.1, 0.2])
    network['W3'] = np.array([[0.1, 0.3], [0.2, 0.4]])
    network['b3'] = np.array([0.1, 0.2])

    return network

def forward(network, x):
    W1, W2, W3 = network['W1'], network['W2'], network['W3']
    b1, b2, b3 = network['b1'], network['b2'], network['b3']

    a1 = np.dot(x, W1) + b1
    z1 = sigmoid(a1)
    a2 = np.dot(z1, W2) + b2
    z2 = sigmoid(a2)
    a3 = np.dot(z2, W3) + b3
    y = identity_function(a3)

    return y

network = init_network()
x = np.array([1.0, 0.5])
y = forward(network, x)
print(y) # [ 0.31682708  0.69627909]
```

ここでは、init_network()、forward() という関数を定義しています。init_network() 関数で、重みとバイアスの初期化を行い、それらをディクショナリ型の変数 network に格納します。このディクショナリ型の変数 network には、それぞれの層で必要なパラメータ——重みとバイアス——が格納されています。そして、forward() 関数では、入力信号が出力へと変換されるプロセスがまとめて実装されています。

なお、ここで forward という単語が出てきましたが、これは入力から出力方向への伝達処理を表しています。後ほど、ニューラルネットワークの学習を行う際に、バックワード（backward）方向——出力から入力方向——の処理について見ていく予定です。

これで、ニューラルネットワークのフォワード方向の実装は終わりです。NumPyの多次元配列をうまく使うことで、ニューラルネットワークの実装を効率的に行うことができました！

3.5 出力層の設計

ニューラルネットワークは、分類問題と回帰問題の両方に用いることができます。ただし、分類問題と回帰問題のどちらに用いるかで、出力層の活性化関数を変更する必要があります。一般的に、回帰問題では恒等関数を、分類問題ではソフトマックス関数を使います。

機械学習の問題は、「分類問題」と「回帰問題」に大別できます。分類問題とは、データがどのクラスに属するか、という問題です。たとえば、人の写った画像から、その人が男性か女性のどちらであるかを分類するような問題が分類問題に相当します。一方、回帰問題は、ある入力データから、（連続的な）数値の予測を行う問題です。たとえば、人の写った画像から、その人の体重を予測するような問題が、回帰問題の例です（たとえば、「57.4kg」といったように予測します）。

3.5.1 恒等関数とソフトマックス関数

恒等関数は、入力をそのまま出力します。入ってきたものに対して何も手を加えずに出力する関数——それが恒等関数です。そのため、出力層で恒等関数を用いるときは、入力信号をそのまま出力するだけになります。なお、恒等関数によるプロセスをこれまで見てきたニューラルネットワークの図で表すとすれば、**図3-21** のように書くことができます。恒等関数によって変換されるプロセスは、これまでの隠れ層での活性化関数と同じで、1本の矢印で描画します。

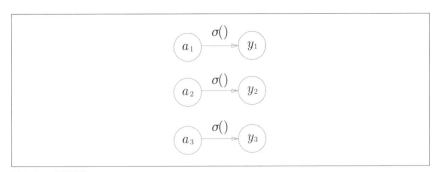

図3-21　恒等関数

一方、分類問題で使われるソフトマックス関数は、次の式で表されます。

3.5 出力層の設計

$$y_k = \frac{\exp(a_k)}{\sum_{i=1}^{n} \exp(a_i)} \qquad (3.10)$$

$\exp(x)$ は e^x を表す指数関数です（e は 2.7182… のネイピア数）。ここでは出力層が全部で n 個あるとして、k 番目の出力 y_k を求める計算式を表しています。式 (3.10) に示すように、ソフトマックス関数の分子は入力信号 a_k の指数関数、分母はすべての入力信号の指数関数の和から構成されます。

なお、ソフトマックス関数を図で表すと、次の図3-22 のようになります。図に示すように、ソフトマックスの出力は、すべての入力信号から矢印による結びつきがあります。式 (3.10) の分母から分かるように、出力の各ニューロンが、すべての入力信号から影響を受けることになるからです。

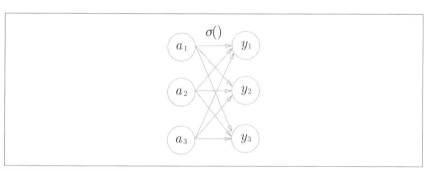

図3-22　ソフトマックス関数

それでは、ソフトマックス関数を実装しましょう。ここでは Python インタプリタを使って、ひとつずつ結果を確認しながら進みたいと思います。

```
>>> a = np.array([0.3, 2.9, 4.0])
>>>
>>> exp_a = np.exp(a)  # 指数関数
>>> print(exp_a)
[  1.34985881  18.17414537  54.59815003]
>>>
>>> sum_exp_a = np.sum(exp_a)  # 指数関数の和
>>> print(sum_exp_a)
74.1221542102
>>>
```

```
>>> y = exp_a / sum_exp_a
>>> print(y)
[ 0.01821127  0.24519181  0.73659691]
```

　この実装は、式 (3.10) のソフトマックス関数をそのまま Python で表現したものです。そのため、特に解説は必要ないでしょう。ここでは、後ほどソフトマックス関数を使うことを考えて、Python の関数として次のように定義することにします。

```
def softmax(a):
    exp_a = np.exp(a)
    sum_exp_a = np.sum(exp_a)
    y = exp_a / sum_exp_a

    return y
```

3.5.2　ソフトマックス関数の実装上の注意

　上の softmax 関数の実装は、式 (3.10) を正しく表現できていますが、コンピュータで計算を行う上では欠陥があります。その欠陥とは、オーバーフローに関する問題です。ソフトマックス関数の実装では、指数関数の計算を行うことになりますが、その際、指数関数の値が容易に大きな値になりえます。たとえば、e^{10} は 20,000 を超え、e^{100} は 0 が 40 個以上も並ぶ大きな値になり、e^{1000} の結果は無限大を表す inf が返ってきます。そして、このような大きな値どうしで割り算を行うと、数値が"不安定"な結果になってしまうのです。

コンピュータで「数」を扱う場合、その数値は 4 バイトや 8 バイトといった有限のデータ幅に収められることになります。これが意味することは、数には有効桁数があるということ、つまり、表現できる数値の範囲に制限があるということです。そのため、とても大きな値は表現できないという問題が発生します。これをオーバーフローと言い、コンピュータで計算を行う際には（時々）注意しなければなりません。

　ソフトマックス関数の実装の改善案は、次の式 (3.11) から導かれます。

3.5 出力層の設計

$$y_k = \frac{\exp(a_k)}{\sum_{i=1}^{n}\exp(a_i)} = \frac{C\exp(a_k)}{C\sum_{i=1}^{n}\exp(a_i)}$$
$$= \frac{\exp(a_k + \log C)}{\sum_{i=1}^{n}\exp(a_i + \log C)} \quad (3.11)$$
$$= \frac{\exp(a_k + C')}{\sum_{i=1}^{n}\exp(a_i + C')}$$

式 (3.11) の最初の変形では、C という任意の定数を分子と分母の両方に掛けています（分母と分子の両方に同じ定数を乗算しているため、同じ計算を行っていることになります）。そして、その C を指数関数（exp）の中に移動させ、$\log C$ とします。最後に $\log C$ を C' という別の記号に置き換えます。

式 (3.11) で述べていることは、ソフトマックスの指数関数の計算を行う際には、何らかの定数を足し算（もしくは、引き算）しても結果は変わらない、ということです。ここで C' にはどのような値を用いることもできますが、オーバーフローの対策としては、入力信号の中で最大の値を用いることが一般的です。それでは、ひとつ具体例を見てみましょう。

```
>>> a = np.array([1010, 1000, 990])
>>> np.exp(a) / np.sum(np.exp(a))  # ソフトマックス関数の計算
array([ nan,  nan,  nan])          # 正しく計算されない
>>>
>>> c = np.max(a) # 1010
>>> a - c
array([  0, -10, -20])
>>>
>>> np.exp(a - c) / np.sum(np.exp(a - c))
array([ 9.99954600e-01,   4.53978686e-05,   2.06106005e-09])
```

この例で示すように、普通に計算していたら nan（not a number : 不定）であったところを、入力信号の最大値（上の例では c）を引くことで、正しく計算できることが分かります。以上のことを踏まえて、ソフトマックス関数を実装すると、次のようになります。

```
def softmax(a):
    c = np.max(a)
    exp_a = np.exp(a - c) # オーバーフロー対策
    sum_exp_a = np.sum(exp_a)
```

```
    y = exp_a / sum_exp_a

    return y
```

3.5.3　ソフトマックス関数の特徴

softmax() 関数を使えば、ニューラルネットワークの出力は次のように計算することができます。

```
>>> a = np.array([0.3, 2.9, 4.0])
>>> y = softmax(a)
>>> print(y)
[ 0.01821127  0.24519181  0.73659691]
>>> np.sum(y)
1.0
```

ここで示したように、ソフトマックス関数の出力は、0 から 1.0 の間の実数になります。また、ソフトマックス関数の出力の総和は 1 になります。さて、この総和が 1 になるという性質ですが、これはソフトマックス関数の重要な性質です。この性質のおかげでソフトマックス関数の出力を「確率」として解釈することができます。

たとえば、上の例では、y[0] の確率が 0.018（1.8%）、y[1] の確率が 0.245（24.5%）、y[2] の確率が 0.737（73.7%）のように解釈できます。そして、この確率の結果から、「2 番目の要素が最も確率が高いため、答えは 2 番目のクラスだ」と言うことができます。さらに、「74% の確率で 2 番目のクラス、25% の確率で 1 番目のクラス、1% の確率で 0 番目のクラス」というような確率的な答え方をすることもできます。つまり、ソフトマックス関数を用いることで、問題に対して確率的（統計的）な対応ができるようになるのです。

ここで注意点としては、ソフトマックス関数を適用しても各要素の大小関係は変わらないということです。これは、指数関数 ($y = \exp(x)$) が単調増加する関数であることに起因します。実際、上の例では a の要素の大小関係と y の要素の大小関係は変わっていません。たとえば、a の最大値は 2 番目の要素ですが、y の最大値も 2 番目の要素です。

ニューラルネットワークのクラス分類では、一般的に、出力の一番大きいニューロンに相当するクラスだけを認識結果とします。そして、ソフトマックス関数を適用しても、出力の一番大きいニューロンの場所は変わりません。そのため、ニューラルネットワークが分類を行う際には、出力層のソフトマックス関数を省略することができます。実際の問題では、指数関数の計算は、それなりにコンピュータの計算が必要

になるので、出力層のソフトマックス関数は省略するのが一般的です。

機械学習の問題を解く手順は「学習」と「推論」の2つのフェーズに分けられます。最初に学習フェーズでモデルの学習を行い、推論フェーズで、学習したモデルを使って未知のデータに対して推論（分類）を行います。先ほど述べたとおり、推論フェーズでは、出力層のソフトマックス関数は省略するのが一般的です。出力層にソフトマックス関数を用いる理由は、ニューラルネットワークの学習時に関係してきます（詳しくは次章参照）。

3.5.4　出力層のニューロンの数

　出力層のニューロンの数は、解くべき問題に応じて、適宜決める必要があります。クラス分類を行う問題では、出力層のニューロンの数は分類したいクラスの数に設定するのが一般的です。たとえば、ある入力画像に対して、その画像が数字の0から9のどれかを予測する問題——10クラス分類問題——では、次の図3-23のように、出力層のニューロンは10個に設定します。

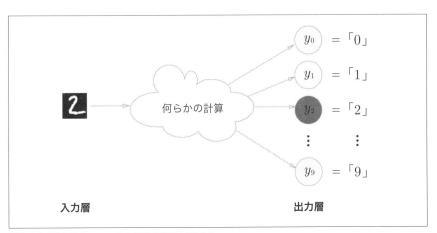

図3-23　出力層のニューロンは各数字に対応する

　図3-23に示すように、この例では、出力層のニューロンは上から順に数字の0、1、…、9に対応するとします。また、図では出力層のニューロンの値をグレーの濃淡で表現しています。この例では y_2 が一番濃く描画されており、y_2 のニューロンが一番高い値を出力しています。これは、y_2 に該当するクラス、つまり「2」であることを、このニューラルネットワークが予測していることを意味します。

3.6 手書き数字認識

ニューラルネットワークの仕組みを学んだところで、実践的な問題に取り組みましょう。ここでは、手書き数字画像の分類を行いたいと思います。学習はすでに完了したものとして、学習済みのパラメータを使って、ニューラルネットワークの「推論処理」だけを実装していきます。なお、この推論処理は、ニューラルネットワークの順方向伝播（forward propagation）とも言います。

機械学習の問題を解く手順（「学習」と「推論」の2つのフェーズで行う）と同様、ニューラルネットワークを使って問題を解く場合も、初めに訓練データ（学習データ）を使って重みパラメータの学習を行い、推論時には、先に学習したパラメータを使って、入力データの分類を行います。

3.6.1 MNISTデータセット

ここで使用するデータセットは MNIST という手書き数字の画像セットです。MNIST は機械学習の分野で最も有名なデータセットのひとつであり、簡単な実験から論文として発表される研究まで、さまざまな場所で利用されています。実際、画像認識や機械学習の論文を読んでいると実験用のデータとしてよく登場するのが、この MNIST データセットだったりします。

MNIST データセットは、0 から 9 までの数字画像から構成されます（図3-24）。訓練画像が 60,000 枚、テスト画像が 10,000 枚用意されており、それらの画像を使用して、学習と推論を行います。一般的な MNIST データセットの使い方では、訓練画像を使って学習を行い、学習したモデルでテスト画像に対してどれだけ正しく分類できるかを計測します。

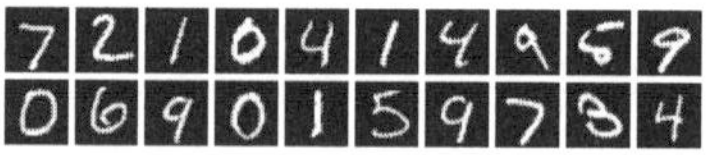

図3-24 MNIST 画像データセットの例

MNIST の画像データは 28 × 28 のグレー画像（1 チャンネル）で、各ピクセルは 0 から 255 までの値を取ります。それぞれの画像データに対しては、「7」「2」「1」といったように、対応するラベルが与えられています。

3.6 手書き数字認識 | 73

　本書では、MNIST データセットのダウンロードから画像データの NumPy 配列
への変換までをサポートする便利な Python スクリプトである mnist.py を提供し
ます（mnist.py は、dataset ディレクトリに存在します）。この mnist.py の利用
に際しては、カレントディレクトリが ch01、ch02、ch03、…、ch08 ディレクトリ
のいずれかである必要があります。この mnist.py の関数 load_mnist() を用いれ
ば、MNIST データを次のように簡単に読み込むことができます。

```
import sys, os
sys.path.append(os.pardir)  # 親ディレクトリのファイルをインポートするための設定
from dataset.mnist import load_mnist

# 最初の呼び出しは数分待ちます…
(x_train, t_train), (x_test, t_test) = \
    load_mnist(flatten=True, normalize=False)

# それぞれのデータの形状を出力
print(x_train.shape) # (60000, 784)
print(t_train.shape) # (60000,)
print(x_test.shape)  # (10000, 784)
print(t_test.shape)  # (10000,)
```

　ここでは最初に、親ディレクトリのファイルをインポートするための設定を行いま
す。そして、dataset/mnist.py の load_mnist 関数のインポートを行います。最
後に、そのインポートした load_mnist 関数によって、MNIST データセットの読み
込みを行います。load_mnist の初回呼び出し時には、MNIST データのダウンロー
ドを行うため、ネット接続が必要です。2 回目以降の呼び出しは、ローカルに保存し
たファイル（pickle ファイル）の読み込みだけを行うため、すぐに処理が終了します。

MNIST 画像を読み込むためのファイルは、本書が提供するソースコードの
dataset ディレクトリに存在します。そして、この MNIST データセットは、
ch01、ch02、ch03、…、ch08 ディレクトリだけから利用することを想定してい
ます。そのため、利用に際しては、親ディレクトリ（dataset ディレクトリ）にあ
るファイルをインポートする必要があり、sys.path.append(os.pardir)
という一文が必要になります。

　load_mnist 関数は、「(訓練画像, 訓練ラベル), (テスト画像, テストラベ
ル)」という形式で、読み込んだ MNIST データを返します。また、引数として、
load_mnist(normalize=True, flatten=True, one_hot_label=False) のよ

うに、3つの引数を設定することができます。ひとつ目の引数である normalize は、入力画像を 0.0〜1.0 の値に正規化するかどうかを設定します。これを False にすれば、入力画像のピクセルは元の 0〜255 のままです。2 つ目の引数の flatten は、入力画像を平らにする（1 次元配列にする）かどうかを設定します。False に設定すると、入力画像は 1 × 28 × 28 の 3 次元配列として、True にすると 784 個の要素からなる 1 次元配列として格納されます。3 つ目の引数の one_hot_label は、ラベルを one-hot 表現として格納するかどうかを設定します。one-hot 表現とは、たとえば [0,0,1,0,0,0,0,0,0,0] のように、正解となるラベルだけが 1 で、それ以外は 0 の配列です。one_hot_label が False のときは、7、2 といったように単純に正解となるラベルが格納されますが、one_hot_label が True のときは、ラベルは one-hot 表現として格納されます。

Python には、pickle という便利な機能があります。これは、プログラムの実行中のオブジェクトをファイルとして保存する機能です。一度保存した pickle ファイルをロードすると、プログラムの実行中だったときのオブジェクトを即座に復元することができます。なお、MNIST データセットを読み込む load_mnist() 関数の内部でも、(2 回目以降の読み込み時に) pickle を利用しています。pickle の機能を利用することによって、MNIST のデータの準備を高速に行うことができます。

それでは、データの確認も兼ねて、MNIST 画像を表示させてみることにします。画像の表示には PIL（Python Image Library）モジュールを使用します。次のコードを実行すると、訓練画像の 1 枚目が**図 3-25** のように表示されます（ソースコードは ch03/mnist_show.py にあります）。

```
import sys, os
sys.path.append(os.pardir)
import numpy as np
from dataset.mnist import load_mnist
from PIL import Image

def img_show(img):
    pil_img = Image.fromarray(np.uint8(img))
    pil_img.show()

(x_train, t_train), (x_test, t_test) = \
    load_mnist(flatten=True, normalize=False)
```

```
img = x_train[0]
label = t_train[0]
print(label) # 5

print(img.shape)           # (784,)
img = img.reshape(28, 28)  # 形状を元の画像サイズに変形
print(img.shape)           # (28, 28)

img_show(img)
```

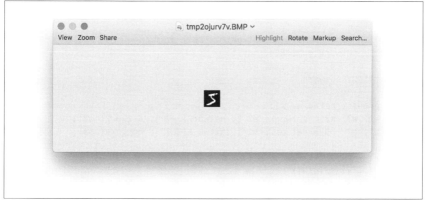

図3-25　MNIST 画像の表示

　ここでの注意点としては、flatten=True として読み込んだ画像は NumPy 配列として 1 列（1 次元）で格納されているということです。そのため、画像の表示に際しては、元の形状である 28 × 28 のサイズに再変形（reshape）する必要があります。NumPy 配列の形状の変形は reshape() メソッドによって行い、希望する形状を引数で指定します。また、NumPy として格納された画像データを、PIL 用のデータオブジェクトに変換する必要がありますが、この変換は、Image.fromarray() によって行います。

3.6.2　ニューラルネットワークの推論処理

　それでは、この MNIST データセットに対して、推論処理を行うニューラルネットワークを実装しましょう。ネットワークは、入力層を 784 個、出力層を 10 個のニューロンで構成します。入力層の 784 という数字は、画像サイズの 28 × 28 = 784 から、また、出力層の 10 という数字は、10 クラス分類（数字の 0 から 9 の 10 クラス）か

ら来ています。また、隠れ層が 2 つあり、ひとつ目の隠れ層が 50 個、2 つ目の層が 100 個のニューロンを持つものとします。この 50 と 100 という数字は、任意の値に設定できます。それでは初めに、3 つの関数——get_data()、init_network()、predict()——を定義します（ここで示すコードは ch03/neuralnet_mnist.py にあります）。

```python
def get_data():
    (x_train, t_train), (x_test, t_test) = \
        load_mnist(normalize=True, flatten=True, one_hot_label=False)
    return x_test, t_test

def init_network():
    with open("sample_weight.pkl", 'rb') as f:
        network = pickle.load(f)

    return network

def predict(network, x):
    W1, W2, W3 = network['W1'], network['W2'], network['W3']
    b1, b2, b3 = network['b1'], network['b2'], network['b3']

    a1 = np.dot(x, W1) + b1
    z1 = sigmoid(a1)
    a2 = np.dot(z1, W2) + b2
    z2 = sigmoid(a2)
    a3 = np.dot(z2, W3) + b3
    y = softmax(a3)

    return y
```

　init_network() では、pickle ファイルの sample_weight.pkl に保存された学習済みの重みパラメータを読み込みます。このファイルには、重みとバイアスのパラメータがディクショナリ型の変数として保存されています。残り 2 つの関数は、これまで見てきた実装とほとんど同じですので、解説は不要でしょう。それでは、これら 3 つの関数を使って、ニューラルネットワークによる推論処理を行います。そして、認識精度——どれだけ正しく分類できるか——を評価したいと思います。

```python
x, t = get_data()
network = init_network()

accuracy_cnt = 0
for i in range(len(x)):
    y = predict(network, x[i])
    p = np.argmax(y)  # 最も確率の高い要素のインデックスを取得
```

```
        if p == t[i]:
            accuracy_cnt += 1

    print("Accuracy:" + str(float(accuracy_cnt) / len(x)))
```

 ここでは最初に MNIST データセットを取得し、ネットワークを生成します。続いて、x に格納された画像データを 1 枚ずつ for 文で取り出し、predict() 関数によって分類を行います。predict() 関数の結果は各ラベルの確率が NumPy 配列として出力されます。たとえば、[0.1, 0.3, 0.2, …, 0.04] のような配列が出力され、これは「0」の確率が 0.1、「1」の確率が 0.3 、…と解釈します。そして、この確率リストから最も大きな値のインデックス——何番目の要素が一番確率が高いか——を取り出し、それを予測結果とします。なお、配列中の最大値のインデックスを取得するには、np.argmax(x) を使います。np.argmax(x) は、引数 x に与えられた配列で最大の値を持つ要素のインデックスを取得します。最後に、ニューラルネットワークが予測した答えと正解ラベルとを比較して、正解した割合を認識精度 (accuracy) とします。

 以上のコードを実行すると、「Accuracy:0.9352」と表示されます。これは、93.52% 正しく分類することができた、ということを表しています。ここでは学習済みのニューラルネットワークを動かすことが目標でしたので、認識精度についての議論は行いませんが、ひとつ述べるとすれば、これから先、ニューラルネットワークの構造や学習方法を工夫することで、この認識精度がさらに高くなっていくことを見ていきます。実際、99% を超える精度に行き着く予定です！

 なお、この例では、load_mnist 関数の引数である normalize には True を設定しました。normalize を True に設定すると、その関数の内部では画像の各ピクセルの値を 255 で除算し、データの値が 0.0〜1.0 の範囲に収まるように変換されます。このようなデータをある決まった範囲に変換する処理を**正規化**（normalization）と言います。また、ニューラルネットワークの入力データに対して、何らかの決まった変換を行うことを**前処理**（pre-processing）と言います。ここでは、入力画像データに前処理として正規化を行ったことになります。

　　　前処理はニューラルネットワーク（ディープラーニング）において、実践的によく用いられます。前処理の有効性は、識別性能の向上や学習の高速化など、多くの実験によって示されています。先ほどの例では、前処理として各ピクセルの値を 255 で割るだけの単純な正規化を行いました。実際には、データ全体の分布を考慮した前処理を行うことが多くあります。たとえば、データ全体の平

均や標準偏差を利用して、データ全体が 0 を中心に分布するように移動させた
り、データの広がりをある範囲に収めたりといった正規化を行います。それ以
外にも、データ全体の分布の形状を均一にするといった方法——これを**白色化**
(whitening) と言います——などがあります。

3.6.3 バッチ処理

MNIST データセットを扱ったニューラルネットワークの実装は以上になります
が、ここでは、入力データと重みパラメータの「形状」に注意して、先ほどの実装を
再度見ていくことにします。

それでは、Python インタプリタを使って、先のニューラルネットワークの各層の
重みの形状を出力してみます。

```
>>> x, _ = get_data()
>>> network = init_network()
>>> W1, W2, W3 = network['W1'], network['W2'], network['W3']
>>>
>>> x.shape
(10000, 784)
>>> x[0].shape
(784,)
>>> W1.shape
(784, 50)
>>> W2.shape
(50, 100)
>>> W3.shape
(100, 10)
```

上の結果から、多次元配列の対応する次元の要素数が一致していることを確認しま
しょう（バイアスは省略しています）。図で表すとすれば、**図3-26** のようになりま
す。確かに、多次元配列の対応する次元の要素数が一致していますね。また、最終的
な結果として、要素数が 10 の 1 次元配列 y が出力される点も確認しましょう。

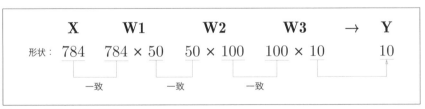

図3-26　配列の形状の推移

図3-26 は、全体を通して見れば、784 の要素からなる 1 次元配列（元は 28 × 28 の 2 次元配列）が入力され、1 次元の配列（要素数 10）が出力されるという流れになっています。これは画像データを 1 枚だけ入力したときの処理の流れです。

それでは、画像を複数枚まとめて入力する場合を考えましょう。たとえば、100 枚の画像をまとめて、1 回の predict() 関数で処理したいとします。そのためには、x の形状を 100 × 784 として、100 枚分のデータをまとめて入力データとすることができます。図で表すと図3-27 のようになります。

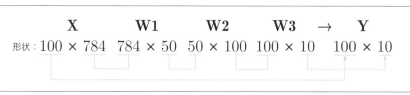

図3-27　バッチ処理における配列の形状の推移

図3-27 に示すように、入力データの形状は 100 × 784、出力データの形状は 100 × 10 になります。これは、100 枚分の入力データの結果が一度に出力されることを表しています。たとえば、x[0] と y[0] には 0 番目の画像とその推論の結果、x[1] と y[1] には 1 番目の画像とその結果、…というように格納されています。

なお、ここで説明したような、まとまりのある入力データをバッチ（batch）と呼びます。バッチには「束」という意味があり、画像がお札のように束になっているイメージです。

バッチ処理には、コンピュータで計算する上で大きな利点があります。それは、バッチ処理によって、1 枚あたりの処理時間を大幅に短縮できるという利点です。なぜ処理時間を短縮できるかというと、数値計算を扱うライブラリの多くは、大きな配列の計算を効率良く処理できるような高度な最適化が行われているからです。また、ニューラルネットワークの計算において、データ転送がボトルネックになる場合は、バッチ処理を行うことで、バス帯域の負荷を軽減することができます（正確には、データの読み込みに対して演算の割合を多くすることができます）。つまり、バッチ処理を行うことで大きな配列の計算を行うことになりますが、大きな配列を一度に計算するほうが、分割した小さい配列を少しずつ計算するよりも速く計算が完了するのです。

それでは、バッチ処理による実装を行います。ここでは、前に実装したコードとの

差異部分を太字で示します。

```
x, t = get_data()
network = init_network()

batch_size = 100 # バッチの数
accuracy_cnt = 0

for i in range(0, len(x), batch_size):
    x_batch = x[i:i+batch_size]
    y_batch = predict(network, x_batch)
    p = np.argmax(y_batch, axis=1)
    accuracy_cnt += np.sum(p == t[i:i+batch_size])

print("Accuracy:" + str(float(accuracy_cnt) / len(x)))
```

太字の箇所をひとつずつ解説していきましょう。まずは、range()関数からです。range()関数は、range(start, end)のように指定すると、startからend-1までの整数からなるリストを作成します。また、range(start, end, step)のように3つの整数を指定すると、リストの要素の次の値がstepで指定された値だけ増加するリストを作成します。ここでは、ひとつ例を見てみましょう。

```
>>> list( range(0, 10) )
[0, 1, 2, 3, 4, 5, 6, 7, 8, 9]
>>> list( range(0, 10, 3) )
[0, 3, 6, 9]
```

このrange()関数によって出力されるリストを元に、x[i:i+batch_size]のように、入力データからバッチを抜き出します。x[i:i+batch_n]は、入力データのi番目から、i+batch_n番目までのデータを取り出しますが、この例では、x[0:100]、x[100:200]、…といったように、先頭から100枚ずつバッチとして取り出すことになります。

そして、argmax()で最大値のインデックスを取得します。ただし、ここでは、axis=1という引数を与えていることに注意しましょう。これは、100×10の配列の中で1次元目の要素ごとに（1次元目を軸として）、最大値のインデックスを見つけることを指定しているのです（0次元目は最初の次元に対応します）。ここでもひとつ例を示します。

```
>>> x = np.array([[0.1, 0.8, 0.1], [0.3, 0.1, 0.6],
...               [0.2, 0.5, 0.3], [0.8, 0.1, 0.1]])
>>> y = np.argmax(x, axis=1)
>>> print(y)
```

```
[1 2 1 0]
```

最後に、バッチ単位で分類した結果と、実際の答えを比較します。そのために、NumPy 配列どうしで比較演算子（==）によって、True/False からなるブーリアン配列を作成し、True の個数を算出します。これらの処理手順は、次の例で確認しましょう。

```
>>> y = np.array([1, 2, 1, 0])
>>> t = np.array([1, 2, 0, 0])
>>> print(y==t)
[True True False True]
>>> np.sum(y==t)
3
```

以上で、バッチ処理による実装の解説は終わりです。バッチ処理を行うことで、高速に効率良く処理することができました。また、次章でニューラルネットワークの学習を行う際にも、画像データをまとまりのあるバッチとして学習します。その際にも、ここで実装したバッチ処理と同様な実装を行うことになります。

3.7　まとめ

本章では、ニューラルネットワークの順方向の伝播（forward propagation）について解説しました。本章で説明したニューラルネットワークは、前章のパーセプトロンと、ニューロンの信号が階層的に伝わるという点で同じでした。しかし、次のニューロンへ信号を送信する際に、信号を変化させる活性化関数に大きな違いがありました。ニューラルネットワークでは活性化関数が滑らかに変化するシグモイド関数、パーセプトロンでは信号が急に変化するステップ関数を使用しました。この違いがニューラルネットワークの学習において重要になってきますが、これは次章で説明します。

本章で学んだこと

- ニューラルネットワークでは、活性化関数としてシグモイド関数や ReLU 関数のような滑らかに変化する関数を利用する。
- NumPy の多次元配列をうまく使うことで、ニューラルネットワークを効率良く実装することができる。
- 機械学習の問題は、回帰問題と分類問題に大別できる。
- 出力層で使用する活性化関数は、回帰問題では恒等関数、分類問題ではソフトマックス関数を一般的に利用する。
- 分類問題では、出力層のニューロンの数を分類するクラス数に設定する。
- 入力データのまとまりをバッチと言い、バッチ単位で推論処理を行うことで、計算を高速に行うことができる。

4章
ニューラルネットワークの学習

本章のテーマは、ニューラルネットワークの学習です。ここで言う「学習」とは、訓練データから最適な重みパラメータの値を自動で獲得することを指します。本章では、ニューラルネットワークが学習を行えるようにするために、損失関数という「指標」を導入します。この損失関数を基準として、その値が最も小さくなる重みパラメータを探し出すということが学習の目的です。本章では、できるだけ小さな損失関数の値を探し出すための手法として、勾配法と呼ばれる、関数の傾きを使った手法を説明します。

4.1 データから学習する

ニューラルネットワークの特徴は、データから学習できる点にあります。データから学習するとは、重みパラメータの値をデータから自動で決定できるということです。これはとても素晴らしいニュースです！ なぜなら、もし仮にすべてのパラメータを手作業によって決めるとすれば、それは相当に大変な作業になるからです。たとえば、2章で見たパーセプトロンの例では、真理値表を見ながら手作業でパラメータの値を設定しましたが、その際のパラメータの個数は3個程度でした。しかし、実際のニューラルネットワークでは、パラメータの数が数千、数万にも及びます。さらに、層を深くしたディープラーニングにもなれば、パラメータの数は数億に及ぶこともあります。それらのパラメータを手作業で決めるというのは、もはや不可能でしょう。本章では、ニューラルネットワークの学習——データからパラメータの値を決める方法——について説明し、PythonによってMNISTデータセットの手書き数字を学習する実装を行います。

2章のパーセプトロンは、線形分離可能な問題であれば、データから自動で学習することは可能です。有限回の学習によって、線形分離可能な問題が解けることは「パーセプトロンの収束定理」として知られています。しかし、非線形分離問題は（自動で）学習することはできません。

4.1.1　データ駆動

　機械学習はデータが命です。データから答えを探し、データからパターンを見つけ、データからストーリーを語る——これが機械学習で行うことであり、データがなければ何も始まりません。そのため、機械学習の中心には「データ」が存在します。このデータ駆動によるアプローチは、「人」を中心とするアプローチからの脱却とも言えます。

　さて、通常、何らかの問題を解決しようとする場合——特に何らかのパターンを見つける必要がある場合——、人があれやこれやと考えて答えを出すことが一般的でしょう。「この問題はどうやらこういう規則性があるのではないか」、「いやいや、別の場所に原因があるかもしれない」といったように、人の経験や直感を手がかりに試行錯誤を重ねて仕事を進めます。一方、機械学習による手法では、人の介入を極力避け、集められたデータから答え（パターン）を見つけようと試みます。さらに、ニューラルネットワークやディープラーニングは、従来の機械学習で使われた手法以上に、人の介入を遠ざけることができるという重要な性質を持ちます。

　ここでは、ひとつ具体的な問題を考えてみましょう。たとえば、「5」という数字を認識するプログラムを実装したいとします。「5」という数字は、図4-1 に示すような手書きの画像だとして、5か／5でないかを見分けるプログラムを実装することがゴールだとしましょう。さて、この問題は比較的単純そうに見えますが、どのようなアルゴリズムが考えられるでしょうか？

図4-1　手書き数字の「5」の例：人によってさまざまな書き方（クセ）がある

　「5」を正しく分類できるプログラムを自分で考えて設計しようとすると、それは意

外と難しい問題であることが分かります。人にとっては簡単に「5」だと認識できますが、どういう規則性で「5」と認識したのかを明確に述べることは困難でしょう。また、図4-1を見ると、人によってさまざまなクセがあり、「5」であることのルールを見つけることは、骨の折れる仕事であり、時間のかかる作業になりそうだということも分かるでしょう。

そこで、ゼロから「5」を認識するアルゴリズムを"ひねり出す"代わりに、データを有効に活用して解決したいと考えます。そのひとつの方法としては、画像から**特徴量**を抽出して、その特徴量のパターンを機械学習の技術で学習する方法が考えられます。ここで言う特徴量とは、入力データ（入力画像）から本質的なデータ（重要なデータ）を的確に抽出できるように設計された変換器を指します。画像の特徴量は通常、ベクトルとして記述されます。なお、コンピュータビジョンの分野で有名な特徴量としては、SIFTやSURF、HOGなどが挙げられます。そのような特徴量を使って画像データをベクトルに変換し、その変換されたベクトルに対して、機械学習で使われる識別器――SVMやKNNなど――で学習させることができます。

この機械学習によるアプローチでは、集められたデータの中から「機械」が規則性を見つけ出します。これは、ゼロからアルゴリズムを考え出す場合に比べると、より効率的に問題を解決でき、「人」への負担も軽減されるでしょう。ただし、画像をベクトルに変換する際に使用した特徴量は、「人」が設計したものであることに注意が必要です。というのは、問題に応じて適した特徴量を使わなければ（もしくは特徴量を設計しなければ）、なかなか良い結果が得られないのです。たとえば、犬の顔を見分けるためには、「5」を認識する特徴量とは別の特徴量を人が考える必要があるかもしれません。つまり、特徴量と機械学習によるアプローチでも、問題に応じて、「人」の手によって適した特徴量を考える必要があるかもしれないのです。

さて、これまで機械学習の問題に対して2つのアプローチを述べました。それら2つのアプローチを図で示すと、次の図4-2の上段のようになります。それに対して、ニューラルネットワーク（ディープラーニング）によるアプローチは、図4-2の下段のように、人の介在しないひとつのブロックによって表されます。

図4-2に示すとおり、ニューラルネットワークは、画像を"そのまま"学習します。2つ目のアプローチ――特徴量と機械学習によるアプローチ――の例では人が特徴量を設計しましたが、ニューラルネットワークは、画像に含まれる重要な特徴量までも「機械」が学習するのです。

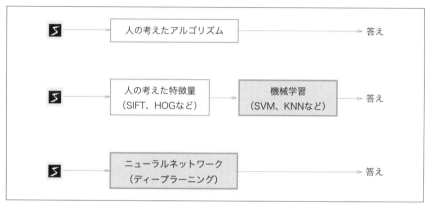

図4-2 「人」の手によるルール作りから、「機械」にデータから学ばせる手法へのパラダイムシフト：人のアイデアが介在しないブロックは灰色で示している

ディープラーニングは、「end-to-end machine learning」と呼ばれることがあります。ここで言う end-to-end とは、「端から端まで」という意味であり、これは生データ（入力）から目的の結果（出力）を得ることを意味します。

　ニューラルネットワークの利点は、すべての問題を同じ流れで解くことができる点にあります。たとえば、解くべき問題が「5」を認識する問題なのか、「犬」を認識する問題なのか、それとも、「人の顔」を認識する問題なのかといった詳細とは関係なしに、ニューラルネットワークは与えられたデータをただひたすら学習し、与えられた問題のパターンを発見しようと試みます。つまり、ニューラルネットワークは、対象とする問題に関係なく、データをそのままの生データとして、"end-to-end"で学習することができるのです。

4.1.2　訓練データとテストデータ

　本章では、ニューラルネットワークの学習について説明しますが、その前に、機械学習におけるデータの取り扱いについて注意事項を説明します。

　機械学習の問題では、**訓練データ**と**テストデータ**の2つのデータに分けて、学習や実験などを行うのが一般的です。その場合、まずは訓練データだけを使って学習を行い、最適なパラメータを探索します。そして、テストデータを使って、その訓練したモデルの実力を評価するのです。それでは、なぜ訓練データとテストデータを分ける必要があるのでしょうか？　それは、私たちが求めているものは、モデルの汎用的な能力であるからです。この**汎化能力**を正しく評価したいがために、訓練データとテス

トデータを分離する必要があるのです。なお、訓練データは**教師データ**と呼ぶ場合もあります。

汎化能力とは、まだ見ぬデータ（訓練データに含まれないデータ）に対しての能力であり、この汎化能力を獲得することこそが機械学習の最終的な目標です。たとえば、手書き数字認識の問題の場合、それはハガキの郵便番号を自動で読み取るためのシステムに使われるかもしれません。その場合、手書き数字認識は、"誰か"が書いた文字を認識できる能力が高くなければなりません。その誰かとは「特定の人の特定の文字」ではなく、「任意の人の任意の文字」なのです。もし、手元にある訓練データだけうまく判別できたとしても、それはそのデータに含まれる人の、クセのある文字だけを学習している可能性があります。

そのため、ひとつのデータセットだけでパラメータの学習と評価を行ってしまうと、正しい評価が行えないことになります。そのようなことを行ってしまうと、あるデータセットにはうまく対応できても、他のデータセットには対応できない、といったことが起こります。ちなみに、あるデータセットだけに過度に対応した状態を**過学習**（overfitting）と言います。過学習を避けることは、機械学習の重要な課題でもあります。

4.2 損失関数

「あなたは今、どれだけ幸せですか？」と聞かれたら、どう答えるでしょうか？「まあまあ、幸せ」とか「そんなに幸せじゃない」といった漠然とした答え方をするのが、普通の人の回答かもしれません。そんな中、「私の現在の幸せ指数は 10.23 です」のような答え方をする人がいたら、呆気にとられてしまうでしょう。自分の幸せを、ひとつの指標だけで数値的に判断するのですから。もしそのような人がいるとしたら、きっとその人は、自分の「幸せ指標」だけを手がかりに自分の人生を歩むことになるかもしれません。

さて、この「幸せ指標」の話はひとつのたとえ話ですが、実はニューラルネットワークの学習でも、これと同じようなことを行います。ニューラルネットワークの学習では、ある「ひとつの指標」によって現在の状態を表します。そして、その指標を基準として、最適な重みパラメータの探索を行うのです。先の「幸せ指標」の人が、幸せ指数を手がかりに"最適な人生"を探索するように、ニューラルネットワークも「ひとつの指標」を手がかりに最適なパラメータを探索します。なお、ニューラルネットワークの学習で用いられる指標は、**損失関数**（loss function）と呼ばれます。

この損失関数は、任意の関数を用いることができますが、一般には、2乗和誤差や交差エントロピー誤差などが用いられます。

損失関数はニューラルネットワークの性能の"悪さ"を示す指標です。現在のニューラルネットワークが教師データに対してどれだけ適合していないか、教師データに対してどれだけ一致していないかということを表します。ここで「性能の悪さ」を指標にするというと、なんだか不自然に感じられるかもしれませんが、損失関数にマイナスを掛けた値は、「どれだけ性能が悪くないか」つまり「どれだけ性能が良いか」という指標として解釈できます。また、「性能の悪さを最小にすること」と「性能の良さを最大にすること」は同じことですから、性能の「悪さ」と「良さ」のどちらを指標にしたとしても、本質的に行うことは同じなのです。

4.2.1　2乗和誤差

損失関数として用いられる関数はいくつかありますが、最も有名なものは**2乗和誤差**（sum of squared error）でしょう。この2乗和誤差は数式で次のように表されます。

$$E = \frac{1}{2} \sum_k (y_k - t_k)^2 \tag{4.1}$$

ここで、y_k はニューラルネットワークの出力、t_k は教師データを表し、k はデータの次元数を表します。たとえば、「3.6 手書き数字認識」の例では、y_k、t_k は次のような10個の要素からなるデータです。

```
>>> y = [0.1, 0.05, 0.6, 0.0, 0.05, 0.1, 0.0, 0.1, 0.0, 0.0]
>>> t = [0, 0, 1, 0, 0, 0, 0, 0, 0, 0]
```

この配列の要素は、最初のインデックスから順に、数字の「0」、「1」、「2」…に対応します。ここでニューラルネットワークの出力である y は、ソフトマックス関数の出力です。ソフトマックス関数の出力は確率として解釈できるので、上の例では、「0」の確率は 0.1、「1」の確率は 0.05、「2」の確率は 0.6 といったようなことを表しています。一方、t は教師データです。この教師データは正解となるラベルを1、それ以外を0とします。ここではラベルの「2」が1なので、正解は「2」であることを表しています。なお、正解ラベルを1として、それ以外は0で表す表記法を **one-hot 表現**と言います。

さて、2乗和誤差は式 (4.1) で表されるように、ニューラルネットワークの出力と正解となる教師データの各要素の差の 2 乗を計算し、その総和を求めます。それでは、この 2 乗和誤差を Python で実装してみましょう。これは、次のように実装することができます。

```python
def sum_squared_error(y, t):
    return 0.5 * np.sum((y-t)**2)
```

ここで、引数の y と t は、NumPy の配列とします。中身の実装は、式 (4.1) をそのまま実装しただけなので、説明は不要でしょう。それでは、この関数を使って、実際に計算してみます。

```python
>>> # 「2」を正解とする
>>> t = [0, 0, 1, 0, 0, 0, 0, 0, 0, 0]
>>>
>>> # 例1:「2」の確率が最も高い場合 (0.6)
>>> y = [0.1, 0.05, 0.6, 0.0, 0.05, 0.1, 0.0, 0.1, 0.0, 0.0]
>>> sum_squared_error(np.array(y), np.array(t))
0.097500000000000031
>>>
>>> # 例2:「7」の確率が最も高い場合 (0.6)
>>> y = [0.1, 0.05, 0.1, 0.0, 0.05, 0.1, 0.0, 0.6, 0.0, 0.0]
>>> sum_squared_error(np.array(y), np.array(t))
0.59750000000000003
```

ここでは、2 つの例を示しています。ひとつ目の例は、正解を「2」として、ニューラルネットワークの出力が「2」で最も高い場合です。一方、2 つ目の例では、正解は「2」ですが、ニューラルネットワークの出力は「7」で最も高くなっています。この実験の結果で示されるように、ひとつ目の例の損失関数のほうが小さくなっており、教師データとの誤差が小さいことが分かります。つまり、ひとつ目の例のほうが、出力結果が教師データにより適合していることを 2 乗和誤差は示しているのです。

4.2.2　交差エントロピー誤差

2 乗和誤差と別の損失関数として、**交差エントロピー誤差**（cross entropy error）もよく用いられます。交差エントロピー誤差は次の数式で表されます。

$$E = -\sum_k t_k \log y_k \tag{4.2}$$

ここで、log は底が e の自然対数（$\log_e$）を表します。y_k はニューラルネットワー

クの出力、t_k は正解ラベルとします。また、t_k は正解ラベルとなるインデックスだけが 1 で、その他は 0 であるとします（one-hot 表現）。そのため、式 (4.2) は実質的に正解ラベルが 1 に対応する出力の自然対数を計算するだけになります。たとえば、「2」が正解ラベルのインデックスであるとして、それに対応するニューラルネットワークの出力が 0.6 の場合、交差エントロピー誤差は $-\log 0.6 = 0.51$ と計算できます。また、「2」の出力が 0.1 の場合は、$-\log 0.1 = 2.30$ となります。つまり、交差エントロピー誤差は、正解ラベルとなる出力の結果によって、その値が決まるのです。

ところで、自然対数をグラフで表すと**図4-3**のようになります。

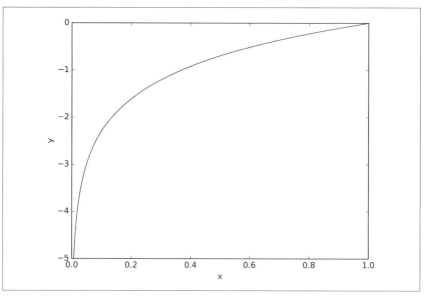

図4-3　自然対数 $y = \log x$ のグラフ

図4-3 で示されるように、x が 1 のとき y は 0 になり、x が 0 に近づくにつれて、y の値はどんどん小さくなります。そのため、式 (4.2) は正解ラベルに対応する出力が大きければ大きいほど 0 に近づきます。そして、その出力が 1 のとき交差エントロピー誤差は 0 になります。また、正解ラベルに対応する出力が小さければ式 (4.2) の値は大きくなることも分かります。

それでは、交差エントロピー誤差を実装しましょう。

```
def cross_entropy_error(y, t):
    delta = 1e-7
    return -np.sum(t * np.log(y + delta))
```

ここで、引数の y と t は、NumPy の配列とします。中身の実装では、np.log の計算時に、微小な値である delta を足して計算しています。これは、np.log(0) のような計算が発生した場合、np.log(0) はマイナスの無限大を表す-inf となり、そうなってしまうと、それ以上計算を進めることができなくなります。その防止策として、微小な値を追加して、マイナス無限大を発生させないようにしています。それでは、この cross_entropy_error(y, t) を使って、簡単な計算をしてみましょう。

```
>>> t = [0, 0, 1, 0, 0, 0, 0, 0, 0, 0]
>>> y = [0.1, 0.05, 0.6, 0.0, 0.05, 0.1, 0.0, 0.1, 0.0, 0.0]
>>> cross_entropy_error(np.array(y), np.array(t))
0.51082545709933802
>>>
>>> y = [0.1, 0.05, 0.1, 0.0, 0.05, 0.1, 0.0, 0.6, 0.0, 0.0]
>>> cross_entropy_error(np.array(y), np.array(t))
2.3025840929945458
```

ひとつ目の例では、正解となるラベルの出力が 0.6 の場合で、このとき、交差エントロピー誤差はおよそ 0.51 です。その次は、正解となるラベルの出力が 0.1 と低い場合の例ですが、このときの交差エントロピー誤差はおよそ 2.3 です。これらの結果から、これまでの議論と一致していることが分かります。

4.2.3　ミニバッチ学習

機械学習の問題は、訓練データを使って学習を行います。訓練データを使って学習するとは、正確に言うと、訓練データに対する損失関数を求め、その値をできるだけ小さくするようなパラメータを探し出す、ということです。そのため、損失関数は、すべての訓練データを対象として求める必要があります。つまり、訓練データが 100 個あれば、その 100 個の損失関数の和を指標とするのです。

ところで、先ほど説明した損失関数の例は、ひとつのデータの損失関数を考えていました。そこで、訓練データすべての損失関数の和を求めたいとすると、たとえば、交差エントロピー誤差の場合、次の式 (4.3) のように書くことができます。

$$E = -\frac{1}{N} \sum_n \sum_k t_{nk} \log y_{nk} \tag{4.3}$$

ここで、データが N 個あるとして、t_{nk} は n 個目のデータの k 番目の値を意味

します（y_{nk} はニューラルネットワークの出力、t_{nk} は教師データです）。数式が少し複雑に見えますが、ひとつのデータに対する損失関数を表す式 (4.2) を、単に N 個分のデータに拡張しただけです。ただし、最後に N で割って正規化しています。この N で割ることによって、1 個あたりの「平均の損失関数」を求めることになります。そのように平均化すれば、訓練データの数に関係なく、いつでも統一した指標が得られます。たとえば、訓練データが 1,000 個や 10,000 個の場合であっても、1 個あたりの平均の損失関数を求められます。

ところで、MNIST のデータセットは訓練データが 60,000 個ありました。そのため、すべてのデータを対象にして損失関数の和を求めるには少々時間がかかってしまいます。また、ビッグデータともなれば、その数は数百万、数千万といったオーダーの巨大なデータになります。その場合、すべてのデータを対象とした損失関数を計算するのは、現実的ではありません。そこで、データの中から一部を選び出し、その一部のデータを全体の「近似」として利用します。ニューラルネットワークの学習においても、訓練データからある枚数だけを選び出し——これを**ミニバッチ**（小さな塊）と言う——、そのミニバッチごとに学習を行います。たとえば、60,000 枚の訓練データの中から 100 枚を無作為に選び出して、その 100 枚を使って学習を行うのです。このような学習手法を**ミニバッチ学習**と言います。

それでは、ミニバッチ学習のために、訓練データの中から指定された個数のデータをランダムに選び出すコードを書いてみましょう。それに先立ち、MNIST データセットを読み込むためのコードを次に示します。

```python
import sys, os
sys.path.append(os.pardir)
import numpy as np
from dataset.mnist import load_mnist

(x_train, t_train), (x_test, t_test) = \
    load_mnist(normalize=True, one_hot_label=True)

print(x_train.shape) # (60000, 784)
print(t_train.shape) # (60000, 10)
```

3 章でも説明しましたが、`load_mnist` という関数は、MNIST データセットを読み込むための関数です。この関数は、本書が提供するスクリプト `dataset/mnist.py` にあります。この関数は、訓練データとテストデータを読み込みます。読み込む際に、引数で `one_hot_label=True` と指定することで、one-hot 表現として、つまり、正解となるラベルだけが 1 で、残りが 0 となるようなデータ構造で取得できます。

さて、上の MNIST データの読み込みによって、訓練データは 60,000 個あり、入力データは 784 列（元は 28 × 28）の画像データであることが分かります。また、教師データは 10 列のデータです。そのため、上の x_train、t_train の形状は、それぞれ (60000, 784)、(60000, 10) になります。

それでは、この訓練データの中からランダムに 10 枚だけ抜き出すには、どうすればよいでしょうか？ それには、NumPy の np.random.choice() を使って、次のように書くことができます。

```
train_size = x_train.shape[0]
batch_size = 10
batch_mask = np.random.choice(train_size, batch_size)
x_batch = x_train[batch_mask]
t_batch = t_train[batch_mask]
```

np.random.choice() を使えば、指定された数字の中からランダムに好きな数だけ取り出すことができます。たとえば、np.random.choice(60000, 10) とすると、0 から 60000 未満の数字の中からランダムに 10 個の数字を選び出します。実際のコードで示すと、次の例に示すように、ミニバッチとして選び出すインデックスを配列として取得できるのです。

```
>>> np.random.choice(60000, 10)
array([ 8013, 14666, 58210, 23832, 52091, 10153,  8107, 19410, 27260,
       21411])
```

後は、このランダムに選ばれたインデックスを指定して、ミニバッチを取り出すだけです。このミニバッチを使って、損失関数を計算します。

テレビの視聴率を計測するには、すべての世帯のテレビではなく、ある選ばれた世帯のテレビだけを対象とします。たとえば、関東地方の中から無作為に選ばれた 1,000 世帯を対象に視聴率を計測することで、関東地方全体の視聴率を近似して求めることができます。その 1,000 世帯の視聴率は、正確には全体の視聴率とは一致しませんが、全体のおおよその値として用いることができます。この視聴率の話と同じように、ミニバッチの損失関数も、一部のサンプルデータによって全体を近似して計算します。つまり、全体の訓練データのおおよその近似として、ランダムに選ばれた小さな集まり（ミニバッチ）で代替するのです。

4.2.4 【バッチ対応版】交差エントロピー誤差の実装

では、ミニバッチのようなバッチデータに対応した交差エントロピー誤差はどのように実装できるでしょうか？これは、先ほど実装した交差エントロピー誤差——それはひとつのデータを対象とした誤差でした——を改良することで簡単に実装することができます。ここでは、データがひとつの場合と、データがバッチとしてまとめられて入力される場合の両方のケースに対応するように実装します。

```python
def cross_entropy_error(y, t):
    if y.ndim == 1:
        t = t.reshape(1, t.size)
        y = y.reshape(1, y.size)

    batch_size = y.shape[0]
    return -np.sum(t * np.log(y + 1e-7)) / batch_size
```

ここで、y はニューラルネットワークの出力、t は教師データとします。y の次元数が 1 の場合、つまり、データひとつあたりの交差エントロピー誤差を求める場合は、データの形状を整形します。そして、バッチの枚数で正規化し、1 枚あたりの平均の交差エントロピー誤差を計算します。

また、教師データがラベルとして与えられたとき（one-hot 表現ではなく、「2」や「7」といったラベルとして与えられたとき）、交差エントロピー誤差は次のように実装することができます。

```python
def cross_entropy_error(y, t):
    if y.ndim == 1:
        t = t.reshape(1, t.size)
        y = y.reshape(1, y.size)

    batch_size = y.shape[0]
    return -np.sum(np.log(y[np.arange(batch_size), t] + 1e-7)) / batch_size
```

実装のポイントは、one-hot 表現で t が 0 の要素は、交差エントロピー誤差も 0 であるから、その計算は無視してもよいということです。言い換えれば、正解ラベルに対して、ニューラルネットワークの出力を得ることができれば、交差エントロピー誤差を計算することができるのです。そのため、t が one-hot 表現のときは t * np.log(y) で計算していた箇所を、t がラベル表現の場合は、np.log(y[np.arange(batch_size), t]) として、同じ処理を実現します（ここでの説明は、見やすさを優先して「微小な値 1e-7」の記載は省略します）。

参考までに np.log(y[np.arange(batch_size), t]) を簡単に説明しま

す。np.arange(batch_size) は、0 から batch_size-1 までの配列を生成します。たとえば、batch_size が 5 だとしたら、np.arange(batch_size) は [0, 1, 2, 3, 4] の NumPy 配列を生成します。t にはラベルが [2, 7, 0, 9, 4] のように格納されているので、y[np.arange(batch_size), t] は、各データの正解ラベルに対応するニューラルネットワークの出力を抽出します（この例では、y[np.arange(batch_size), t] は、[y[0,2], y[1,7], y[2,0], y[3,9], y[4,4]] の NumPy 配列を生成します）。

4.2.5　なぜ損失関数を設定するのか？

　損失関数の話が出てきて、なぜ損失関数を導入するのか、と疑問に思った方がいるかもしれません。たとえば、数字認識の場合、認識精度が高くなるようなパラメータを獲得したいので、わざわざ損失関数なるものを導入するのは二度手間ではないか、つまり、私たちが目標とすることは、できるだけ認識精度が高くなるニューラルネットワークを獲得することなので、「認識精度」を指標にすべきではないか、という疑問です。

　この疑問に対する答えは、ニューラルネットワークの学習における「微分」の役割に注目すると解決します。詳しくは次節で説明しますが、ニューラルネットワークの学習では、最適なパラメータ（重みとバイアス）を探索する際に、損失関数の値ができるだけ小さくなるようなパラメータを探します。ここで、できるだけ小さな損失関数の場所を探すために、パラメータの微分（正確には勾配）を計算し、その微分の値を手がかりにパラメータの値を徐々に更新していきます。

　たとえば、ここに仮想上のニューラルネットワークがあったとして、そのニューラルネットワークのあるひとつの重みパラメータに注目するとします。このとき、そのひとつの重みパラメータの損失関数に対する微分は、「その重みパラメータの値を少しだけ変化させたときに、損失関数がどのように変化するか」ということを表します。もし、その微分の値がマイナスとなれば、その重みパラメータを正の方向へ変化させることで、損失関数を減少させることができます。逆に、その微分の値がプラスであれば、その重みパラメータを負の方向へ変化させることで、損失関数を減少させることができるのです。しかし、微分の値が 0 になると、重みパラメータをどちらに動かしても、損失関数の値が変わらないため、その重みパラメータの更新はそこでストップします。

　認識精度を指標にしてはいけない理由は、微分がほとんどの場所で 0 になってしまい、パラメータの更新ができなくなってしまうからなのです。さて、話が少し長く

なってきたので、ここまでの説明をまとめることにします。

> ニューラルネットワークの学習の際に、認識精度を"指標"にしてはいけない。その理由は、認識精度を指標にすると、パラメータの微分がほとんどの場所で 0 になってしまうからである。

　認識精度を指標にすると、なぜパラメータの微分がほとんどの場所で 0 になってしまうのか？——その理由を説明するために、別の具体例を出して考えてみます。ここでは、あるニューラルネットワークが現在 100 枚ある訓練データの中で 32 枚を正しく認識できているとします。このとき、認識精度は 32% です。もし認識精度を指標にしたとすれば、重みパラメータの値を少し変えただけでは、認識精度は 32% のままで、変化が現れないでしょう。つまり、パラメータの少しの調整だけでは、認識精度は改善されず一定のままなのです。もし認識精度が改善されたとしても、その値は 32.0123…% のような連続的な変化ではなく、33% や 34% のように、不連続のとびとびの値へと変わってしまいます。一方、損失関数を指標とした場合、現在の損失関数の値は 0.92543…のような値によって表されます。そして、パラメータの値を少し変化させると、それに反応して損失関数も 0.93432…のように連続的に変化するのです。

　認識精度はパラメータの微小な変化にはほとんど反応を示さず、もし反応があるにしても、その値は不連続にいきなり変化します。これは、活性化関数の「ステップ関数」にも同じ話が当てはまります。なぜなら、もし活性化関数にステップ関数を使うと、ニューラルネットワークの学習は、同じ理由でうまく行えないのです。同じ理由とは、図 4-4 に示すように、ステップ関数の微分は、ほとんどの場所（0 以外の場所）で 0 になります。つまり、ステップ関数を用いると、損失関数を指標に用いたとしても、パラメータの微小な変化は、ステップ関数によって抹殺されてしまい、損失関数の値は何の変化も示さなくなってしまうのです。

　ステップ関数は「ししおどし」のように、ある瞬間だけ変化を起こす関数でしたが、一方、シグモイド関数の微分（接線）は、図 4-4 に示すように、出力（縦軸の値）が連続的に変化し、さらに、曲線の傾きも連続的に変化します。つまり、シグモイド関数の微分はどの場所であっても 0 にはならないのです。これは、ニューラルネットワークの「学習」において重要な性質になります。この性質——傾きが 0 にはならない——によって、ニューラルネットワークは正しい学習が行えるようになります。

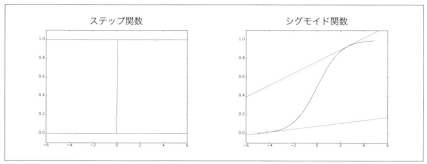

図4-4　ステップ関数とシグモイド関数：ステップ関数はほとんどの場所で傾きは 0 であるのに対して、シグモイド関数の傾き（接線）は 0 にならない

4.3　数値微分

勾配法では、勾配の情報を使って、進む方向を決めます。ここでは、勾配とはどういうものか、また、どういう性質があるのか、といったことについて説明します。それに先立ち、まずは「微分」の説明から始めたいと思います。

4.3.1　微分

たとえば、あなたはフルマラソンを走るランナーだとして、スタートから 10 分間で 2km を走ったとします。このときの走る速さはどう計算できるかというと、2 / 10 = 0.2［km/分］と計算できます。つまり、1 分間に 0.2km だけ進むスピード（変化）で走ったと計算できるのです。

このマラソンの例では、「走った距離」が「時間」に対してどのくらい変化したかということを計算しました。ただし、ここで行った計算は、10 分間に 2km 走ったということなので、正しくは 10 分間の「平均速度」を求めたことになります。微分とは、「ある瞬間」の変化の量を表したものです。そのため、10 分間という時間をできるかぎり小さくする——直前の 1 分間に走った距離、直前の 1 秒間に走った距離、直前の 0.1 秒間に走った距離、…とどんどん時間を小さくする——ことで、ある瞬間の変化の量（ある瞬間の速度）を得ることができるようになります。

このように、微分とは、ある瞬間の変化の量を表したものです。これは数式で次のように定義されます。

$$\frac{df(x)}{dx} = \lim_{h \to 0} \frac{f(x+h) - f(x)}{h} \tag{4.4}$$

式 (4.4) は、関数の微分を表した式です。左辺の $\frac{df(x)}{dx}$ は、$f(x)$ の x についての微分——x に対する $f(x)$ の変化の度合い——を表す記号です。式 (4.4) で表される微分は、x の「小さな変化」によって、関数 $f(x)$ の値がどれだけ変化するか、ということを意味します。その際、「小さな変化」である h を限りなく 0 に近づけますが、これは $\lim_{h \to 0}$ で表されます。

さて、式 (4.4) を参考に、関数の微分を求める計算をプログラムで実装しましょう。式 (4.4) を素直に実装するとすれば、h に小さな値を代入して、計算することができます。たとえば、次のような実装はどうでしょうか？

```
# 悪い実装例
def numerical_diff(f, x):
    h = 1e-50
    return (f(x+h) - f(x)) / h
```

関数の名前は**数値微分** (numerical differentiation) から `numerical_diff(f, x)` という名前の関数にしています。この関数は、「関数 f」と「関数 f への引数 x」の 2 つの引数を取るものとします。一見この実装に問題はなさそうですが、実際には改善すべきポイントが 2 つあります。

上の実装では、`h` にはできるだけ小さな値を用いたかったので（できることなら、`h` を 0 に無限に近づけたかったので）、`h` には `1e-50`（「0.00…1」の 0 が 50 個続く数）という小さな値を用いてます。しかし、これでは逆に**丸め誤差** (rounding error) が問題になってしまいます。丸め誤差とは、小数の小さな範囲において数値が省略されることで（たとえば、小数点第 8 位以下が省略されるといったこと）、最終的な計算結果に誤差が生じることを言います。たとえば、Python の場合、丸め誤差は次のような例で示すことができます。

```
>>> np.float32(1e-50)
0.0
```

上で示すように、`1e-50` を `float32` 型（32 ビットの浮動小数点数）で表すと、0.0 となり、正しく表現できないことが分かります。つまり、小さすぎる値を用いることはコンピュータで計算する上で問題になるということです。そこで、ひとつ目の改善ポイントです。それは、この微小な値 h として 10^{-4} を用いることです。10^{-4} 程度の値を用いれば、良い結果が得られることが分かっています。

上の実装の 2 つ目の改善ポイントは、関数 f の差分についてです。上の実装では、x+h と x の間での関数 f の差分を計算していますが、そもそも、この計算には誤差が

生じることに注意する必要があります。図4-5 に示すように、「真の微分」は、x の位置での関数の傾き（これを接線と言う）に対応しますが、今回の実装で行っている微分は、$(x+h)$ と x の間の傾きに対応します。そのため、真の微分（真の接線）と今回の実装の値は、厳密には一致しません。この差異は、h を無限に 0 へと近づけることができないために生じるものです。

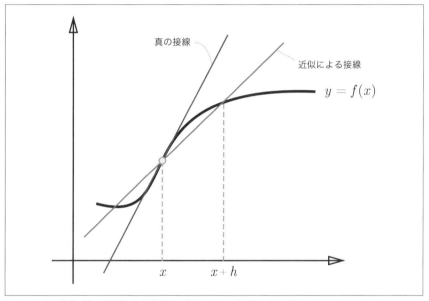

図4-5　真の微分（真の接線）と数値微分（近似による接線）の値は異なる

図4-5 で示すように、数値微分には誤差が含まれます。この誤差を減らす工夫として、$(x+h)$ と $(x-h)$ での関数 f の差分を計算することで、誤差を減らすことができます。この差分は、x を中心として、その前後の差分を計算することから、**中心差分**と言います（一方、$(x+h)$ と x の差分は**前方差分**と言います）。それでは、2 つの改善点を元に、数値微分（数値勾配）の実装を行います。

```
def numerical_diff(f, x):
    h = 1e-4 # 0.0001
    return (f(x+h) - f(x-h)) / (2*h)
```

ここで行っているように、微小な差分によって微分を求めることを**数値微分**（numerical differentiation）と言います。一方、数式の展開によって微分を

求めることは、**解析的**（analytic）という言葉を用いて、たとえば、「解析的に解く」とか「解析的に微分を求める」などと言います。たとえば、$y = x^2$ の微分は、解析的には、$\frac{dy}{dx} = 2x$ として解くことができます。そのため、$x = 2$ での y の微分は 4 と計算できます。解析的な微分は、誤差が含まれない「真の微分」として求めることができます。

4.3.2 数値微分の例

上の数値微分を使って、簡単な関数を微分してみましょう。まずは、次の数式で表される 2 次関数です。

$$y = 0.01x^2 + 0.1x \tag{4.5}$$

この式 (4.5) を Python で実装すると次のようになります。

```
def function_1(x):
    return 0.01*x**2 + 0.1*x
```

続いて、この関数を描画します。描画のためのコードと生成されるグラフは次のようになります（図4-6）。

```
import numpy as np
import matplotlib.pylab as plt

x = np.arange(0.0, 20.0, 0.1) # 0 から 20 まで、0.1 刻みの x 配列
y = function_1(x)
plt.xlabel("x")
plt.ylabel("f(x)")
plt.plot(x, y)
plt.show()
```

それでは、この関数の微分を、x=5 と x=10 のときで、それぞれ計算してみましょう。

```
>>> numerical_diff(function_1, 5)
0.1999999999990898
>>> numerical_diff(function_1, 10)
0.2999999999986347
```

ここで計算した微分の値は、x に対する $f(x)$ の変化の量であり、これは関数の傾きに対応します。なお、$f(x) = 0.01x^2 + 0.1x$ の解析的な解は、$\frac{df(x)}{dx} = 0.02x + 0.1$ です。そのため、x=5、10 での「真の微分」は、0.2、0.3 となり、上の数値微分との

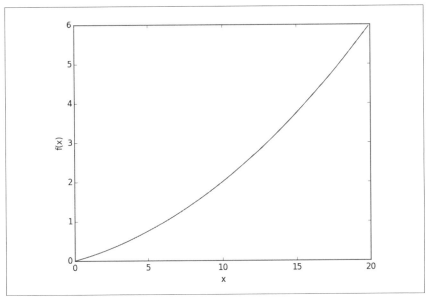

図4-6 $f(x) = 0.01x^2 + 0.1x$ のグラフ

結果を比べると、厳密には一致しませんが、その誤差は非常に小さいことが分かります。実際、ほとんど同じ値と見なすことができるぐらい小さな誤差です。

それでは、上の数値微分の結果を使って、その数値微分の値を傾きとする直線をグラフにプロットしてみます。結果は図4-7のようになり、関数の接線に対応することが確認できます（ソースコードは ch04/gradient_1d.py にあります）。

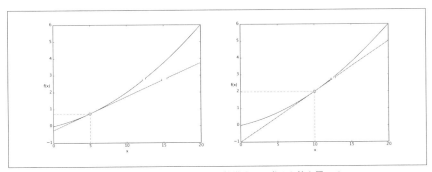

図4-7 $x = 5$、$x = 10$ での接線：直線の傾きは数値微分から求めた値を用いる

4.3.3 偏微分

続いて、式 (4.6) で表される関数について見ていきます。引数の 2 乗和を計算するだけの単純な式ですが、先の例と違って、変数が 2 つあることに注意しましょう。

$$f(x_0, x_1) = x_0^2 + x_1^2 \tag{4.6}$$

この式は Python で次のように実装することができます。

```
def function_2(x):
    return x[0]**2 + x[1]**2
    # または return np.sum(x**2)
```

ここでは、引数に NumPy 配列が入力されることを想定します。関数の中身は、NumPy 配列の各要素を 2 乗して、その和を求めるだけの簡単な実装です（また、`np.sum(x**2)` でも同じ処理が実装できます）。さて、この関数をグラフに描画してみましょう。結果は**図 4-8** のように 3 次元のグラフとして描画されます。

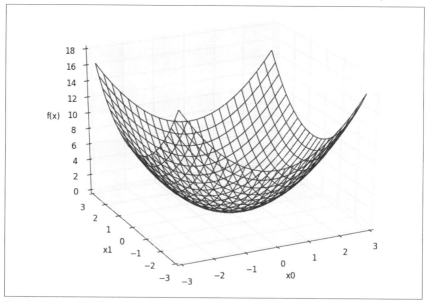

図 4-8　$f(x_0, x_1) = x_0^2 + x_1^2$ のグラフ

それでは、式 (4.6) の微分を求めたいと思います。ここで注意するポイントは、式

(4.6) には変数が 2 つあるということです。そのため、「どの変数に対しての微分か」ということ、つまり、x_0 と x_1 の 2 つある変数のどちらの変数に対しての微分かということを区別する必要があります。なお、ここで扱うような複数の変数からなる関数の微分を**偏微分**と言います。この偏微分を数式で表すと、$\frac{\partial f}{\partial x_0}$、$\frac{\partial f}{\partial x_1}$ のように書きます。

偏微分はどのように求めることができるでしょうか？ ここでは、実際に、次の 2 つの偏微分の問題を解いてみることにしましょう。

問 1：$x_0 = 3$、$x_1 = 4$ のときの x_0 に対する偏微分 $\frac{\partial f}{\partial x_0}$ を求めよ。

```
>>> def function_tmp1(x0):
...     return x0*x0 + 4.0**2.0
...
>>> numerical_diff(function_tmp1, 3.0)
6.00000000000378
```

問 2：$x_0 = 3$、$x_1 = 4$ のときの x_1 に対する偏微分 $\frac{\partial f}{\partial x_1}$ を求めよ。

```
>>> def function_tmp2(x1):
...     return 3.0**2.0 + x1*x1
...
>>> numerical_diff(function_tmp2, 4.0)
7.999999999999119
```

これらの問題では、変数がひとつだけの関数を定義して、その関数について微分を求めるような実装を行っています。たとえば、問 1 の場合、$x_1 = 4$ で固定した新しい関数を定義し、そして、変数が x_0 だけの関数に対して、数値微分の関数を適用しています。なお、上の結果から、問 1 の答えは 6.00000000000378、問 2 の答えは 7.999999999999119 になりました。これは、解析的な微分の解とほぼ一致します。

このように、偏微分は、1 変数の微分と同じで、ある場所の傾きを求めます。ただし、偏微分の場合、複数ある変数の中でターゲットとする変数をひとつに絞り、他の変数はある値に固定します。上の例の実装では、ターゲットとする変数以外を特定の値に固定するために、新しい関数を定義したのでした。そして、その新しく定義した関数に対して、これまで使用した数値微分の関数を適用して、偏微分を求めたのです。

4.4 勾配

先の例では、x_0 と x_1 の偏微分の計算を変数ごとに計算しました。それでは、x_0

と x_1 の偏微分をまとめて計算したいとします。たとえば、$x_0 = 3$、$x_1 = 4$ のときの (x_0, x_1) の両方の偏微分をまとめて、$\left(\frac{\partial f}{\partial x_0}, \frac{\partial f}{\partial x_1}\right)$ として計算することを考えましょう。なお、$\left(\frac{\partial f}{\partial x_0}, \frac{\partial f}{\partial x_1}\right)$ のように、すべての変数の偏微分をベクトルとしてまとめたものを**勾配** (gradient) と言います。勾配は、たとえば、次のように実装することができます。

```python
def numerical_gradient(f, x):
    h = 1e-4 # 0.0001
    grad = np.zeros_like(x) # x と同じ形状の配列を生成

    for idx in range(x.size):
        tmp_val = x[idx]
        # f(x+h) の計算
        x[idx] = tmp_val + h
        fxh1 = f(x)

        # f(x-h) の計算
        x[idx] = tmp_val - h
        fxh2 = f(x)

        grad[idx] = (fxh1 - fxh2) / (2*h)
        x[idx] = tmp_val # 値を元に戻す

    return grad
```

numerical_gradient(f, x) 関数の実装は少々複雑に見えますが、行っていることは 1 変数の数値微分とほとんど変わりません。ひとつ補足として述べるとすれば、np.zeros_like(x) は、x と同じ形状の配列で、その要素がすべて 0 の配列を生成するということです。

numerical_gradient(f, x) 関数は、引数の f は関数、x は NumPy 配列であるとして、NumPy 配列 x の各要素に対して数値微分を求めます。それでは、この関数を使って、実際に勾配を計算してみましょう。ここでは点 $(3, 4)$、$(0, 2)$、$(3, 0)$ での勾配を求めてみます。

```python
>>> numerical_gradient(function_2, np.array([3.0, 4.0]))
array([ 6.,  8.])[†1]
>>> numerical_gradient(function_2, np.array([0.0, 2.0]))
array([ 0.,  4.])
>>> numerical_gradient(function_2, np.array([3.0, 0.0]))
array([ 6.,  0.])
```

このように、(x_0, x_1) の各点における勾配を計算することができます。上の例では、点 $(3, 4)$ の勾配は $(6, 8)$、点 $(0, 2)$ の勾配は $(0, 4)$、点 $(3, 0)$ の勾配は $(6, 0)$ といったような結果になりましたが、この勾配は何を意味しているのでしょうか？ それを理解するために、$f(x_0, x_1) = x_0^2 + x_1^2$ の勾配を図で表してみることにしましょう。ただし、ここでは勾配の結果にマイナスを付けたベクトルを描画します（ソースコードは ch04/gradient_2d.py にあります）。

$f(x_0, x_1) = x_0^2 + x_1^2$ の勾配は、図4-9のように向きを持ったベクトル（矢印）として図示されます。図4-9を見ると、勾配は、関数 $f(x_0, x_1)$ の「一番低い場所（最小値）」を指しているようです。まるで羅針盤のように、矢印は一点を向いています。また、「一番低い場所」から遠く離れれば離れるほど、矢印の大きさも大きくなることが分かります。

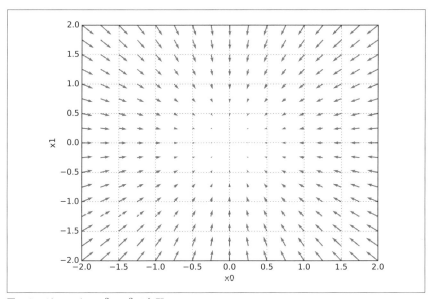

図4-9　$f(x_0, x_1) = x_0^2 + x_1^2$ の勾配

図4-9の例では、勾配は一番低い場所を指しましたが、実際は必ずしもそうなるとはかぎりません。しかし、勾配は、各地点において低くなる方向を指します。より正

---

†1　実際は、[6.0000000000037801, 7.9999999999991189] という値が得られますが、[6., 8.] として出力されます。これは、NumPy 配列を出力するときには、数値を"見やすいように"整形して出力するためです。

確に言うならば、勾配が示す方向は、各場所において**関数の値を最も減らす方向**なのです。これは重要なポイントなので、しっかりと覚えておきましょう！

4.4.1 勾配法

　機械学習の問題の多くは、学習の際に最適なパラメータを探索します。ニューラルネットワークも同様に最適なパラメータ（重みとバイアス）を学習時に見つけなければなりません。ここで、最適なパラメータというのは、損失関数が最小値を取るときのパラメータの値です。しかし、一般的に損失関数は複雑です。パラメータ空間は広大であり、どこに最小値を取る場所があるのか見当がつきません。そこで、勾配をうまく利用して関数の最小値（または、できるだけ小さな値）を探そう、というのが勾配法です。

　ここでの注意点は、各地点において関数の値を最も減らす方向を示すのが勾配だということです。そのため、勾配が指す先が本当に関数の最小値なのかどうか、また、その先が本当に進むべき方向なのかどうか保証することはできません。実際、複雑な関数においては、勾配が指す方向は、最小値ではない場合がほとんどです。

関数の極小値や最小値また鞍点（saddle point）と呼ばれる場所では、勾配が0になります。極小値は、局所的な最小値、つまり、ある範囲に限定した場合にのみ最小値となる点です。また、鞍点とは、ある方向で見れば極大値で、別の方向で見れば極小値となる点です。勾配法は勾配が0の場所を探しますが、それが必ずしも最小値だとはかぎりません（それは極小値や鞍点の可能性があります）。また、関数が複雑で歪な形をしていると、（ほとんど）平らな土地に入り込み、「プラトー」と呼ばれる学習が進まない停滞期に陥ることがあります。

　勾配の方向が必ず最小値を指すとはかぎらないにせよ、その方向に進むことで関数の値を最も減らせることができます。そのため、最小値の場所を探す問題――もしくは、できるだけ小さな値となる関数の場所を探す問題――においては、勾配の情報を手がかりに、進む方向を決めるべきでしょう。

　そこで勾配法の出番です。勾配法では、現在の場所から勾配方向に一定の距離だけ進みます。そして、移動した先でも同様に勾配を求め、また、その勾配方向へ進むというように、繰り返し勾配方向へ移動します。このように勾配方向へ進むことを繰り返すことで、関数の値を徐々に減らすのが**勾配法**（gradient method）です。勾配法は機械学習の最適化問題でよく使われる手法です。特に、ニューラルネットワークの学習では勾配法がよく用いられます。

勾配法は、目的が最小値を探すことか、それとも最大値を探すことかによって呼び名が変わります。正確には、最小値を探す場合を**勾配降下法**（gradient descent method）、最大値を探す場合を**勾配上昇法**（gradient ascent method）と言います。ただし、損失関数の符号を反転させれば、最小値を探す問題と最大値を探す問題は同じことになるので、「降下」か「上昇」かの違いは本質的には重要ではありません。一般的に、ニューラルネットワーク（ディープラーニング）の分野では、勾配法は「勾配降下法」として登場することが多くあります。

それでは、勾配法を数式で表してみます。勾配法を数式で表すと次の式 (4.7) のように書くことができます。

$$x_0 = x_0 - \eta \frac{\partial f}{\partial x_0}$$
$$x_1 = x_1 - \eta \frac{\partial f}{\partial x_1}$$
(4.7)

式 (4.7) の η は更新の量を表します。これは、ニューラルネットワークの学習においては、**学習率**（learning rate）と呼ばれます。1 回の学習で、どれだけ学習すべきか、どれだけパラメータを更新するか、ということを決めるのが学習率です。

式 (4.7) は 1 回の更新式を示しており、このステップを繰り返し行います。つまり、ステップごとに、式 (4.7) のように変数の値を更新していき、そのステップを何度か繰り返すことによって徐々に関数の値を減らしていくのです。また、ここでは、変数が 2 つの場合を示していますが、変数の数が増えても、同じような式――それぞれの変数の偏微分の値――によって更新されることになります。

なお、学習率の値は、0.01 や 0.001 など、前もって何らかの値に決める必要があります。この値は、一般的に、大きすぎても小さすぎても、「良い場所」にたどり着くことができません。ニューラルネットワークの学習においては、学習率の値を変更しながら、正しく学習できているかどうか、確認作業を行うのが一般的です。

それでは、勾配降下法を Python で実装しましょう。実装は簡単で、次のようになります。

```
def gradient_descent(f, init_x, lr=0.01, step_num=100):
    x = init_x

    for i in range(step_num):
        grad = numerical_gradient(f, x)
```

```
        x -= lr * grad

    return x
```

引数の f は最適化したい関数、init_x は初期値、lr は learning rate を意味する学習率、step_num は勾配法による繰り返しの数とします。関数の勾配は、numerical_gradient(f, x) で求めて、その勾配に学習率を掛けた値で更新する処理を step_num で指定された回数繰り返します。

この関数を使えば、関数の極小値を求めることができ、うまくいけば最小値を求めることができます。それでは、試しに次の問題を解いてみることにしましょう。

問：$f(x_0, x_1) = x_0^2 + x_1^2$ の最小値を勾配法で求めよ。

```
>>> def function_2(x):
...     return x[0]**2 + x[1]**2
...
>>> init_x = np.array([-3.0, 4.0])
>>> gradient_descent(function_2, init_x=init_x, lr=0.1, step_num=100)
array([ -6.11110793e-10,   8.14814391e-10])
```

ここでは、初期値を (-3.0, 4.0) として、勾配法を使って最小値の探索を開始します。最終的な結果は (-6.1e-10, 8.1e-10) となり、これはほとんど (0, 0) に近い結果です。実際、真の最小値は (0, 0) なので、勾配法によって、ほぼ正しい結果を得ることができたのです。なお、勾配法による更新のプロセスを図示すると、図4-10 のようになります。原点が最も低い場所ですが、そこへ徐々に近づいていることが分かります。なお、この図を描画するためのソースコードは、ch04/gradient_method.py にあります（ch04/gradient_method.py では、図の等高線を表す破線は表示されません）。

ところで、学習率は大きすぎても、小さすぎても良い結果にならないと言いましたが、ここでは、その両方のケースについて実験してみることにします。

```
# 学習率が大きすぎる例：lr=10.0
>>> init_x = np.array([-3.0, 4.0])
>>> gradient_descent(function_2, init_x=init_x, lr=10.0, step_num=100)
array([ -2.58983747e+13,  -1.29524862e+12])

# 学習率が小さすぎる例：lr=1e-10
```

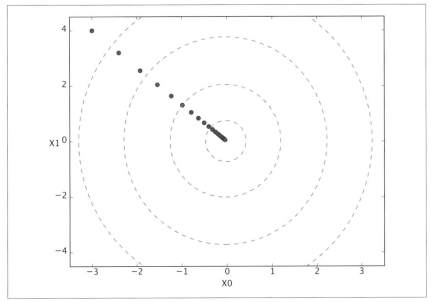

図4-10 $f(x_0, x_1) = x_0^2 + x_1^2$ の勾配法による更新のプロセス：破線は関数の等高線を示す

```
>>> init_x = np.array([-3.0, 4.0])
>>> gradient_descent(function_2, init_x=init_x, lr=1e-10, step_num=100)
array([-2.99999994,  3.99999992])
```

　この実験の結果が示すように、学習率が大きすぎると、大きな値へと発散してしまいます。逆に、学習率が小さすぎると、ほとんど更新されずに終わってしまいます。つまりは、適切な学習率を設定するということが重要な問題になるということです。

学習率のようなパラメータは**ハイパーパラメータ**と言います。これは、ニューラルネットワークのパラメータ——重みやバイアス——とは性質の異なるパラメータです。なぜなら、ニューラルネットワークの重みパラメータは訓練データと学習アルゴリズムによって"自動"で獲得されるパラメータであるのに対して、学習率のようなハイパーパラメータは人の手によって設定されるパラメータだからです。一般的には、このハイパーパラメータをいろいろな値で試しながら、うまく学習できるケースを探すという作業が必要になります。

4.4.2　ニューラルネットワークに対する勾配

　ニューラルネットワークの学習においても、勾配を求める必要があります。ここで

言う勾配とは、重みパラメータに関する損失関数の勾配です。たとえば、形状が 2×3 の重み $\mathbf{W}$ だけを持つニューラルネットワークがあり、損失関数を L で表す場合を考えましょう。この場合、勾配は $\frac{\partial L}{\partial \mathbf{W}}$ と表すことができます。実際に数式で表すと次のようになります。

$$\mathbf{W} = \begin{pmatrix} w_{11} & w_{12} & w_{13} \\ w_{21} & w_{22} & w_{23} \end{pmatrix}$$
$$\frac{\partial L}{\partial \mathbf{W}} = \begin{pmatrix} \frac{\partial L}{\partial w_{11}} & \frac{\partial L}{\partial w_{12}} & \frac{\partial L}{\partial w_{13}} \\ \frac{\partial L}{\partial w_{21}} & \frac{\partial L}{\partial w_{22}} & \frac{\partial L}{\partial w_{23}} \end{pmatrix} \tag{4.8}$$

$\frac{\partial L}{\partial \mathbf{W}}$ の各要素は、それぞれの要素に関する偏微分から構成されます。たとえば、1 行 1 列目の要素である $\frac{\partial L}{\partial w_{11}}$ は、w_{11} を少し変化させると損失関数 L がどれだけ変化するか、ということを表します。ここで大切な点は、$\frac{\partial L}{\partial \mathbf{W}}$ の形状は $\mathbf{W}$ と同じであるということです。実際、式 (4.8) では、$\mathbf{W}$ と $\frac{\partial L}{\partial \mathbf{W}}$ は 2×3 の同じ形状です。

それでは、簡単なニューラルネットワークを例にして、実際に勾配を求める実装を行います。そのために、simpleNet というクラスを実装することにします（ソースコードは ch04/gradient_simplenet.py にあります）。

```
import sys, os
sys.path.append(os.pardir)
import numpy as np
from common.functions import softmax, cross_entropy_error
from common.gradient import numerical_gradient

class simpleNet:
    def __init__(self):
        self.W = np.random.randn(2,3) # ガウス分布で初期化

    def predict(self, x):
        return np.dot(x, self.W)

    def loss(self, x, t):
        z = self.predict(x)
        y = softmax(z)
        loss = cross_entropy_error(y, t)

        return loss
```

ここでは、common/functions.py にある softmax と cross_entropy_error メソッドを利用します。また、common/gradient.py にある numerical_gradient

メソッドを利用します。さて、simpleNet というクラスですが、これは、形状が 2 ×
3 の重みパラメータをひとつだけインスタンス変数として持ちます。また、2 つのメ
ソッドがあり、ひとつは予測するためのメソッド predict(x)、もうひとつは損失関
数の値を求めるためのメソッド loss(x, t) です。ここで、引数の x には入力デー
タ、t には正解ラベルが入力されるものとします。それでは試しに、この simpleNet
を使ってみましょう。

```
>>> net = simpleNet()
>>> print(net.W)  # 重みパラメータ
[[ 0.47355232  0.9977393  0.84668094]
 [ 0.85557411  0.03563661 0.69422093]]
>>>
>>> x = np.array([0.6, 0.9])
>>> p = net.predict(x)
>>> print(p)
[ 1.05414809  0.63071653 1.1328074]
>>> np.argmax(p)  # 最大値のインデックス
2
>>>
>>> t = np.array([0, 0, 1])  # 正解ラベル
>>> net.loss(x, t)
0.92806853663411326
```

続いて、勾配を求めてみましょう。これまでどおり、numerical_gradient(f, x)
を使って勾配を求めます（ここで定義した f(W) という関数の引数 W は、ダミーとし
て設けたものです。これは、numerical_gradient(f, x) が内部で f(x) を実行す
るため、それと整合性がとれるように f(W) を定義しました）。

```
>>> def f(W):
...     return net.loss(x, t)
...
>>> dW = numerical_gradient(f, net.W)
>>> print(dW)
[[ 0.21924763  0.14356247 -0.36281009]
 [ 0.32887144  0.2153437  -0.54421514]]
```

numerical_gradient(f, x) の引数 f は関数、x は関数 f への引数です。その
ため、ここでは、net.W を引数に取り、損失関数を計算する新しい関数 f を定義し
ます。そして、その新しく定義した関数を、numerical_gradient(f, x) に渡し
ます。

numerical_gradient(f, net.W) の結果は dW となり、形状が 2 × 3 の 2 次元
配列になります。dW の中身を見ると、たとえば、$\frac{\partial L}{\partial \mathbf{W}}$ の $\frac{\partial L}{\partial \mathbf{w}_{11}}$ はおよそ 0.2 という

ことが分かります。これは、w_{11} を h だけ増やすと損失関数の値は $0.2h$ だけ増加するということを意味します。また、$\frac{\partial L}{\partial w_{23}}$ はおよそ -0.5 ですが、これは w_{23} を h だけ増やすと損失関数の値は $0.5h$ だけ減少するということです。そのため、損失関数を減らすという観点からは、w_{23} はプラス方向へ更新し、w_{11} はマイナス方向へ更新するのが良いことが分かります。また、更新の度合いについても、w_{23} のほうが w_{11} よりも大きく貢献するということが分かります。

なお、上の実装では、新しい関数を定義するために、「def f(x):…」のように書きましたが、Python では簡単な関数であれば、lambda という記法を使って書くこともできます。たとえば、lambda を使って次のように実装することができます。

```
>>> f = lambda w: net.loss(x, t)
>>> dW = numerical_gradient(f, net.W)
```

ニューラルネットワークの勾配を求めれば、後は勾配法に従って、重みパラメータを更新するだけです。次節では、2 層のニューラルネットワークを対象に学習の全プロセスを実装していきます。

> ここで使用した numerical_gradient() は、重みパラメータ W のような多次元配列に対応するため、前の実装から少し変更しています。ただし、変更点は多次元配列に対応するためだけの簡単なものです。ここでは実装に関する説明は省略しますが、詳しく知りたい方はソースコード（common/gradient.py）を参照してください。

4.5　学習アルゴリズムの実装

ニューラルネットワークの学習に関する基本的な知識は、これですべて出そろいました。これまでに、「損失関数」「ミニバッチ」「勾配」「勾配降下法」と、重要なキーワードが立て続けに登場してきたので、ここでは復習を兼ねて、ニューラルネットワークの学習の手順を確認することにします。次に、ニューラルネットワークの学習手順をまとめて示します。

前提

　　ニューラルネットワークは、適応可能な重みとバイアスがあり、この重みとバイアスを訓練データに適応するように調整することを「学習」と呼ぶ。ニューラルネットワークの学習は次の 4 つの手順で行う。

4.5 学習アルゴリズムの実装

ステップ 1（ミニバッチ）
訓練データの中からランダムに一部のデータを選び出す。その選ばれたデータをミニバッチと言い、ここでは、そのミニバッチの損失関数の値を減らすことを目的とする。

ステップ 2（勾配の算出）
ミニバッチの損失関数を減らすために、各重みパラメータの勾配を求める。勾配は、損失関数の値を最も減らす方向を示す。

ステップ 3（パラメータの更新）
重みパラメータを勾配方向に微小量だけ更新する。

ステップ 4（繰り返す）
ステップ 1、ステップ 2、ステップ 3 を繰り返す。

ニューラルネットワークの学習は、上の 4 つの手順による方法で行います。この方法は、勾配降下法によってパラメータを更新する方法ですが、ここで使用するデータはミニバッチとして無作為に選ばれたデータを使用していることから、**確率的勾配降下法**（stochastic gradient descent）という名前で呼ばれます。確率的とは、「確率的に無作為に選び出した」という意味です。そのため、確率的勾配降下法は、「無作為に選び出したデータに対して行う勾配降下法」という意味になります。なお、ディープラーニングのフレームワークの多くでは、確率的勾配降下法は、英語の頭文字を取って **SGD** という名前の関数で実装されるのが一般的です。

それでは、実際に手書き数字を学習するニューラルネットワークを実装していきましょう。ここでは 2 層のニューラルネットワーク（隠れ層が 1 層のネットワーク）を対象に、MNIST データセットを使って学習を行います。

4.5.1　2層ニューラルネットワークのクラス

初めに、2 層ニューラルネットワークを、ひとつのクラスとして実装することから始めます。このクラスを TwoLayerNet という名前のクラスとして、次のように実装します[2]。なお、ソースコードは、ch04/two_layer_net.py にあります。

---

[2] TwoLayerNet の実装は、スタンフォード大学の CS231n [5] という授業で提供されている Python ソースコードの実装を参考にしました。

```python
import sys, os
sys.path.append(os.pardir)
from common.functions import *
from common.gradient import numerical_gradient


class TwoLayerNet:

    def __init__(self, input_size, hidden_size, output_size,
                 weight_init_std=0.01):
        # 重みの初期化
        self.params = {}
        self.params['W1'] = weight_init_std * \
                            np.random.randn(input_size, hidden_size)
        self.params['b1'] = np.zeros(hidden_size)
        self.params['W2'] = weight_init_std * \
                            np.random.randn(hidden_size, output_size)
        self.params['b2'] = np.zeros(output_size)

    def predict(self, x):
        W1, W2 = self.params['W1'], self.params['W2']
        b1, b2 = self.params['b1'], self.params['b2']

        a1 = np.dot(x, W1) + b1
        z1 = sigmoid(a1)
        a2 = np.dot(z1, W2) + b2
        y = softmax(a2)

        return y

    # x:入力データ, t:教師データ
    def loss(self, x, t):
        y = self.predict(x)

        return cross_entropy_error(y, t)

    def accuracy(self, x, t):
        y = self.predict(x)
        y = np.argmax(y, axis=1)
        t = np.argmax(t, axis=1)

        accuracy = np.sum(y == t) / float(x.shape[0])
        return accuracy

    # x:入力データ, t:教師データ
    def numerical_gradient(self, x, t):
        loss_W = lambda W: self.loss(x, t)

        grads = {}
```

4.5 学習アルゴリズムの実装

```
        grads['W1'] = numerical_gradient(loss_W, self.params['W1'])
        grads['b1'] = numerical_gradient(loss_W, self.params['b1'])
        grads['W2'] = numerical_gradient(loss_W, self.params['W2'])
        grads['b2'] = numerical_gradient(loss_W, self.params['b2'])

        return grads
```

　このクラスの実装は少々長くなりましたが、前章のニューラルネットワークのフォワード処理の実装と共通する部分が多くあるので、それほど新しいことは登場していません。まずは、このクラスで使用する変数とメソッドを整理して示しましょう。変数については重要な変数だけをピックアップして表4-1に示します。メソッドについては、そのすべてを表4-2に示します。

表4-1 TwoLayerNet クラスで使用する変数

変数	説明
params	ニューラルネットワークのパラメータを保持するディクショナリ変数（インスタンス変数）。 params['W1'] は1層目の重み、params['b1'] は1層目のバイアス。 params['W2'] は2層目の重み、params['b2'] は2層目のバイアス。
grads	勾配を保持するディクショナリ変数（numerical_gradient() メソッドの返り値）。 grads['W1'] は1層目の重みの勾配、grads['b1'] は1層目のバイアスの勾配。 grads['W2'] は2層目の重みの勾配、grads['b2'] は2層目のバイアスの勾配。

表4-2 TwoLayerNet クラスのメソッド

メソッド	説明
__init__(self, input_size, hidden_size, output_size)	初期化を行う。 引数は頭から順に、入力層のニューロンの数、隠れ層のニューロンの数、出力層のニューロンの数。
predict(self, x)	認識（推論）を行う。 引数の x は画像データ。
loss(self, x, t)	損失関数の値を求める。 引数の x は画像データ、t は正解ラベル（以下の3つのメソッドの引数についても同様）。
accuracy(self, x, t)	認識精度を求める。
numerical_gradient(self, x, t)	重みパラメータに対する勾配を求める。
gradient(self, x, t)	重みパラメータに対する勾配を求める。 numerical_gradient() の高速版！ 実装は次章で行う。

　TwoLayerNet クラスには、インスタンス変数として、params と grads という

ディクショナリの変数があります。params 変数には重みパラメータが格納されており、たとえば、1層目の重みパラメータは params['W1'] に NumPy 配列として格納されています。また、1層目のバイアスは params['b1'] のようにアクセスします。ひとつ例を見てみましょう。

```
net = TwoLayerNet(input_size=784, hidden_size=100, output_size=10)
net.params['W1'].shape # (784, 100)
net.params['b1'].shape # (100,)
net.params['W2'].shape # (100, 10)
net.params['b2'].shape # (10,)
```

上のように params 変数には、このネットワークに必要なパラメータがすべて格納されています。そして、params 変数に格納された重みパラメータが、推論処理（フォワード処理）で使われるのです。ちなみに、推論処理は次のように実行できます。

```
x = np.random.rand(100, 784) # ダミーの入力データ（100枚分）
y = net.predict(x)
```

また、grads 変数には、params 変数と対応するように、各パラメータの勾配が格納されます。たとえば、次に示すように、numerical_gradient() メソッドを使って勾配を計算すると、grads 変数に勾配情報が格納されます。

```
x = np.random.rand(100, 784) # ダミーの入力データ（100枚分）
t = np.random.rand(100, 10)  # ダミーの正解ラベル（100枚分）

grads = net.numerical_gradient(x, t)   # 勾配を計算

grads['W1'].shape  # (784, 100)
grads['b1'].shape  # (100,)
grads['W2'].shape  # (100, 10)
grads['b2'].shape  # (10,)
```

続いて、TwoLayerNet のメソッドの実装を見ていきましょう。まずは __init__(self, input_size, hidden_size, output_size) メソッドですが、これはクラスの初期化メソッドです（初期化メソッドとは TwoLayerNet を生成する際に呼ばれるメソッドです）。引数は頭から順に、入力層のニューロンの数、隠れ層のニューロンの数、出力層のニューロンの数を意味します。なお、手書き数字認識を行う場合は、入力画像サイズが 28 × 28 の計 784 個あり、出力は 10 個のクラスになります。そのため、引数の input_size=784、output_size=10 と指定し、隠れ層の個数である hidden_size は適当な値を設定します。

また、この初期化メソッドでは、重みパラメータの初期化を行います。重みパラメータの初期値をどのような値に設定するかという問題は、ニューラルネットワークの学習を成功させる上で重要です。後ほど、重みパラメータの初期化について詳しく見ていきますが、ここでは、重みはガウス分布に従う乱数で初期化し、バイアスは 0 で初期化すると述べるにとどめておきましょう。predict(self, x) と accuracy(self, x, t) については、前章のニューラルネットワークの推論処理の実装とほとんど同じです。もし分からない点があれば、前章を確認しましょう。また、loss(self, x, t) については、損失関数の値を計算するメソッドです。このメソッドの実装は、predict() の結果と正解ラベルを元に、交差エントロピー誤差を求めるだけになります。

残る numerical_gradient(self, x, t) メソッドは、各パラメータの勾配を計算します。これは数値微分によって、各パラメータの損失関数に対する勾配を計算します。なお、gradient(self, x, t) は次章で実装する予定のメソッドです。これは、誤差逆伝播法を使って効率的に高速に勾配を計算します。

numerical_gradient(self, x, t) は、数値微分によってパラメータの勾配を計算します。次章では、この勾配の計算を高速に求める手法について説明します。その手法は誤差逆伝播法と言います。誤差逆伝播法を使って求めた勾配の結果は、数値微分による結果とほぼ同じになりますが、高速に処理することができます。なお、誤差逆伝播法によって勾配を求めるメソッドは、gradient(self, x, t) という名前で、次章で実装する予定ですが、ニューラルネットワークの学習には時間がかかりますので、時間を節約したい人は、先取りして、numerical_gradient(self, x, t) の代わりに、gradient(self, x, t) を使いましょう！

4.5.2 ミニバッチ学習の実装

ニューラルネットワークの学習の実装は、前に説明したミニバッチ学習で行います。ミニバッチ学習とは、訓練データから無作為に一部のデータを取り出して——これをミニバッチという——、そのミニバッチを対象に、勾配法によりパラメータを更新するのでした。それでは、TwoLayerNet クラスを対象に、MNIST データセットを使って学習を行います（ソースコードは ch04/train_neuralnet.py にあります）。

```python
import numpy as np
from dataset.mnist import load_mnist
from two_layer_net import TwoLayerNet

(x_train, t_train), (x_test, t_test) = \
    load_mnist(normalize=True, one_hot_label=True)

train_loss_list = []

# ハイパーパラメータ
iters_num = 10000
train_size = x_train.shape[0]
batch_size = 100
learning_rate = 0.1

network = TwoLayerNet(input_size=784, hidden_size=50, output_size=10)

for i in range(iters_num):
    # ミニバッチの取得
    batch_mask = np.random.choice(train_size, batch_size)
    x_batch = x_train[batch_mask]
    t_batch = t_train[batch_mask]
    
    # 勾配の計算
    grad = network.numerical_gradient(x_batch, t_batch)
    # grad = network.gradient(x_batch, t_batch) # 高速版!
    
    # パラメータの更新
    for key in ('W1', 'b1', 'W2', 'b2'):
        network.params[key] -= learning_rate * grad[key]
    
    # 学習経過の記録
    loss = network.loss(x_batch, t_batch)
    train_loss_list.append(loss)
```

　ここでは、ミニバッチのサイズを 100 として、毎回 60,000 個の訓練データからランダムに 100 個のデータ（画像データと正解ラベルデータ）を抜き出しています。そして、その 100 個のミニバッチを対象に勾配を求め、確率的勾配降下法（SGD）によりパラメータを更新します。ここでは、勾配法による更新の回数——繰り返し（iteration）の回数——を 10,000 回として、更新するごとに、訓練データに対する損失関数を計算し、その値を配列に追加します。この損失関数の値の推移をグラフで表すと、図 4-11 のようになります。

　図 4-11 を見ると学習の回数が進むにつれて、損失関数の値が減っていくことが分かります。これは、学習がうまくいっていることのサインであり、ニューラルネットワークの重みパラメータが徐々にデータに適応していることを意味しています。まさ

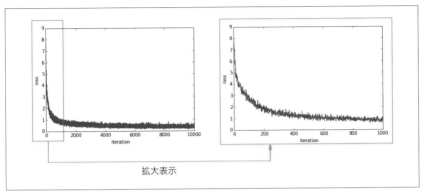

図4-11　損失関数の推移：左図は 10,000 イテレーションまでの推移、右図は 1,000 イテレーションまでの推移

しくニューラルネットワークは学習しているのです——繰り返しデータを浴びることによって、最適な重みパラメータへと徐々に近づいているのです！

4.5.3　テストデータで評価

図4-11 の結果より、学習を繰り返し行うことで損失関数の値が徐々に下がっていくことを確認できました。しかし、この損失関数の値とは、正確には「訓練データのミニバッチに対する損失関数」の値です。訓練データの損失関数の値が減ることは、ニューラルネットワークの学習がうまくいっていることのサインではありますが、この結果だけからは、他のデータセットにも同じ程度の実力を発揮できるかどうかは定かではありません。

ニューラルネットワークの学習では、訓練データ以外のデータを正しく認識できるかどうかを確認する必要があります——これは、「過学習」を起こしていないかの確認です。過学習を起こすとは、たとえば、訓練データに含まれる数字画像だけは正しく見分けられるが、訓練データに含まれない数字画像は識別できない、ということを意味します。

そもそもニューラルネットワークの学習で目標とすることは、汎化能力を身につけることです。そのため、ニューラルネットワークの汎化的な能力を評価するには、訓練データに含まれないデータを使って評価しなければなりません。そこで次の実装では、学習を行う過程で、定期的に訓練データとテストデータを対象に、認識精度を記録することにします。ここでは、1エポックごとに、訓練データとテストデータの認識精度を記録することにします。

エポック(epoch)とは単位を表します。1 エポックとは学習において訓練データをすべて使い切ったときの回数に対応します。たとえば、10,000 個の訓練データに対して 100 個のミニバッチで学習する場合、確率的勾配降下法を100 回繰り返したら、すべての訓練データを"見た"ことになります。この場合、100 回＝ 1 エポックとなります。

それでは、正しい評価ができるように、前の実装から少しだけ修正します。ここでは、前の実装と異なる箇所を太字で示します。

```
import numpy as np
from dataset.mnist import load_mnist
from two_layer_net import TwoLayerNet

(x_train, t_train), (x_test, t_test) = \
    load_mnist(normalize=True, one_hot_label=True)
train_size = x_train.shape[0]

# ハイパーパラメータ
iters_num = 10000
batch_size = 100
learning_rate = 0.1

train_loss_list = []
train_acc_list = []
test_acc_list = []
# 1エポックあたりの繰り返し数
iter_per_epoch = max(train_size / batch_size, 1)

network = TwoLayerNet(input_size=784, hidden_size=50, output_size=10)

for i in range(iters_num):
    # ミニバッチの取得
    batch_mask = np.random.choice(train_size, batch_size)
    x_batch = x_train[batch_mask]
    t_batch = t_train[batch_mask]

    # 勾配の計算
    grad = network.numerical_gradient(x_batch, t_batch)
    # grad = network.gradient(x_batch, t_batch) # 高速版!

    # パラメータの更新
    for key in ('W1', 'b1', 'W2', 'b2'):
        network.params[key] -= learning_rate * grad[key]

    loss = network.loss(x_batch, t_batch)
    train_loss_list.append(loss)
```

```
# 1エポックごとに認識精度を計算
if i % iter_per_epoch == 0:
    train_acc = network.accuracy(x_train, t_train)
    test_acc = network.accuracy(x_test, t_test)
    train_acc_list.append(train_acc)
    test_acc_list.append(test_acc)
    print("train acc, test acc | " + str(train_acc) + ", " + str(test_acc))
```

　上の例では、1エポックごとに、すべての訓練データとテストデータに対して認識精度を計算して、その結果を記録します。なぜ1エポックごとに認識精度を計算するかというと、for 文の繰り返しの中で常に認識精度を計算していては、時間がかかってしまうからです。そして、そこまで細かい頻度で認識精度を記録する必要もないからです（より大きな視点でざっくりと認識精度の推移が分かればよいのです）。そのため、訓練データの1エポックごとに認識精度の経過を記録します。

　さて、上のコードで得られた結果をグラフで表しましょう。結果は、次の図4-12のようになります。

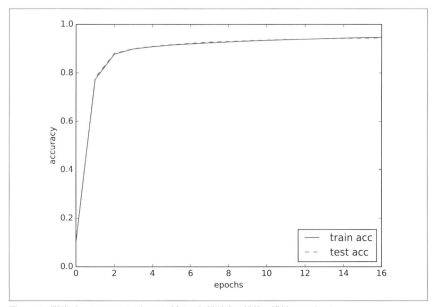

図4-12　訓練データとテストデータに対する認識精度の推移。横軸はエポック

　図4-12 では、訓練データの認識精度を実線で示し、テストデータの認識精度を破線で示しています。見てのとおり、エポックが進むにつれて（学習が進むにつれて）、

訓練データとテストデータを使って評価した認識精度は両方とも向上していることが分かります。また、その2つの認識精度には差がないことが分かります（その2つの線はほぼ重なっています）。そのため、今回の学習では過学習が起きていないことが分かります。

4.6 まとめ

本章では、ニューラルネットワークの学習について説明しました。初めに、ニューラルネットワークが学習を行えるようにするために、損失関数という「指標」を導入しました。この損失関数を基準として、その値が最も小さくなる重みパラメータを探し出すことが、ニューラルネットワークの学習の目標です。また、できるだけ小さな損失関数の値を探し出すための手法として、勾配法と呼ばれる、関数の傾きを使った手法を説明しました。

本章で学んだこと

- 機械学習で使用するデータセットは、訓練データとテストデータに分けて使用する。
- 訓練データで学習を行い、学習したモデルの汎化能力をテストデータで評価する。
- ニューラルネットワークの学習は、損失関数を指標として、損失関数の値が小さくなるように、重みパラメータを更新する。
- 重みパラメータを更新する際には、重みパラメータの勾配を利用して、勾配方向に重みの値を更新する作業を繰り返す。
- 微小な値を与えたときの差分によって微分を求めることを数値微分と言う。
- 数値微分によって、重みパラメータの勾配を求めることができる。
- 数値微分による計算には時間がかかるが、その実装は簡単である。一方、次章で実装するやや複雑な誤差逆伝播法は、高速に勾配を求めることができる。

ND# 5章
誤差逆伝播法

前章では、ニューラルネットワークの学習について説明しました。その際、ニューラルネットワークの重みパラメータの勾配——正確には、重みパラメータに関する損失関数の勾配——は、数値微分によって求めました。数値微分はシンプルで、実装は簡単でしたが、計算に時間がかかるという難点があります。本章では、重みパラメータの勾配の計算を効率良く行う手法である「誤差逆伝播法」について学びます。

誤差逆伝播法を正しく理解するには、2つの方法があると、筆者は（個人的に）考えています。ひとつは「数式」によって、もうひとつは「**計算グラフ**（computational graph）」によって理解するというものです。前者のほうが一般的な方法で、特に、機械学習に関する書籍の多くでは、数式を中心に話を展開していきます。確かに、数式による説明は、厳密で簡潔になるのでもっともな方法なのですが、いきなり数式を中心に考えようとしたら、本質的なことを見逃してしまったり、数式の羅列にとまどったりすることがあります。そこで本章では、計算グラフによって"視覚的"に誤差逆伝播法を理解してもらおうと思います。実際にコードに書くことでさらに理解が深まり「なるほど！」と納得できると思います。

なお、誤差逆伝播法を計算グラフによって説明するアイデアは、Andrej Karpathy のブログ **[4]**、また、彼と Fei-Fei Li 教授らによって行われたスタンフォード大学のディープラーニングの授業「CS231n」**[5]** を参考にしています。

5.1 計算グラフ

計算グラフとは、計算の過程をグラフによって表したものです。ここで言うグラフとは、データ構造としてのグラフであり、複数のノードとエッジによって表現されま

す(ノード間を結ぶ直線を「エッジ」と言います)。本節では、計算グラフに慣れ親しむため、簡単な問題を解いていきます。簡単な問題から始め、ステップ・バイ・ステップで進みながら、最後には誤差逆伝播法にたどり着く予定です。

5.1.1 計算グラフで解く

それでは、簡単な問題を「計算グラフ」を使って解いていきましょう。これから見ていく問題は暗算でも解けてしまうほど簡単な問題ですが、ここでの目的は計算グラフに慣れ親しむことです。計算グラフの使い方を身につければ、後ほど見ていく複雑な計算で威力を発揮しますので、ぜひともここで計算グラフの使い方を習得してください。

> 問1:太郎くんはスーパーで1個100円のリンゴを2個買いました。支払う金額を求めなさい。ただし、消費税が10% 適用されるものとします。

計算グラフはノードと矢印によって計算の過程を表します。ノードは◯で表記し、◯の中に演算の内容を書きます。また、計算の途中結果を矢印の上部に書くことで、ノードごとの計算結果が左から右へ伝わるように表します。問1を計算グラフで解くと、図5-1のようになります。

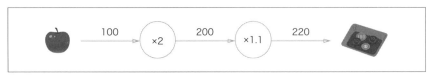

図5-1 計算グラフによる問1の答え

図5-1 に示すように、最初にリンゴの100円が「×2」ノードへ流れ、200円になって次のノードに伝達されます。続いて、その200円が「×1.1」ノードへ流れ220円になります。よって、この計算グラフの結果から、答えは220円ということになります。

なお、図5-1 では、「×2」や「×1.1」をひとつの演算として◯でくくりましたが、乗算である「×」だけを演算として◯で表すこともできます。その場合、図5-2 のように、「2」と「1.1」は、それぞれ「リンゴの個数」と「消費税」という変数として、◯の外に表記することもできます。

それでは次の問題です。

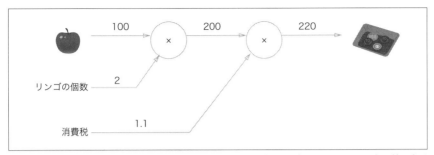

図5-2　計算グラフによる問1の答え：「リンゴの個数」と「消費税」を変数として、◯の外に表記する

問2：太郎くんはスーパーでリンゴを2個、みかんを3個買いました。リンゴは1個100円、みかんは1個150円です。消費税が10%かかるものとして、支払う金額を求めなさい。

問1と同じように、計算グラフによって問2の問題を解きます。計算グラフは図5-3のようになります。

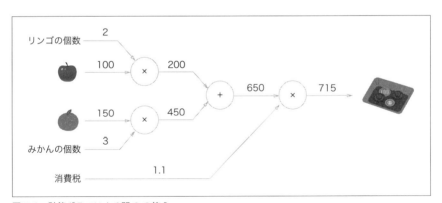

図5-3　計算グラフによる問2の答え

この問題では、加算ノードである「+」が新しく加わり、リンゴとみかんの金額を合算します。計算グラフを構成したら、左から右へ計算を進めていきます。回路に電流が流れるように、計算の結果が左から右へと伝達していくのを意識しましょう。一番右まで計算結果がたどり着いたらそこで終了です。図5-3から答えは715円になります。

ここまで見てきたように、計算グラフを使って問題を解くには、

1. 計算グラフを構築する
2. 計算グラフ上で計算を左から右へ進める

という流れで行います。ここで2番目の「計算を左から右へ進める」というステップは、順方向の伝播、略して、**順伝播**（forward propagation）と言います。順伝播は、計算グラフの出発点から終着点への伝播です。順伝播という名前があるのであれば、逆方向——図で言うと、右から左方向へ——の伝播も考えることができるでしょう。実際、それを**逆伝播**（backward propagation）と言います。逆伝播は、この先、微分を計算するにあたって重要な働きをします。

5.1.2　局所的な計算

計算グラフの特徴は、「局所的な計算」を伝播することによって最終的な結果を得ることができる点にあります。局所的という言葉は、「自分に関係する小さな範囲」ということを意味します。局所的な計算とは、つまるところ、全体でどのようなことが行われていようとも、自分に関係する情報だけから次の結果（その先の結果）を出力することができる、ということなのです。

局所的な計算について具体例を出して説明しましょう。たとえば、スーパーでリンゴを2個と、それ以外にたくさんの買い物をする場合を考えます。その場合、**図5-4**のような計算グラフを書くことができます。

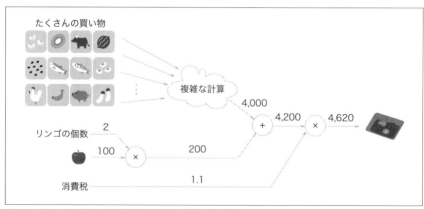

図5-4　リンゴ2個とそれ以外のたくさんの買い物の例

図5-4の計算グラフで示すように、たくさんの買い物を行い、(複雑な計算によって)その金額が4,000円になったとします。ここで大切なポイントは、各ノードにおける計算は局所的な計算であるということです。これは、たとえば、リンゴとそれ以外の買い物を合計する計算——4,000 + 200 → 4,200——は、4,000という数字がどのように計算されてきたかということについては考えずに、ただ2つの数字を足せばよいということを意味します。言い換えれば、各ノードの計算で行うべきことは、自分に関係する計算——この例では、入力された2つの数字の足し算——だけであり、全体のことについては何も考えなくてよいのです。

このように、計算グラフでは、局所的な計算に集中することができます。たとえ全体の計算がどんなに複雑であったとしても、各ステップでやることは、対象とするノードの「局所的な計算」なのです。局所的な計算は単純ですが、その結果を伝達することで、全体を構成する複雑な計算の結果が得られます。

たとえば、車の組み立ては複雑な作業ですが、それは通常「流れ作業」による分業によって行われます。各担当者(担当の機械)が行うことは単純化された仕事であり、その仕事の成果が次の担当者へと流れていき、最終的に車が完成します。計算グラフも、複雑な計算を「単純で局所的な計算」に分割して、流れ作業を行うように、計算の結果を次のノードへと伝達していきます。複雑な計算も分解してしまえば、単純な計算から構築されるというのは、車の組み立てと似ているものがあります。

5.1.3　なぜ計算グラフで解くのか？

これまで計算グラフを使って問題を2つ解いてきましたが、計算グラフの利点は何でしょうか？ ひとつの利点は、先ほど説明した「局所的な計算」にあります。全体がどんなに複雑な計算であっても、局所的な計算によって、各ノードでは単純な計算に集中することで、問題を単純化できます。また、別の利点として、計算グラフによって、途中の計算の結果をすべて保持することができます(たとえば、リンゴ2個まで計算を進めたときの金額は200円、消費税を加算する前の金額は650円といったように)。しかし、それだけの理由で、計算グラフを使うというのでは納得できないかもしれません。実際のところ、計算グラフを使う最大の理由は、逆方向の伝播によって「微分」を効率良く計算できる点にあるのです。

計算グラフの逆伝播を説明するにあたって、問1の問題をもう一度考えることにしましょう。問1の問題では、リンゴを2個買って消費税を含めて最終的な支払金額を

求めました。ここで、たとえば、リンゴの値段が値上がりした場合、最終的な支払金額にどのように影響するかを知りたいとしましょう。これは、「リンゴの値段に関する支払金額の微分」を求めることに相当します。記号で表すとすれば、リンゴの値段を x、支払金額を L とした場合、$\frac{\partial L}{\partial x}$ を求めることに相当します。この微分の値は、リンゴの値段が"少しだけ"値上がりした場合に、支払金額がどれだけ増加するか、ということを表したものです。

先ほど述べたように、「リンゴの値段に関する支払金額の微分」のような値は、計算グラフで逆方向の伝播を行えば求めることができます。先に結果だけを示すと、図5-5のように計算グラフ上での逆伝播によって微分を求めることができます(どのようにして逆伝播を行うかということについては、すぐに説明します)。

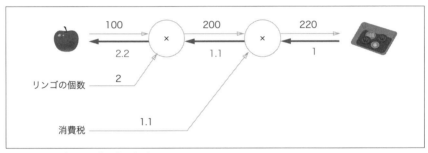

図5-5　逆伝播による微分値の伝達

図5-5に示すように、逆伝播の場合は、順方向とは逆向きの矢印(太線)によって図示します。逆伝播は「局所的な微分」を伝達し、その微分の値は矢印の下側に書くことにします。この例の場合、逆伝播は右から左へ「1 → 1.1 → 2.2」と微分の値が伝達されていきます。この結果から、「リンゴの値段に関する支払金額の微分」の値は 2.2 と言うことができます。これはリンゴが 1 円値上がりしたら、最終的な支払金額が 2.2 円増えることを意味します(正確には、リンゴの値段がある微小な値だけ増えたら、最終的な金額はその微小な値の 2.2 倍だけ増加することを意味します)。

ここでは、リンゴの値段に関する微分だけを求めましたが、「消費税に関する支払金額の微分」や「リンゴの個数に関する支払金額の微分」も同様の手順で求めることができます。そして、その際には、途中まで求めた微分(途中まで流れた微分)の結果を共有することができ、効率良く複数の微分を計算することができるのです。このように、計算グラフの利点は、順伝播と逆伝播によって、各変数の微分の値を効率良く求めることができる点にあります。

5.2 連鎖律

これまで行ってきた計算グラフの順伝播は、計算の結果を順方向に――左から右方向へ――伝達しました。そのとき行った計算は、日頃行う計算であるため自然に感じられたことでしょう。一方、逆方向の伝播では「局所的な微分」を、順方向とは逆向きに――右から左方向へ――伝達していきます（これは最初はとまどうかもしれません）。なお、この「局所的な微分」を伝達する原理は、**連鎖律**（chain rule）によるものです。ここでは連鎖律について説明し、それが計算グラフ上での逆伝播に対応することを明らかにします。

5.2.1 計算グラフの逆伝播

それでは早速、計算グラフを使った逆伝播の例を示します。ここでは $y = f(x)$ という計算があるとして、この計算の逆伝播を図5-6 に表します。

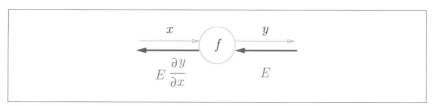

図5-6 計算グラフの逆伝播：順方向とは逆向きに、局所的な微分を乗算する

図5-6 に示すように、逆伝播の計算手順は、信号 E に対して、ノードの局所的な微分 ($\frac{\partial y}{\partial x}$) を乗算し、それを次のノードへ伝達していきます。ここで言う局所的な微分とは、順伝播での $y = f(x)$ という計算の微分を求めるということであり、これは、x に関する y の微分 ($\frac{\partial y}{\partial x}$) を求めることを意味します。たとえば、$y = f(x) = x^2$ だとしたら、$\frac{\partial y}{\partial x} = 2x$ になります。そして、その局所的な微分を上流から伝達された値（この例では E）に乗算して、前のノードへと渡していくのです。

これが逆伝播で行う計算手順ですが、この計算を行うことで、目的とする微分の値を効率良く求めることができるのが逆伝播のポイントです。なぜ、そのようなことが可能なのかというと、それは連鎖律の原理から説明できます。それでは続いて連鎖律について説明を行います。

5.2.2 連鎖律とは

連鎖律について説明するには、まず**合成関数**から話を始める必要があります。合成

関数とは複数の関数によって構成される関数のことです。たとえば、$z = (x + y)^2$ という式は、次の式 (5.1) のように、2 つの式で構成されます。

$$\begin{aligned} z &= t^2 \\ t &= x + y \end{aligned} \quad (5.1)$$

連鎖律とは合成関数の微分についての性質であり、次のように定義されます。

> ある関数が合成関数で表される場合、その合成関数の微分は、合成関数を構成するそれぞれの関数の微分の積によって表すことができる。

これを連鎖律の原理と言います。(一見難しそうに見えるかもしれませんが) とてもシンプルな性質です。式 (5.1) の例で言うと、$\frac{\partial z}{\partial x}$ (x に関する z の微分) は、$\frac{\partial z}{\partial t}$ (t に関する z の微分) と $\frac{\partial t}{\partial x}$ (x に関する t の微分) の積によって表すことができる、ということです。数式で表すと、式 (5.2) のように書くことができます。

$$\frac{\partial z}{\partial x} = \frac{\partial z}{\partial t} \frac{\partial t}{\partial x} \quad (5.2)$$

式 (5.2) は、ちょうど次のように ∂t が互いに"打ち消し合う"ことから、簡単に覚えることができます。

$$\frac{\partial z}{\partial x} = \frac{\partial z}{\cancel{\partial t}} \frac{\cancel{\partial t}}{\partial x}$$

それでは、連鎖律を使って、式 (5.2) の微分 $\frac{\partial z}{\partial x}$ を求めてみましょう。それには、式 (5.1) の局所的な微分 (偏微分) を先に求めます。

$$\begin{aligned} \frac{\partial z}{\partial t} &= 2t \\ \frac{\partial t}{\partial x} &= 1 \end{aligned} \quad (5.3)$$

式 (5.3) に示すように、$\frac{\partial z}{\partial t}$ は $2t$ であり、$\frac{\partial t}{\partial x}$ は 1 です。これは微分の公式から解析的に求められる結果です。そして、最終的に求めたい $\frac{\partial z}{\partial x}$ は、式 (5.3) で求めた微

分の積によって計算できます。

$$\frac{\partial z}{\partial x} = \frac{\partial z}{\partial t}\frac{\partial t}{\partial x} = 2t \cdot 1 = 2(x+y) \tag{5.4}$$

5.2.3　連鎖律と計算グラフ

それでは、式 (5.4) で行った連鎖律の計算を、計算グラフで表してみましょう。2 乗の計算を「**2」というノードで表すとすれば、図 5-7 のように書くことができます。

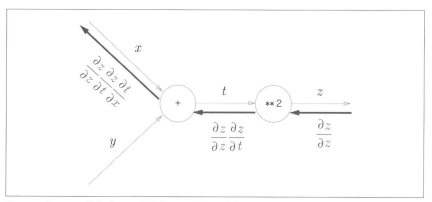

図 5-7　式 (5.4) の計算グラフ：順方向とは逆向きの方向に、局所的な微分を乗算して渡していく

図 5-7 に示すように、計算グラフの逆伝播は、右から左へと、信号を伝播していきます。逆伝播の計算手順では、ノードへの入力信号に対して、ノードの局所的な微分（偏微分）を乗算して次のノードへと伝達していきます。たとえば、「**2」への逆伝播時の入力は $\frac{\partial z}{\partial z}$ であり、これに局所的な微分である $\frac{\partial z}{\partial t}$ ——順伝播時には入力が t で出力が z のため、このノードにおける（局所的な）微分は $\frac{\partial z}{\partial t}$ ——を乗算して、次のノードへ渡していきます。なお、図 5-7 で逆伝播の最初の信号である $\frac{\partial z}{\partial z}$ は、前の数式では登場しませんでしたが、これは $\frac{\partial z}{\partial z} = 1$ であるため先の数式では省略しました。

さて、図 5-7 で注目すべきは、一番左の逆伝播の結果です。これは、連鎖律より、$\frac{\partial z}{\partial z}\frac{\partial z}{\partial t}\frac{\partial t}{\partial x} = \frac{\partial z}{\partial t}\frac{\partial t}{\partial x} = \frac{\partial z}{\partial x}$ が成り立ち、「x に関する z の微分」に対応します。つまり、逆伝播が行っていることは、連鎖律の原理から構成されているのです。

なお、図 5-7 に式 (5.3) の結果を代入すると図 5-8 のような結果になり、$\frac{\partial z}{\partial x}$ は $2(x+y)$ として求めることができます。

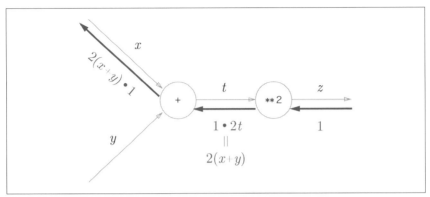

図5-8 計算グラフの逆伝播の結果より、$\frac{\partial z}{\partial x}$ は $2(x+y)$ となる

5.3 逆伝播

前節では、計算グラフの逆伝播が連鎖律によって成り立つことを説明しました。ここでは、「＋」や「×」などの演算を例に、逆伝播の仕組みについて説明します。

5.3.1 加算ノードの逆伝播

初めに加算ノードの逆伝播について考えましょう。ここでは、$z = x + y$ という数式を対象にして、その逆伝播を見ていきます。早速、$z = x + y$ の微分についてですが、これは次のように（解析的に）計算することができます。

$$\frac{\partial z}{\partial x} = 1$$
$$\frac{\partial z}{\partial y} = 1 \tag{5.5}$$

式 (5.5) のとおり、$\frac{\partial z}{\partial x}$ と $\frac{\partial z}{\partial y}$ は、ともに 1 になります。そのため、計算グラフで表すとすれば、図5-9 のように書くことができます。

図5-9 に示すように、逆伝播の際には、上流から伝わった微分──この例では $\frac{\partial L}{\partial z}$──に 1 を乗算して、下流に流します。つまり、加算ノードの逆伝播は 1 を乗算するだけなので、入力された値をそのまま次のノードへ流すだけになります。

なお、この例では上流から伝わった微分の値を $\frac{\partial L}{\partial z}$ としましたが、これは図5-10 に示すように、最終的に L という値を出力する大きな計算グラフを想定しているた

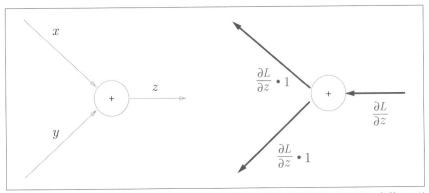

図5-9 加算ノードの逆伝播：左図が順伝播、右図が逆伝播。右図の逆伝播が示すように、加算ノードの逆伝播は、上流の値をそのまま下流へ流す

めです。$z = x + y$ という計算は、その大きな計算グラフのどこかに存在し、上流から $\frac{\partial L}{\partial z}$ の値が伝わることになります。そして、下流にはそれぞれ $\frac{\partial L}{\partial x}$ と $\frac{\partial L}{\partial y}$ の値を伝達していくのです。

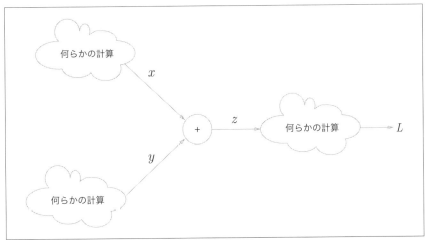

図5-10 最終的に出力する計算の一部に、今回の加算ノードが存在する。逆伝播の際には、一番右の出力からスタートして、局所的な微分がノードからノードへと逆方向に伝播されていく

それでは、加算の逆伝播として、具体例をひとつ見てみましょう。たとえば、「$10 + 5 = 15$」という計算があるとして、逆伝播の際には、上流から1.3の値が流れてくるとします。これを計算グラフで書くと図5-11のようになります。

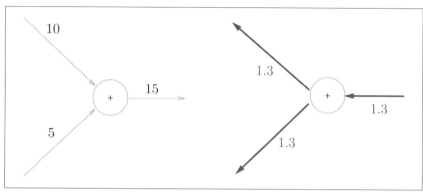

図5-11 加算ノードの逆伝播の具体例

加算ノードの逆伝播は入力信号を次のノードへ出力するだけなので、図5-11のように、1.3を次のノードへと流します。

5.3.2 乗算ノードの逆伝播

続いて、乗算ノードの逆伝播について説明します。ここでは、$z = xy$ という式を考えます。この式の微分は、次の式(5.6)で表されます。

$$\frac{\partial z}{\partial x} = y$$
$$\frac{\partial z}{\partial y} = x \tag{5.6}$$

式(5.6)から、計算グラフは次のように書くことができます。

乗算の逆伝播の場合は、上流の値に、順伝播の際の入力信号を"ひっくり返した値"を乗算して下流へ流します。ひっくり返した値とは、図5-12のように、順伝播の際に x の信号であれば逆伝播では y、順伝播の際に y の信号であれば逆伝播では x と、ひっくり返した関係になっていることを意味します。

それでは具体例をひとつ見てみましょう。たとえば、「$10 \times 5 = 50$」という計算があるとして、逆伝播の際には、上流から1.3の値が流れてくるとします。これを計算グラフで書くと図5-13のようになります。

乗算の逆伝播は、入力信号をひっくり返した値を乗算するので、$1.3 \times 5 = 6.5$、$1.3 \times 10 = 13$ とそれぞれ計算できます。なお、加算の逆伝播では、上流の値をただ下流に流すだけだったので、順伝播の入力信号の値は必要ありませんでした。一方、

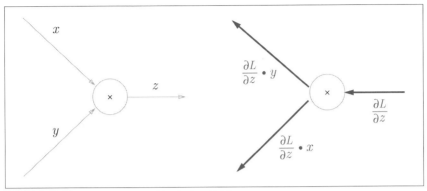

図5-12 乗算の逆伝播：左図が順伝播、右図が逆伝播

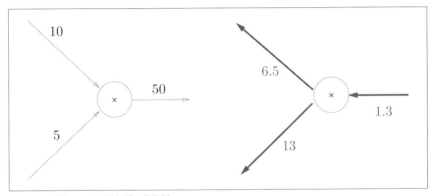

図5-13 乗算ノードの逆伝播の具体例

乗算の逆伝播では、順伝播のときの入力信号の値が必要になります。そのため、乗算ノードの実装時には、順伝播の入力信号を保持します。

5.3.3 リンゴの例

改めて、本章の最初に見たリンゴの買い物の例——リンゴ2個と消費税——を考えてみます。ここで解きたい問題は、リンゴの値段、リンゴの個数、消費税の3つの変数それぞれが最終的な支払金額にどのように影響するか、ということです。これは、「リンゴの値段に関する支払金額の微分」、「リンゴの個数に関する支払金額の微分」、「消費税に関する支払金額の微分」を求めることに相当します。これを計算グラフの逆伝播を使って解くと、図5-14のようになります。

これまで説明してきたとおり、乗算ノードの逆伝播では、入力信号がひっくり返

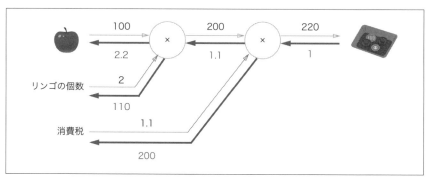

図5-14 リンゴの買い物の逆伝播の例

て下流へと流れます。図5-14の結果より、リンゴの値段の微分は2.2、リンゴの個数の微分は110、消費税の微分は200となります。これは、たとえば、消費税とリンゴの値段が同じ量だけ増加したら、消費税は200の大きさで最終的な支払金額に影響を与え、リンゴの値段は2.2の大きさで影響を与えると解釈できます。ただし、この例での消費税とリンゴの値段はスケールが異なるので、このような結果になっています（消費税の1は100％、リンゴの値段の1は1円）。

それでは、最後に練習問題として、「リンゴとみかんの買い物」の逆伝播を問いてみましょう。図5-15の四角に数字を入れて、それぞれの変数の微分を求めてみてください（答えは、数ページ先にあります）。

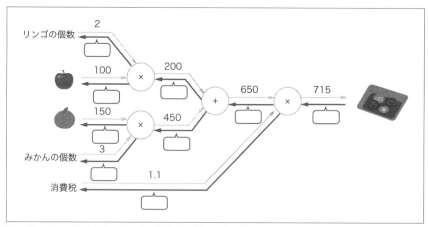

図5-15 リンゴとみかんの買い物の逆伝播の例：四角に数字を入れて逆伝播を完成させよう

5.4 単純なレイヤの実装

本節では、これまで見てきた「リンゴの買い物」の例を、Python で実装していきます。ここでは、計算グラフの乗算ノードを「乗算レイヤ（MulLayer）」、加算ノードを「加算レイヤ（AddLayer）」という名前で実装することにします。

次節では、ニューラルネットワークを構成する「層（レイヤ）」をひとつのクラスで実装することにします。ここで言う「レイヤ」とは、ニューラルネットワークにおける機能の単位です。たとえば、シグモイド関数のための Sigmoid や、行列の積のための Affine など、レイヤ単位で実装を行います。そのため、ここでも「レイヤ」という単位で、乗算ノードと加算ノードを実装します。

5.4.1 乗算レイヤの実装

レイヤは、forward() と backward() という共通のメソッド（インタフェース）を持つように実装します。forward() は順伝播、backward() は逆伝播に対応します。

それでは乗算レイヤを実装しましょう。乗算レイヤは MulLayer という名前のクラスとして、次のように実装することができます（ソースコードは ch05/layer_naive.py にあります）。

```
class MulLayer:
    def __init__(self):
        self.x = None
        self.y = None

    def forward(self, x, y):
        self.x = x
        self.y = y
        out = x * y

        return out

    def backward(self, dout):
        dx = dout * self.y # x と y をひっくり返す
        dy = dout * self.x

        return dx, dy
```

__init__() では、インスタンス変数である x と y の初期化を行いますが、これらは、順伝播時の入力値を保持するために用います。forward() では、x、y の 2 つの引数を受け取り、それらを乗算して出力します。一方、backward() では、上流か

ら伝わってきた微分（dout）に対して、順伝播の"ひっくり返した値"を乗算して下流に流します。

以上が MulLayer の実装になります。では、この MulLayer を使って、これまで見てきた「リンゴの買い物」——リンゴ2個と消費税——を実装してみましょう。前節では、計算グラフの順伝播と逆伝播を使って、図5-16 のように計算することができきました。

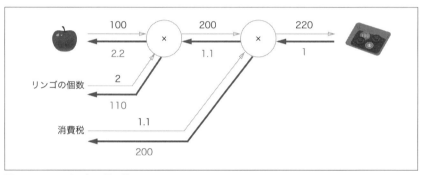

図5-16　リンゴ2個の買い物

この乗算レイヤを使えば、図5-16 の順伝播は次のように実装することができます（ソースコードは ch05/buy_apple.py にあります）。

```
apple = 100
apple_num = 2
tax = 1.1

# layer
mul_apple_layer = MulLayer()
mul_tax_layer = MulLayer()

# forward
apple_price = mul_apple_layer.forward(apple, apple_num)
price = mul_tax_layer.forward(apple_price, tax)

print(price) # 220
```

また、各変数に関する微分は、backward() で求めることができます。

```
# backward
dprice = 1
dapple_price, dtax = mul_tax_layer.backward(dprice)
```

```
dapple, dapple_num = mul_apple_layer.backward(dapple_price)

print(dapple, dapple_num, dtax) # 2.2 110 200
```

ここで、backward() の呼び出す順番は、forward() のときと逆の順番で行います。また、backward() の引数は、「順伝播の際の出力変数に対する微分」を入力することに注意しましょう。たとえば、mul_apple_layer という乗算レイヤは、順伝播時に apple_price を出力しますが、逆伝播時には、apple_price の微分値である dapple_price を引数に設定します。なお、このプログラムの実行結果は、図 5-16 の結果と一致します。

5.4.2　加算レイヤの実装

続いて足し算ノードである加算レイヤを実装します。加算レイヤは次のように実装できます。

```
class AddLayer:
    def __init__(self):
        pass

    def forward(self, x, y):
        out = x + y
        return out

    def backward(self, dout):
        dx = dout * 1
        dy = dout * 1
        return dx, dy
```

加算レイヤでは特に初期化は必要ないので、__init__() では何も行いません（pass という記述は「何も行わない」という命令です）。加算レイヤの forward() では、2 つの引数 x、y を受け取り、それらを加算して出力します。backward() では上流から伝わってきた微分（dout）を、そのまま下流に流すだけです。

それでは、加算レイヤと乗算レイヤを使って、図 5-17 で示されるリンゴ 2 個とみかん 3 個の買い物を実装していきましょう。

図 5-17 の計算グラフは、Python で実装すると次のようになります（ソースコードは ch05/buy_apple_orange.py にあります）。

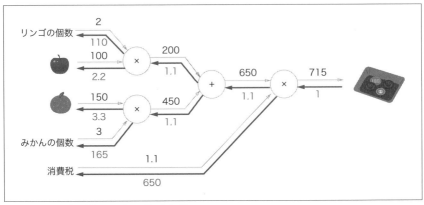

図5-17　リンゴ2個とみかん3個の買い物

```
apple = 100
apple_num = 2
orange = 150
orange_num = 3
tax = 1.1

# layer
mul_apple_layer = MulLayer()
mul_orange_layer = MulLayer()
add_apple_orange_layer = AddLayer()
mul_tax_layer = MulLayer()

# forward
apple_price = mul_apple_layer.forward(apple, apple_num) #(1)
orange_price = mul_orange_layer.forward(orange, orange_num) #(2)
all_price = add_apple_orange_layer.forward(apple_price, orange_price) #(3)
price = mul_tax_layer.forward(all_price, tax) #(4)

# backward
dprice = 1
dall_price, dtax = mul_tax_layer.backward(dprice) #(4)
dapple_price, dorange_price = add_apple_orange_layer.backward(dall_price) #(3)
dorange, dorange_num = mul_orange_layer.backward(dorange_price) #(2)
dapple, dapple_num = mul_apple_layer.backward(dapple_price) #(1)

print(price) # 715
print(dapple_num, dapple, dorange, dorange_num, dtax) # 110 2.2 3.3 165 650
```

この実装は多少長くなりましたが、一つひとつの命令は単純です。必要なレイヤを作成し、順伝播のメソッド forward() を適切な順番で呼び出します。そして、順伝

播と逆の順番で逆伝播のメソッド backward() を呼び出すと、求めたい微分が得られます。

このように、計算グラフにおけるレイヤの実装——ここでは乗算と加算——は簡単に行うことができ、それらを使えば複雑な微分の計算を求めることができます。続いて、ニューラルネットワークで使われるレイヤを実装していきます。

5.5 活性化関数レイヤの実装

それでは、計算グラフの考え方をニューラルネットワークに適用したいと思います。ここでは、ニューラルネットワークを構成する「層（レイヤ）」をひとつのクラスとして実装することにします。まずは、活性化関数である ReLU と Sigmoid レイヤを実装していきます。

5.5.1 ReLUレイヤ

活性化関数として使われる ReLU（Rectified Linear Unit）は、次の式 (5.7) で表されました。

$$y = \begin{cases} x & (x > 0) \\ 0 & (x \leqq 0) \end{cases} \tag{5.7}$$

式 (5.7) から、x に関する y の微分は式 (5.8) のように求められます。

$$\frac{\partial y}{\partial x} = \begin{cases} 1 & (x > 0) \\ 0 & (x \leqq 0) \end{cases} \tag{5.8}$$

式 (5.8) で表されるように、順伝播時の入力である x が 0 より大きければ、逆伝播は上流の値をそのまま下流に流します。逆に、順伝播時に x が 0 以下であれば、逆伝播では下流への信号はそこでストップします。計算グラフで表すと、図5-18 のように書くことができます。

それでは、この ReLU レイヤの実装を行いましょう。ニューラルネットワークのレイヤの実装では、forward() や backward() の引数には、NumPy の配列が入力されることを想定します。なお、ReLU レイヤの実装は、common/layers.py にあります。

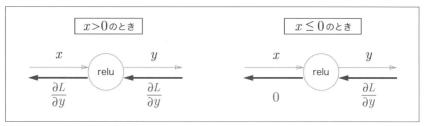

図5-18 ReLUレイヤの計算グラフ

```
class Relu:
    def __init__(self):
        self.mask = None

    def forward(self, x):
        self.mask = (x <= 0)
        out = x.copy()
        out[self.mask] = 0

        return out

    def backward(self, dout):
        dout[self.mask] = 0
        dx = dout

        return dx
```

Reluクラスは、インスタンス変数として mask という変数を持ちます。この mask 変数は True/False からなる NumPy 配列で、順伝播の入力である x の要素で 0 以下の場所を True、それ以外（0 より大きい要素）を False として保持します。たとえば、次の例で示すように、True/False からなる NumPy 配列を mask 変数は保持します。

```
>>> x = np.array( [[1.0, -0.5], [-2.0, 3.0]] )
>>> print(x)
[[ 1.  -0.5]
 [-2.   3. ]]
>>> mask = (x <= 0)
>>> print(mask)
[[False  True]
 [ True False]]
```

図5-18 で示すように、順伝播時の入力の値が 0 以下ならば、逆伝播の値は 0 になります。そのため、逆伝播では、順伝播時に保持した mask を使って、上流から伝播された dout に対して、mask の要素が True の場所を 0 に設定します。

ReLUレイヤは、回路における「スイッチ」のように機能します。順伝播時に電流が流れていればスイッチをONにし、電流が流れなければスイッチをOFFにします。逆伝播時には、スイッチがONであれば電流がそのまま流れ、OFFであればそれ以上電流は流れません。

5.5.2　Sigmoidレイヤ

続いて、シグモイド関数を実装しましょう。シグモイド関数は式(5.9)で表される関数でした。

$$y = \frac{1}{1 + \exp(-x)} \tag{5.9}$$

式(5.9)を計算グラフで表すと、次の**図5-19**のようになります。

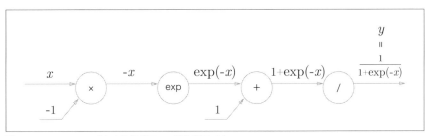

図5-19　Sigmoidレイヤの計算グラフ（順伝播のみ）

図5-19では「×」と「＋」ノードの他に、「exp」と「／」ノードが新しく登場しています。「exp」ノードは $y = \exp(x)$ の計算を行い、「／」ノードは、$y = \frac{1}{x}$ の計算を行います。

図5-19に示すように、式(5.9)の計算は、局所的な計算の伝播によって構成されます。それでは、**図5-19**の計算グラフの逆伝播を行います。ここでは、（これまでのまとめも兼ねて）逆伝播の流れを順を追って見ていきたいと思います。

ステップ1

「／」ノードは $y = \frac{1}{x}$ を表しますが、この微分は解析的に次の式によって表されます。

$$\begin{aligned}\frac{\partial y}{\partial x} &= -\frac{1}{x^2} \\ &= -y^2\end{aligned} \tag{5.10}$$

式 (5.10) より、逆伝播のときは、上流の値に対して、$-y^2$（順伝播の出力の 2 乗にマイナスを付けた値）を乗算して下流へ伝播します。計算グラフでは次のようになります。

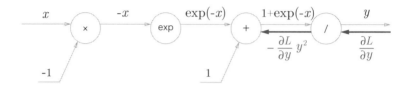

ステップ 2

「+」ノードは、上流の値を下流にそのまま流すだけです。計算グラフでは次のようになります。

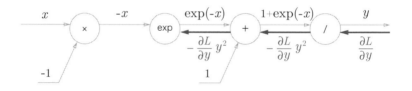

ステップ 3

「exp」ノードは $y = \exp(x)$ を表し、その微分は次の式で表されます。

$$\frac{\partial y}{\partial x} = \exp(x) \tag{5.11}$$

計算グラフでは、上流の値に対して、順伝播時の出力——この例では $\exp(-x)$ ——を乗算して下流へ伝播します。

ステップ4

「×」ノードは、順伝播時の値を"ひっくり返して"乗算します。そのため、ここでは -1 を乗算します。

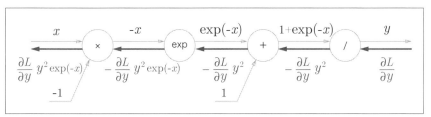

図5-20　Sigmoidレイヤの計算グラフ

以上より、図5-20の計算グラフとしてSigmoidレイヤの逆伝播を行うことができました。図5-20の結果から逆伝播の出力は $\frac{\partial L}{\partial y} y^2 \exp(-x)$ となり、この値が下流にあるノードに伝播していきます。ここで $\frac{\partial L}{\partial y} y^2 \exp(-x)$ という値が順伝播の入力 x と出力 y だけから計算できる点に注目しましょう。そのため、図5-20の計算グラフは、次の図5-21のようなグループ化した「sigmoid」ノードとして書くことができます。

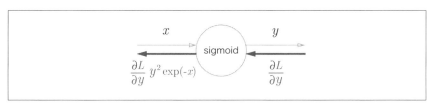

図5-21　Sigmoidレイヤの計算グラフ（簡略版）

図5-20の計算グラフと図5-21の簡略版の計算グラフは、計算の結果は同じになります。しかし、簡略版の計算グラフのほうが、逆伝播の際の途中の計算を省略することができるので、効率の良い計算と言えます。また、ノードをグループ化することによって、Sigmoidレイヤの細かい中身を気にすることなく、その入力と出力だけに集中することができる点も重要なポイントです。

なお、$\frac{\partial L}{\partial y} y^2 \exp(-x)$ は、さらに次のように整理して書くことができます。

$$\begin{aligned}
\frac{\partial L}{\partial y} y^2 \exp(-x) &= \frac{\partial L}{\partial y} \frac{1}{(1+\exp(-x))^2} \exp(-x) \\
&= \frac{\partial L}{\partial y} \frac{1}{1+\exp(-x)} \frac{\exp(-x)}{1+\exp(-x)} \\
&= \frac{\partial L}{\partial y} y(1-y)
\end{aligned} \quad (5.12)$$

そのため、図5-21で表されるSigmoidレイヤの逆伝播は、順伝播の出力だけから計算することができるのです。

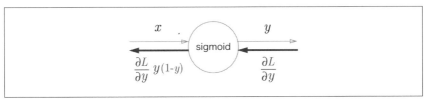

図5-22　Sigmoidレイヤの計算グラフ：順伝播の出力 y によって、逆伝播の計算を行うことができる

それでは、SigmoidレイヤをPythonで実装します。図5-22を参考にすれば、次のように実装することができます（この実装は、common/layers.pyにあります）。

```
class Sigmoid:
    def __init__(self):
        self.out = None

    def forward(self, x):
        out = 1 / (1 + np.exp(-x))
        self.out = out

        return out

    def backward(self, dout):
        dx = dout * (1.0 - self.out) * self.out

        return dx
```

この実装では、順伝播時に出力をインスタンス変数のoutに保持しておきます。そして、逆伝播時に、そのout変数を使って計算を行います。

5.6　Affine ／ Softmax レイヤの実装
5.6.1　Affine レイヤ

　ニューラルネットワークの順伝播では、重み付き信号の総和を計算するために、行列の積（NumPy では np.dot()）を用いました（詳しくは「3.3 多次元配列の計算」参照）。たとえば、Python で次のような実装を行ったことを覚えているでしょうか？

```
>>> X = np.random.rand(2)      # 入力
>>> W = np.random.rand(2,3)    # 重み
>>> B = np.random.rand(3)      # バイアス
>>>
>>> X.shape # (2,)
>>> W.shape # (2, 3)
>>> B.shape # (3,)
>>>
>>> Y = np.dot(X, W) + B
```

　ここでは、X、W、B は、それぞれ形状が、(2,)、(2, 3)、(3,) の多次元配列であるとします。そうすると、ニューロンの重み付き和は、Y = np.dot(X, W) + B のように計算できます。そして、この Y が活性化関数によって変換され、次の層へ伝播される、というのがニューラルネットワークの順伝播の流れでした。また、復習になりますが、行列の積の計算は、対応する次元の要素数を一致させるというのがポイントです。たとえば、X と W の積は次の**図 5-23** のように、対応する次元の要素数を一致させる必要があります。 なお、ここでは、行列の形状は、(2, 3) のように括弧で表すことにします（これは、NumPy の shape の出力に対応させるためです）。

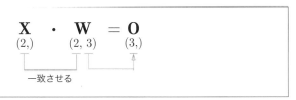

図 5-23　行列の積では、対応する次元の要素数を一致させる

　ニューラルネットワークの順伝播で行う行列の積は、幾何学の分野では「アフィン変換」と呼ばれます。そのため、ここでは、アフィン変換を行う処理を「Affine レイヤ」という名前で実装していきます。

それでは、ここで行った計算——行列の積とバイアスの和——を計算グラフで表しましょう。行列の積を計算するノードを「dot」として表すことにすると、np.dot(X, W) + B の計算は、図5-24 の計算グラフで表すことができます。なお、各変数の上部に、その変数の形状も表記します（たとえば、$\mathbf{X}$ の形状は (2,)、$\mathbf{X} \cdot \mathbf{W}$ の形状は (3,) ということを計算グラフ上に示しています）。

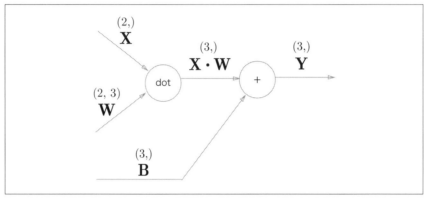

図5-24　Affine レイヤの計算グラフ：変数が行列であることに注意。各変数の上部に、その変数の形状を示す

　図5-24 は比較的単純な計算グラフです。ただし $\mathbf{X}$、$\mathbf{W}$、$\mathbf{B}$ は行列（多次元配列）であるということに注意しましょう。これまで見てきた計算グラフは「スカラ値」がノード間を流れましたが、この例では「行列」がノード間を伝播します。

　それでは、図5-24 で表される計算グラフの逆伝播について考えます。行列を対象とした逆伝播を求める場合は、行列の要素ごとに書き下すことで、これまでのスカラ値を対象とした計算グラフと同じ手順で考えることができます。実際に書き下してみると、次の式が得られます（式 (5.13) が導かれる過程はここでは省略します）。

$$\frac{\partial L}{\partial \mathbf{X}} = \frac{\partial L}{\partial \mathbf{Y}} \cdot \mathbf{W}^{\mathrm{T}}$$
$$\frac{\partial L}{\partial \mathbf{W}} = \mathbf{X}^{\mathrm{T}} \cdot \frac{\partial L}{\partial \mathbf{Y}} \tag{5.13}$$

　式 (5.13) の $\mathbf{W}^{\mathrm{T}}$ の T は転置を表します。転置とは、$\mathbf{W}$ の (i, j) の要素を (j, i) の要素に入れ変えることを言います。実際に数式で表すと、次のように書くことができます。

$$\mathbf{W} = \begin{pmatrix} w_{11} & w_{12} & w_{13} \\ w_{21} & w_{22} & w_{23} \end{pmatrix}$$
$$\mathbf{W}^{\mathrm{T}} = \begin{pmatrix} w_{11} & w_{21} \\ w_{12} & w_{22} \\ w_{13} & w_{23} \end{pmatrix} \tag{5.14}$$

式 (5.14) に示すように、$\mathbf{W}$ の形状が $(2, 3)$ であるとすると、$\mathbf{W}^{\mathrm{T}}$ の形状は $(3, 2)$ になります。

それでは、式 (5.13) を元に、計算グラフの逆伝播を書いてみましょう。結果は図5-25 のようになります。

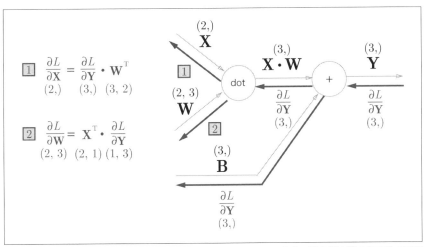

図5-25 Affine レイヤの逆伝播：変数が多次元配列であることに注意。逆伝播の際の各変数の下部に、その変数の形状を示す

図5-25 の計算グラフでは、各変数の形状に注意して見ていきましょう。特に、$\mathbf{X}$ と $\frac{\partial L}{\partial \mathbf{X}}$ は同じ形状であり、$\mathbf{W}$ と $\frac{\partial L}{\partial \mathbf{W}}$ は同じ形状であるということに注意してください。なお、$\mathbf{X}$ と $\frac{\partial L}{\partial \mathbf{X}}$ が同じ形状になることは、次の数式で表されることから明らかでしょう。

$$\mathbf{X} = (x_0, x_1, \cdots, x_n)$$
$$\frac{\partial L}{\partial \mathbf{X}} = \left(\frac{\partial L}{\partial x_0}, \frac{\partial L}{\partial x_1}, \cdots, \frac{\partial L}{\partial x_n} \right) \tag{5.15}$$

なぜ行列の形状に注意するかというと、行列の積では、対応する次元の要素数を一致させる必要があり、その一致を確認することで、式(5.13)を導くことができるからです。たとえば、$\frac{\partial L}{\partial \mathbf{Y}}$ の形状が(3,)、$\mathbf{W}$ の形状が(2,3)であるとき、$\frac{\partial L}{\partial \mathbf{X}}$ の形状が(2,)になるように、$\frac{\partial L}{\partial \mathbf{Y}}$ と $\mathbf{W}$ の積を考えます（**図5-26**）。そうすれば、おのずと、式(5.13)が導かれるというわけです。

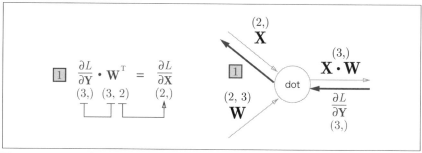

図5-26 行列の積（「dot」ノード）の逆伝播は、行列の対応する次元の要素数を一致させるように積を組み立てることで導くことができる

5.6.2　バッチ版 Affine レイヤ

これまで説明してきた Affine レイヤは、入力である $\mathbf{X}$ はひとつのデータを対象としたものでした。ここでは N 個のデータをまとめて順伝播する場合、つまり、バッチ版の Affine レイヤを考えます（データのまとまりは「バッチ」と呼ぶのでした）。

それでは早速、バッチ版の Affine レイヤの計算グラフを示しましょう。バッチ版の Affine レイヤは**図5-27**のようになります。

先ほどの説明と異なる点は、入力である $\mathbf{X}$ の形状が(N, 2)になっただけです。後は、前と同じように計算グラフ上で、素直に行列の計算をするだけになります。また、逆伝播の際は、行列の形状に注意すれば、$\frac{\partial L}{\partial \mathbf{X}}$ と $\frac{\partial L}{\partial \mathbf{W}}$ は前と同じように導出することができます。

バイアスの加算に際しては、注意が必要です。順伝播の際のバイアスの加算は、$\mathbf{X} \cdot \mathbf{W}$ に対して、バイアスがそれぞれのデータに加算されます。たとえば、N = 2（データが2個）とした場合、バイアスは、その2個のデータそれぞれに対して（それぞれの計算結果に対して）加算されることになるのです。具体例を示すと次のようになります。

5.6 Affine / Softmax レイヤの実装

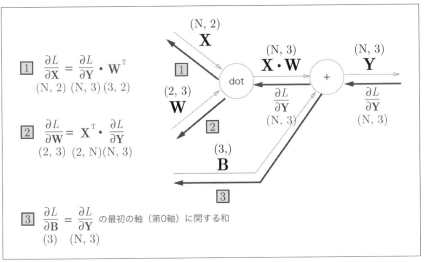

図5-27　バッチ版 Affine レイヤの計算グラフ

```
>>> X_dot_W = np.array([[0, 0, 0], [10, 10, 10]])
>>> B = np.array([1, 2, 3])
>>>
>>> X_dot_W
array([[ 0,  0,  0],
       [10, 10, 10]])
>>> X_dot_W + B
array([[ 1,  2,  3],
       [11, 12, 13]])
```

　順伝播でのバイアスの加算は、それぞれのデータ（1個目のデータ、2個目のデータ、…）に対して加算が行われます。そのため、逆伝播の際には、それぞれのデータの逆伝播の値がバイアスの要素に集約される必要があります。これをコードで表すと、次のようになります。

```
>>> dY = np.array([[1, 2, 3,], [4, 5, 6]])
>>> dY
array([[1, 2, 3],
       [4, 5, 6]])
>>>
>>> dB = np.sum(dY, axis=0)
>>> dB
array([5, 7, 9])
```

　この例では、データが2個（$N = 2$）あるものと仮定します。バイアスの逆伝播

は、その2個のデータに対しての微分を、データごとに合算して求めます。そのため、`np.sum()`で、0番目の軸（データを単位とした軸）に対して（`axis=0`）の総和を求めるのです。

以上から、Affineの実装は次のようになります。なお、`common/layers.py`にあるAffineの実装は、入力データがテンソル（4次元のデータ）の場合も考慮した実装であり、ここで説明する実装と若干の違いがあります。

```
class Affine:
    def __init__(self, W, b):
        self.W = W
        self.b = b
        self.x = None
        self.dW = None
        self.db = None

    def forward(self, x):
        self.x = x
        out = np.dot(x, self.W) + self.b

        return out

    def backward(self, dout):
        dx = np.dot(dout, self.W.T)
        self.dW = np.dot(self.x.T, dout)
        self.db = np.sum(dout, axis=0)

        return dx
```

5.6.3　Softmax-with-Loss レイヤ

最後に、出力層であるソフトマックス関数について説明します。ソフトマックス関数は、（復習になりますが）入力された値を正規化して出力します。たとえば、手書き数字認識の場合、Softmaxレイヤの出力は図5-28のようになります。

図5-28に示すように、Softmaxレイヤは、入力された値を正規化——出力の和が1になるように変形——して出力します。なお、手書き数字認識は、10クラス分類を行うため、Softmaxレイヤへの入力は10個あることになります。

ニューラルネットワークで行う処理には、**推論**（inference）と**学習**の2つのフェーズがあります。ニューラルネットワークの推論では、通常、Softmaxレイヤは使用しません。たとえば、図5-28のネットワークで推論を行う場合、最後のAffineレイヤの出力を認識結果として用います。なお、ニューラルネッ

5.6 Affine／Softmax レイヤの実装 | 153

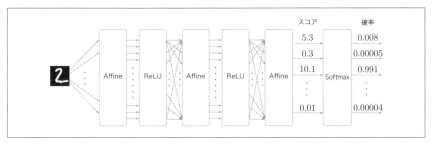

図5-28 入力画像が、Affine レイヤと ReLU レイヤによって変換され、Softmax レイヤによって 10 個の入力が正規化される。この例では、「0」であるスコアは 5.3 であり、これが Softmax レイヤによって 0.008（0.8%）に変換される。また、「2」であるスコアは 10.1 であり、これは 0.991（99.1%）に変換される

トワークの正規化しない出力結果（**図5-28** では Softmax の前層の Affine レイヤの出力）は、「スコア」と呼ぶことがあります。つまり、ニューラルネットワークの推論で答えをひとつだけ出す場合は、スコアの最大値だけに興味があるため、Softmax レイヤは必要ない、ということです。一方、ニューラルネットワークの学習時には、Softmax レイヤが必要になります。

　これから Softmax レイヤを実装していきますが、ここでは、損失関数である交差エントロピー誤差（cross entropy error）も含めて、「Softmax-with-Loss レイヤ」という名前のレイヤで実装します。早速、**図5-29** に Softmax-with-Loss レイヤ（ソフトマックス関数と交差エントロピー誤差）の計算グラフを示します。

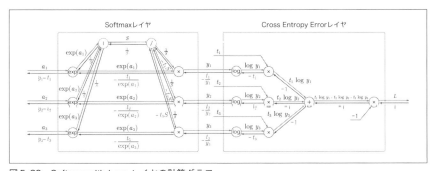

図5-29 Softmax-with-Loss レイヤの計算グラフ

　見てのとおり、Softmax-with-Loss レイヤはやや複雑です。ここでは結果だけを示しますが、Softmax-with-Loss レイヤの導出過程に興味のある方は、「付録 A

Softmax-with-Loss レイヤの計算グラフ」を参照してください。

さて、図5-29の計算グラフですが、これは簡略化して書くと図5-30のように書くことができます。

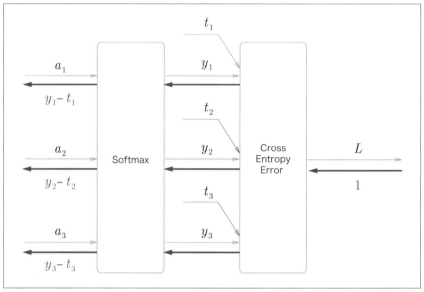

図5-30 「簡易版」Softmax-with-Loss レイヤの計算グラフ

図5-30の計算グラフでは、ソフトマックス関数は Softmax レイヤとして、交差エントロピー誤差は Cross Entropy Error レイヤとして表記します。ここでは、3クラス分類を行う場合を想定し、前レイヤから3つの入力（スコア）を受け取るものとします。図5-30に示すように、Softmax レイヤは、入力である (a_1, a_2, a_3) を正規化して、(y_1, y_2, y_3) を出力します。Cross Entropy Error レイヤは、Softmax の出力 (y_1, y_2, y_3) と、教師ラベルの (t_1, t_2, t_3) を受け取り、それらのデータから損失 L を出力します。

図5-30で注目すべきは、逆伝播の結果です。Softmax レイヤからの逆伝播は、$(y_1 - t_1, y_2 - t_2, y_3 - t_3)$ という"キレイ"な結果になっています。(y_1, y_2, y_3) は Softmax レイヤの出力、(t_1, t_2, t_3) は教師データなので、$(y_1 - t_1, y_2 - t_2, y_3 - t_3)$ は、Softmax レイヤの出力と教師ラベルの差分になります。ニューラルネットワークの逆伝播では、この差分である誤差が前レイヤへ伝わっていくのです。これはニューラルネットワークの学習における重要な性質です。

ところで、ニューラルネットワークの学習の目的は、ニューラルネットワークの出力（Softmax の出力）を教師ラベルに近づけるように、重みパラメータを調整することでした。そのため、ニューラルネットワークの出力と教師ラベルとの誤差を効率良く、前レイヤに伝える必要があります。先ほどの $(y_1 - t_1, y_2 - t_2, y_3 - t_3)$ という結果は、まさに Softmax レイヤの出力と教師ラベルの差であり、現在のニューラルネットワークの出力と教師ラベルの誤差を素直に表しているのです。

「ソフトマックス関数」の損失関数として「交差エントロピー誤差」を用いると、逆伝播が $(y_1 - t_1, y_2 - t_2, y_3 - t_3)$ という"キレイ"な結果になりました。実は、そのような"キレイ"な結果は偶然ではなく、そうなるように交差エントロピー誤差という関数が設計されたのです。また、回帰問題では出力層に「恒等関数」を用い、損失関数として「2 乗和誤差」を用いますが（「3.5 出力層の設計」参照）、これも同様の理由によります。つまり、「恒等関数」の損失関数として「2 乗和誤差」を用いると、逆伝播が $(y_1 - t_1, y_2 - t_2, y_3 - t_3)$ という"キレイ"な結果になるのです。

ここで具体例をひとつ考えてみましょう。たとえば、教師ラベルが $(0, 1, 0)$ であるデータに対して、Softmax レイヤの出力が $(0.3, 0.2, 0.5)$ であった場合を考えます。正解ラベルに対する確率は 0.2（20%）ですので、この時点のニューラルネットワークは正しい認識ができていません。この場合、Softmax レイヤからの逆伝播は、$(0.3, -0.8, 0.5)$ という大きな誤差を伝播することになります。この大きな誤差が前レイヤに伝播していくので、Softmax レイヤよりも前のレイヤは、その大きな誤差から大きな内容を学習することになります。

また、別の例として、教師ラベルが $(0, 1, 0)$ であるデータに対して、Softmax レイヤの出力が $(0.01, 0.99, 0)$ の場合を考えましょう（このニューラルネットワークは、かなり正確に認識しています）。この場合、Softmax レイヤからの逆伝播は、$(0.01, -0.01, 0)$ という小さな誤差になります。この小さな誤差が前レイヤに伝播していきますが、その誤差は小さいため、Softmax レイヤより前にあるレイヤが学習する内容も小さくなります。

それでは、Softmax-with-Loss レイヤの実装を行います。Softmax-with-Loss レイヤは次のように実装することができます。

```python
class SoftmaxWithLoss:
    def __init__(self):
        self.loss = None  # 損失
        self.y = None     # softmax の出力
        self.t = None     # 教師データ（one-hot vector）

    def forward(self, x, t):
        self.t = t
        self.y = softmax(x)
        self.loss = cross_entropy_error(self.y, self.t)

        return self.loss

    def backward(self, dout=1):
        batch_size = self.t.shape[0]
        dx = (self.y - self.t) / batch_size

        return dx
```

この実装では、「3.5.2 ソフトマックス関数の実装上の注意」と「4.2.4 ［バッチ対応版］交差エントロピー誤差の実装」で実装した関数——`softmax()` と `cross_entropy_error()`——を利用しています。そのため、ここでの実装はとても簡単です。また、逆伝播の際には、伝播する値をバッチの個数（`batch_size`）で割ることで、データ 1 個あたりの誤差が前レイヤへ伝播する点に注意しましょう。

5.7　誤差逆伝播法の実装

前節で実装したレイヤを組み合わせることで、まるでレゴブロックを組み合わせて作るように、ニューラルネットワークを構築することができます。ここでは、これまで実装してきたレイヤを組み合わせながら、ニューラルネットワークを構築していきます。

5.7.1　ニューラルネットワークの学習の全体図

話が少し長くなったので、具体的な実装に入る前に、ニューラルネットワークの学習の全体図をもう一度確認しましょう。次に、ニューラルネットワークの学習手順を示します。

前提
ニューラルネットワークは、適応可能な重みとバイアスがあり、この重みとバイアスを訓練データに適応するように調整することを「学習」と呼ぶ。ニューラルネットワークの学習は次の 4 つの手順で行う。

ステップ 1（ミニバッチ）
訓練データの中からランダムに一部のデータを選び出す。

ステップ 2（勾配の算出）
各重みパラメータに関する損失関数の勾配を求める。

ステップ 3（パラメータの更新）
重みパラメータを勾配方向に微小量だけ更新する。

ステップ 4（繰り返す）
ステップ 1、ステップ 2、ステップ 3 を繰り返す。

これまで説明した誤差逆伝播法が登場するのは、ステップ 2 の「勾配の算出」です。前章では、この勾配を求めるために数値微分を利用しましたが、数値微分は簡単に実装できる反面、計算に多くの時間がかかりました。誤差逆伝播法を用いれば、時間を要する数値微分とは違い、高速に効率良く勾配を求めることができます。

5.7.2　誤差逆伝播法に対応したニューラルネットワークの実装

それでは、実装を行います。ここでは、2 層のニューラルネットワークをTwoLayerNet として実装していきます。まずはこのクラスのインスタンス変数とメソッドを整理して**表5-1**と**表5-2**に示します。

このクラスの実装は少々長くなりますが、実装の中身は、前章の「4.5 学習アルゴリズムの実装」と共通する部分が多くあります。前章からの主な変更箇所は、レイヤを使用していることです。レイヤを使用することによって、認識結果を得る処理（predict()）や勾配を求める処理（gradient()）がレイヤの伝播だけで達成できます。それでは、TwoLayerNet の実装です。

表5-1 TwoLayerNet クラスのインスタンス変数

インスタンス変数	説明
params	ニューラルネットワークのパラメータを保持するディクショナリ変数。params['W1'] は1層目の重み、params['b1'] は1層目のバイアス。params['W2'] は2層目の重み、params['b2'] は2層目のバイアス。
layers	ニューラルネットワークのレイヤを保持する**順番付きディクショナリ変数**。layers['Affine1']、layers['Relu1']、layers['Affine2'] といったように**順番付きディクショナリ**で各レイヤを保持する。
lastLayer	ニューラルネットワークの最後のレイヤ。この例では、SoftmaxWithLoss レイヤ。

表5-2 TwoLayerNet クラスのメソッド

メソッド	説明
__init__(self, input_size, hidden_size, output_size, weight_init_std)	初期化を行う。引数は頭から順に、入力層のニューロンの数、隠れ層のニューロンの数、出力層のニューロンの数、重み初期化時のガウス分布のスケール。
predict(self, x)	認識(推論)を行う。引数の x は画像データ。
loss(self, x, t)	損失関数の値を求める。引数の x は画像データ、t は正解ラベル。
accuracy(self, x, t)	認識精度を求める。
numerical_gradient(self, x, t)	重みパラメータに対する勾配を数値微分によって求める(前章と同じ)。
gradient(self, x, t)	重みパラメータに対する勾配を誤差逆伝播法によって求める。

```python
import sys, os
sys.path.append(os.pardir)
import numpy as np
from common.layers import *
from common.gradient import numerical_gradient
from collections import OrderedDict

class TwoLayerNet:

    def __init__(self, input_size, hidden_size, output_size,
                 weight_init_std=0.01):
        # 重みの初期化
        self.params = {}
        self.params['W1'] = weight_init_std * \
                            np.random.randn(input_size, hidden_size)
        self.params['b1'] = np.zeros(hidden_size)
        self.params['W2'] = weight_init_std * \
                            np.random.randn(hidden_size, output_size)
```

```
        self.params['b2'] = np.zeros(output_size)

        # レイヤの生成
        self.layers = OrderedDict()
        self.layers['Affine1'] = \
            Affine(self.params['W1'], self.params['b1'])
        self.layers['Relu1'] = Relu()
        self.layers['Affine2'] = \
            Affine(self.params['W2'], self.params['b2'])

        self.lastLayer = SoftmaxWithLoss()

    def predict(self, x):
        for layer in self.layers.values():
            x = layer.forward(x)

        return x

    # x:入力データ, t:教師データ
    def loss(self, x, t):
        y = self.predict(x)
        return self.lastLayer.forward(y, t)

    def accuracy(self, x, t):
        y = self.predict(x)
        y = np.argmax(y, axis=1)
        if t.ndim != 1 : t = np.argmax(t, axis=1)

        accuracy = np.sum(y == t) / float(x.shape[0])
        return accuracy

    # x:入力データ, t:教師データ
    def numerical_gradient(self, x, t):
        loss_W = lambda W: self.loss(x, t)

        grads = {}
        grads['W1'] = numerical_gradient(loss_W, self.params['W1'])
        grads['b1'] = numerical_gradient(loss_W, self.params['b1'])
        grads['W2'] = numerical_gradient(loss_W, self.params['W2'])
        grads['b2'] = numerical_gradient(loss_W, self.params['b2'])

        return grads

    def gradient(self, x, t):
        # forward
        self.loss(x, t)

        # backward
```

```
        dout = 1
        dout = self.lastLayer.backward(dout)

        layers = list(self.layers.values())
        layers.reverse()
        for layer in layers:
            dout = layer.backward(dout)

        # 設定
        grads = {}
        grads['W1'] = self.layers['Affine1'].dW
        grads['b1'] = self.layers['Affine1'].db
        grads['W2'] = self.layers['Affine2'].dW
        grads['b2'] = self.layers['Affine2'].db

        return grads
```

　この実装では、太字のコードに注意して見てください。特にニューラルネットワークのレイヤを OrderedDict として保持する点が重要です。OrderedDict は、順番付きのディクショナリです。「順番付き」とは、ディクショナリに追加した要素の順番を覚えることができる、ということです。そのため、ニューラルネットワークの順伝播では、追加した順にレイヤの forward() メソッドを呼び出すだけで処理が完了します。また、逆伝播では、逆の順番でレイヤを呼び出すだけです。Affine レイヤや ReLU レイヤが、それぞれの内部で順伝播と逆伝播を正しく処理してくれるので、ここで行うことは、レイヤを正しい順番で連結し、順番に（もしくは逆順に）レイヤを呼び出すだけなのです。

　このようにニューラルネットワークの構成要素を「レイヤ」として実装したことで、ニューラルネットワークを簡単に構築することができました。この「レイヤ」としてモジュール化する実装の利点は絶大です。なぜなら、もし別のネットワーク——たとえば、5 層、10 層、20 層、…と大きなネットワーク——を作りたいなら、単に必要なレイヤを追加するだけでニューラルネットワークを作ることができるのです（まるでレゴブロックを組み立てるように）。後は、各レイヤの内部で実装された順伝播と逆伝播によって、認識処理や学習に必要な勾配が正しく求められます。

5.7.3　誤差逆伝播法の勾配確認

　これまで勾配を求める方法を 2 つ説明してきました。ひとつは数値微分によって求める方法、もうひとつは解析的に数式を解いて求める方法です。後者の解析的に求める方法について言えば、誤差逆伝播法を用いることで、大量のパラメータが存在して

5.7 誤差逆伝播法の実装

も効率的に計算できました。そのため、これからは、計算に時間のかかる数値微分ではなく、誤差逆伝播法によって勾配を求めることにしましょう。

さて、数値微分は計算に時間がかかります。そして、誤差逆伝播法の（正しい）実装があれば、数値微分の実装は必要ありません。そうであれば、数値微分は何の役に立つのでしょうか？ 実は、数値微分が実践的に必要とされるのは、誤差逆伝播法の実装の正しさを確認する場面なのです。

数値微分の利点は、実装が簡単であるということです。そのため、数値微分の実装はミスが起きにくく、一方、誤差逆伝播法の実装は複雑になるためミスが起きやすいのが一般的です。そこで、数値微分の結果と誤差逆伝播法の結果を比較して、誤差逆伝播法の実装の正しさを確認することがよく行われます。なお、数値微分で勾配を求めた結果と、誤差逆伝播法で求めた勾配の結果が一致すること——正確には、ほとんど近い値にあること——を確認する作業を**勾配確認**（gradient check）と言います。それでは、勾配確認の実装を次に示します（ソースコードは ch05/gradient_check.py にあります）。

```
import sys, os
sys.path.append(os.pardir)
import numpy as np
from dataset.mnist import load_mnist
from two_layer_net import TwoLayerNet

# データの読み込み
(x_train, t_train), (x_test, t_test) = \
    load_mnist(normalize=True, one_hot_label=True)

network = TwoLayerNet(input_size=784, hidden_size=50, output_size=10)

x_batch = x_train[:3]
t_batch = t_train[:3]

grad_numerical = network.numerical_gradient(x_batch, t_batch)
grad_backprop = network.gradient(x_batch, t_batch)

# 各重みの絶対誤差の平均を求める
for key in grad_numerical.keys():
    diff = np.average( np.abs(grad_backprop[key] - grad_numerical[key]) )
    print(key + ":" + str(diff))
```

いつものように、MNISTデータセットを読み込みます。そして、訓練データの一部を使って、数値微分で求めた勾配と誤差逆伝播法で求めた勾配の誤差を確認します。ここでは誤差として、各重みパラメータにおける要素の差の絶対値を求め、その

平均を算出します。上のコードを実行すると、次のような結果が出力されます。

```
b1:9.70418809871e-13
W2:8.41139039497e-13
b2:1.1945999745e-10
W1:2.2232446644e-13
```

　この結果から、数値微分と誤差逆伝播法でそれぞれ求めた勾配の差はかなり小さいことが分かります。たとえば、1層目のバイアスの誤差は 9.7e-13（0.00000000000097）という値です。これにより、誤差逆伝播法で求めた勾配も正しい結果であることが分かり、誤差逆伝播法の実装に誤りがないことの信頼性が増します。

> 数値微分と誤差逆伝播法の計算結果の誤差が 0 になることは稀です。これは、コンピュータの計算は有限の精度（たとえば、32 ビットの浮動小数点数）で行われることに起因します。数値精度の限界によって、先の誤差は通常 0 にはなりませんが、正しい実装がされていれば、その誤差は 0 に近い小さな値になることが期待されます。もし、その値が大きければ、誤差逆伝播法の実装に誤りがあるということです。

5.7.4　誤差逆伝播法を使った学習

　それでは最後に、誤差逆伝播法を使ったニューラルネットワークの学習の実装を掲載します。これまでと異なる点は、誤差逆伝播法で勾配を求めるという点だけです。ここでは、コードだけを示して説明は省略します（ソースコードは ch05/train_neuralnet.py にあります）。

```python
import sys, os
sys.path.append(os.pardir)
import numpy as np
from dataset.mnist import load_mnist
from two_layer_net import TwoLayerNet

# データの読み込み
(x_train, t_train), (x_test, t_test) = \
    load_mnist(normalize=True, one_hot_label=True)

network = TwoLayerNet(input_size=784, hidden_size=50, output_size=10)

iters_num = 10000
train_size = x_train.shape[0]
```

```
batch_size = 100
learning_rate = 0.1

train_loss_list = []
train_acc_list = []
test_acc_list = []

iter_per_epoch = max(train_size / batch_size, 1)

for i in range(iters_num):
    batch_mask = np.random.choice(train_size, batch_size)
    x_batch = x_train[batch_mask]
    t_batch = t_train[batch_mask]

    # 誤差逆伝播法によって勾配を求める
    grad = network.gradient(x_batch, t_batch)

    # 更新
    for key in ('W1', 'b1', 'W2', 'b2'):
        network.params[key] -= learning_rate * grad[key]

    loss = network.loss(x_batch, t_batch)
    train_loss_list.append(loss)

    if i % iter_per_epoch == 0:
        train_acc = network.accuracy(x_train, t_train)
        test_acc = network.accuracy(x_test, t_test)
        train_acc_list.append(train_acc)
        test_acc_list.append(test_acc)
        print(train_acc, test_acc)
```

5.8　まとめ

　本章では、視覚的に計算の過程を表す計算グラフという方法を学びました。この計算グラフを用いて、ニューラルネットワークで行う誤差逆伝播法を説明し、また、ニューラルネットワークで行う処理をレイヤという単位で実装しました。たとえば、ReLU レイヤや Softmax-with-Loss レイヤ、Affine レイヤや Softmax レイヤなどです。これらのレイヤには、forward と backward というメソッドが実装されており、データを順方向と逆方向に伝播することで、重みパラメータの勾配を効率的に求めることができます。このレイヤによるモジュール化によって、ニューラルネットワークでは、レイヤを自由に組み合わせることができ、自分の好きなネットワークを簡単に作ることができるようになるのです。

本章で学んだこと

- 計算グラフを用いれば、計算過程を視覚的に把握することができる。
- 計算グラフのノードは局所的な計算によって構成される。局所的な計算が全体の計算を構成する。
- 計算グラフの順伝播は、通常の計算を行う。一方、計算グラフの逆伝播によって、各ノードの微分を求めることができる。
- ニューラルネットワークの構成要素をレイヤとして実装することで、勾配の計算を効率的に求めることができる（誤差逆伝播法）。
- 数値微分と誤差逆伝播法の結果を比較することで、誤差逆伝播法の実装に誤りがないことを確認できる（勾配確認）。

6章
学習に関するテクニック

本章では、ニューラルネットワークの学習においてキーとなる重要なアイデアを説明します。本章で取り上げるテーマは、最適な重みパラメータを探索する最適化手法、重みパラメータの初期値、ハイパーパラメータの設定方法など、どれもがニューラルネットワークの学習において重要なテーマです。また、過学習の対応策として、Weight decay や Dropout などの正則化手法について概要を説明し、その実装を行います。最後に、近年多くの研究で使用される Batch Normalization という手法についても簡単な説明を行います。本章で述べる手法を用いることで、ニューラルネットワーク（ディープラーニング）の学習を効率的に進めることができ、認識精度を高めることができます。それでは、先に進みましょう。

6.1 パラメータの更新

ニューラルネットワークの学習の目的は、損失関数の値をできるだけ小さくするパラメータを見つけることです。これは最適なパラメータを見つける問題であり、そのような問題を解くことを**最適化**（optimization）と言います。残念なことに、ニューラルネットワークの最適化はとても難しい問題です。というのは、パラメータ空間は非常に複雑であり、最適な解は簡単に見つけられないからです（数式を解いて、一瞬で最小値を求めるといったような方法はとれません）。さらに、ディープなネットワークでは、パラメータの数が膨大になり、事態はより深刻になってきます。

私たちはこれまで、最適なパラメータを見つけるために、パラメータの勾配（微分）を手がかりにしました。パラメータの勾配を使って、勾配方向にパラメータを更新するというステップを何度も繰り返して、徐々に最適なパラメータへと近づけて

いったのです。それは、**確率的勾配降下法**（stochastic gradient descent）——略して SGD——と言って、単純な方法ですが、パラメータ空間をやみくもに探すよりも"賢い"方法でした。しかし、SGD は単純な方法であり、（問題によっては）SGD よりもさらにスマートな手法が存在します。ここでは、SGD の欠点を指摘し、SGD とは別の最適化手法を紹介します。

6.1.1 冒険家の話

話の本筋に進む前に、最適化について私たちの置かれている状況を、「たとえ話」になぞらえて話すことから始めます。

> ここに風変わりな冒険家がいます。彼は、広大な乾燥地帯を旅しながら、日々深い谷底を求めて旅を続けています。彼の目標は、最も深く低い谷底——彼はその場所を「深き場所」と呼ぶ——へたどり着くこと。それが彼の旅する目的です。しかも、彼は、厳しい"制約"を 2 つ自分に課しています。ひとつは地図を見ないこと、もうひとつは目隠しをすることです。そのため、彼には、広大な土地のどこに一番低い谷底が存在するのか分かりません。しかも、外は何も見えないのです。そのような厳しい条件の中、この冒険家は、どのように「深き場所」を目指せばよいでしょうか？ どのように歩を進めれば、効率良く「深き場所」を見つけることができるでしょうか？

最適なパラメータを探索するとき、私たちの置かれている状況は、この冒険家と同じ暗闇の世界です。広大で複雑な地形を、地図もなく、目隠しをして「深き場所」を探さなければなりません。これは、とても難しい問題だと想像していただけると思います。

この困難な状況で重要になってくるのが、地面の「傾斜」です。冒険家には、周りの景色は見えませんが、今いる場所の地面の傾斜は分かります（地面の傾きは足の裏から伝わってきます）。そこで、今いる場所で一番傾斜がきつい方向に進もうというのが、SGD の戦略です。これを繰り返せば、いつの日か「深き場所」にたどり着くことができるかもしれない——勇敢な冒険家はそう考えるかもしれません。

6.1.2 SGD

最適化問題の難しさを実感してもらったところで、ここではもう一度 SGD の復習から始めます。早速ですが、SGD は、数式で式 (6.1) のように書くことができます。

6.1 パラメータの更新

$$\mathbf{W} \leftarrow \mathbf{W} - \eta \frac{\partial L}{\partial \mathbf{W}} \tag{6.1}$$

ここで、更新する重みパラメータを $\mathbf{W}$、$\mathbf{W}$ に関する損失関数の勾配を $\frac{\partial L}{\partial \mathbf{W}}$ とします。η は学習係数を表し、実際には 0.01 や 0.001 といった値を、前もって決めて使用します。また、式中の ← は、右辺の値で左辺の値を更新するということを表します。式 (6.1) で表されるように、SGD は勾配方向へある一定の距離だけ進むという単純な方法です。それでは、この SGD を、Python のクラスとして実装したいと思います（後ほどの使いやすさを考えて、SGD という名前のクラスで実装します）。

```
class SGD:
    def __init__(self, lr=0.01):
        self.lr = lr
    
    def update(self, params, grads):
        for key in params.keys():
            params[key] -= self.lr * grads[key]
```

ここで、初期化の際の引数である lr は learning rate（学習係数）を表します。この学習係数は、インスタンス変数として保持されます。また、update(params, grads) というメソッドを定義しますが、SGD では、このメソッドが繰り返し呼ばれることになります。引数の params と grads は、（これまでのニューラルネットワークの実装と同じく）ディクショナリ変数です。params['W1']、grads['W1'] などのように、それぞれに重みパラメータと勾配が格納されています。

この SGD というクラスを使えば、ニューラルネットワークのパラメータの更新は、次のように行うことができます（次に示すコードは、実際には動作しない擬似コードです）。

```
network = TwoLayerNet(...)
optimizer = SGD()

for i in range(10000):
    ...
    x_batch, t_batch = get_mini_batch(...) # ミニバッチ
    grads = network.gradient(x_batch, t_batch)
    params = network.params
    optimizer.update(params, grads)
    ...
```

ここで登場する変数名の optimizer とは、「最適化を行う者」という意味の単語です。ここでは SGD が、その役割を担います。パラメータの更新は、optimizer が

責任を持って遂行してくれます。私たちがここでやるべきなのは、`optimizer`にパラメータと勾配の情報を渡すことだけです。

このように、最適化を行うクラスを分離して実装することで、機能のモジュール化が容易になります。たとえば、この後すぐに Momentum という別の最適化手法を実装しますが、その Momentum も同じく `update(params, grads)` という共通のメソッドを持つように実装します。そうすれば、`optimizer = SGD()` という一文を、`optimizer = Momentum()` に変更するだけで SGD を Momentum に切り替えることができます。

多くのディープラーニングのフレームワークでは、さまざまな最適化手法が実装され、それらを簡単に切り替えることができるような仕組みが用意されています。たとえば、Lasagne というディープラーニングのフレームワークでは、`updates.py`（下記リンク参照）というファイルに最適化手法が、関数としてまとめて実装されています。ユーザーは、その中から使いたい最適化手法を選ぶことができます。

http://github.com/Lasagne/Lasagne/blob/master/lasagne/updates.py

6.1.3　SGD の欠点

SGD は単純で実装も簡単ですが、問題によっては非効率な場合があります。ここでは、SGD の欠点を指摘するにあたって、次の関数の最小値を求める問題を考えたいと思います。

$$f(x, y) = \frac{1}{20}x^2 + y^2 \tag{6.2}$$

式 (6.2) で表される関数は、**図6-1** に示すように、"お椀"を x 軸方向に伸ばしたような形状の関数です。実際、式 (6.2) の等高線は x 軸方向に伸びた楕円になっています。

それでは、式 (6.2) で表される関数の勾配を見てみましょう。勾配を図で表すと **図6-2** のようになります。この勾配は、y 軸方向は大きく、x 軸方向は小さいというのが特徴です。言い換えれば、y 軸方向は急な傾斜ですが、x 軸方向は緩やかな傾斜ということです。また、ここでの注意点としては、式 (6.2) の最小値の場所は $(x, y) = (0, 0)$ ですが、**図6-2** で表される勾配は、多くの場所で $(0, 0)$ の方向を指さないということです。

図6-1 の形状の関数に対して、SGD を適用してみましょう。探索の開始場所（初

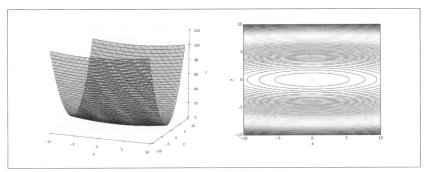

図6-1　$f(x, y) = \frac{1}{20}x^2 + y^2$ のグラフ（左図）とその等高線（右図）

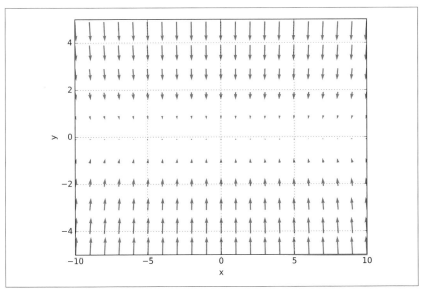

図6-2　$f(x, y) = \frac{1}{20}x^2 + y^2$ の勾配

期値）は $(x, y) = (-7.0, 2.0)$ からスタートします。結果は**図6-3**のようになります。

SGDは、**図6-3**に示すようなジグザグな動きをします。これはかなり非効率な経路です。つまり、SGDの欠点は、関数の形状が等方的でないと——伸びた形の関数だと——、非効率な経路で探索することになる点にあるのです。そこで、SGDで行ったような、単に勾配方向へ進むよりも、もっとスマートな方法が求められるのです。なお、SGDの非効率な探索経路の根本的な原因は、勾配の方向が本来の最小値ではない方向を指していることに起因します。

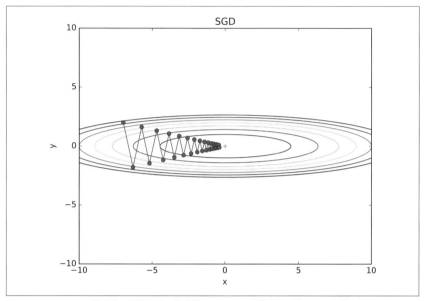

図6-3 SGDによる最適化の更新経路：最小値の(0, 0)へジグザグに動くため非効率

この SGD の欠点を改善するため、続いて、SGD に代わる手法として、Momentum、AdaGrad、Adam という 3 つ手法を紹介します。それぞれ簡単な説明を行い、数式と Python による実装を示します。

6.1.4 Momentum

モーメンタム（Momentum）とは「運動量」という意味の言葉で、物理に関係があります。Momentum という手法は、数式で次のように表されます。

$$\mathbf{v} \leftarrow \alpha \mathbf{v} - \eta \frac{\partial L}{\partial \mathbf{W}} \qquad (6.3)$$

$$\mathbf{W} \leftarrow \mathbf{W} + \mathbf{v} \qquad (6.4)$$

前の SGD と同じく、$\mathbf{W}$ は更新する重みパラメータ、$\frac{\partial L}{\partial \mathbf{W}}$ は $\mathbf{W}$ に関する損失関数の勾配、η は学習係数を表します。ここでは、新たに $\mathbf{v}$ という変数が登場しますが、この $\mathbf{v}$ は物理で言うところの「速度」に対応します。式 (6.3) では、物体が勾配方向に力を受け、その力によって物体の速度が加算されるという物理法則を表しています。Momentum のイメージは、図6-4 で示すように、ボールが地面を転がるよう

な動きです。

図6-4　Momentum のイメージ：ボールが地面の傾斜を転がるように動く

また、式 (6.3) では、$\alpha \mathbf{v}$ という項がありますが、この項は、物体が何も力を受けないときに徐々に減速するための役割を担います（α は 0.9 などの値を設定します）。物理では、地面の摩擦や空気抵抗に対応します。以下は、Momentum の実装です（ソースコードは common/optimizer.py にあります）。

```python
class Momentum:
    def __init__(self, lr=0.01, momentum=0.9):
        self.lr = lr
        self.momentum = momentum
        self.v = None

    def update(self, params, grads):
        if self.v is None:
            self.v = {}
            for key, val in params.items():
                self.v[key] = np.zeros_like(val)

        for key in params.keys():
            self.v[key] = self.momentum*self.v[key] - self.lr*grads[key]
            params[key] += self.v[key]
```

インスタンス変数の v は物体の速度を保持します。v は初期化時は何も保持しませんが、update() が初めに呼ばれるときに、パラメータと同じ構造のデータをディクショナリ変数として保持します。残りの実装は、式 (6.3)、(6.4) を書くだけのシンプルな実装です。

それでは、Momentum を使って、式 (6.2) の最適化問題を解いてみます。結果は図6-5 のようになります。

図6-5 で示されるように、更新経路は、ボールがお椀を転がるような動きをします。SGD と比べると、"ジグザグ度合い" が軽減されているのが分かります。これは、x 軸方向に受ける力はとても小さいですが、常に同じ方向の力を受けるため、同じ方向へ一定して加速することになるからです。逆に、y 軸方向には受ける力は大き

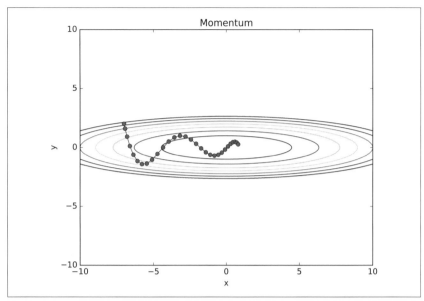

図6-5 Momentum による最適化の更新経路

いですが、正と負の方向の力を交互に受けるため、それらが互いに打ち消し合い、y 軸方向の速度は安定しません。それによって、SGD のときと比べて x 軸方向へ速く近づくことができ、ジグザグの動きを軽減することができます。

6.1.5　AdaGrad

　ニューラルネットワークの学習では、学習係数——数式では η で表記——の値が重要になります。学習係数が小さすぎると学習に時間がかかりすぎてしまい、逆に大きすぎると発散して正しい学習が行えません。

　この学習係数に関する有効なテクニックとして、**学習係数の減衰**（learning rate decay）という方法があります。これは、学習が進むにつれて学習係数を小さくするという方法です。最初は"大きく"学習し、次第に"小さく"学習するという手法で、ニューラルネットワークの学習では実際によく使われます。

　学習係数を徐々に下げていくというアイデアは、パラメータ「全体」の学習係数の値を一括して下げることに相当します。これをさらに発展させたのが AdaGrad [6] です。AdaGrad は、「一つひとつ」のパラメータに対して、"オーダーメイド"の値をこしらえます。

6.1 パラメータの更新

　AdaGrad は、パラメータの要素ごとに適応的に学習係数を調整しながら学習を行う手法です（AdaGrad の Ada は「適応的」を意味する Adaptive に由来します）。それでは、AdaGrad の更新方法を数式で表します。

$$\mathbf{h} \leftarrow \mathbf{h} + \frac{\partial L}{\partial \mathbf{W}} \odot \frac{\partial L}{\partial \mathbf{W}} \tag{6.5}$$

$$\mathbf{W} \leftarrow \mathbf{W} - \eta \frac{1}{\sqrt{\mathbf{h}}} \frac{\partial L}{\partial \mathbf{W}} \tag{6.6}$$

　前の SGD と同じく、$\mathbf{W}$ は更新する重みパラメータ、$\frac{\partial L}{\partial \mathbf{W}}$ は $\mathbf{W}$ に関する損失関数の勾配、η は学習係数を表します。ここでは、新たに $\mathbf{h}$ という変数が登場します。この $\mathbf{h}$ は、式 (6.5) で示されるように、これまで経験した勾配の値を 2 乗和として保持します（式 (6.5) の $\odot$ は行列の要素ごとの掛け算を意味します）。そして、パラメータの更新の際に、$\frac{1}{\sqrt{\mathbf{h}}}$ を乗算することで、学習のスケールを調整します。これは、パラメータの要素の中でよく動いた（大きく更新された）要素は、学習係数が小さくなることを意味します。つまり、よく動いたパラメータの学習係数は次第に小さくなるという学習係数の減衰を、パラメータの要素ごとに行うことができるのです。

AdaGrad は、過去の勾配を 2 乗和としてすべて記録します。そのため、学習を進めれば進めるほど、更新度合いは小さくなります。実際のところ、無限に学習を行ったとすると、更新量は 0 になり、まったく更新されません。この問題を改善した手法として、RMSProp [7] という方法があります。RMSProp という手法は、過去のすべての勾配を均一に加算していくのではなく、過去の勾配を徐々に忘れて、新しい勾配の情報が大きく反映されるように加算します。専門的には「指数移動平均」と言って、指数関数的に過去の勾配のスケールを減少させます。

　それでは、AdaGrad の実装です。AdaGrad は次のように実装できます（ソースコードは common/optimizer.py にあります）。

```
class AdaGrad:
    def __init__(self, lr=0.01):
        self.lr = lr
        self.h = None

    def update(self, params, grads):
        if self.h is None:
```

```
            self.h = {}
            for key, val in params.items():
                self.h[key] = np.zeros_like(val)

        for key in params.keys():
            self.h[key] += grads[key] * grads[key]
            params[key] -= self.lr * grads[key] / (np.sqrt(self.h[key]) + 1e-7)
```

ここで注意してほしいのは、最後の行で 1e-7 という小さい値を加算している点です。これは、self.h[key] の中に 0 があった場合、0 で除算してしまうことを防ぐためのものです。多くのディープラーニングのフレームワークでは、この小さな値もパラメータとして設定できますが、ここでは 1e-7 として固定の値を使用しています。

それでは、AdaGrad を使って、式 (6.2) の最適化問題を解いてみます。結果は図6-6 のようになります。

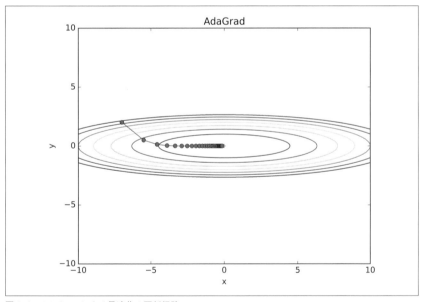

図6-6　AdaGrad による最適化の更新経路

図6-6 の結果を見ると、最小値に向かって効率的に動いているのが分かります。y 軸方向へは勾配が大きいため、最初は大きく動きますが、その大きな動きに比例して、更新のステップが小さくなるように調整が行われます。そのため、y 軸方向への更新度合いは弱められていき、ジグザグの動きが軽減されます。

6.1.6 Adam

Momentum は、ボールがお椀を転がるように物理法則に準じる動きをしました。AdaGrad は、パラメータの要素ごとに、適応的に更新ステップを調整しました。それでは、その 2 つの手法—— Momentum と AdaGrad——を融合するとどうなるでしょうか？ それが Adam [8] という手法のベースとなるアイデアです[†1]。

Adam は 2015 年に提案された新しい手法です。その理論はやや複雑ですが、直感的には、Momentum と AdaGrad を融合したような手法です。先の 2 つの手法の利点を組み合わせることで、効率的にパラメータ空間を探索することが期待できます。また、ハイパーパラメータの「バイアス補正（偏りの補正）」が行われていることも Adam の特徴です。ここでは、これ以上踏み込んで説明することは避けます。詳細は原著論文 [8] を参照してください。また、Python の実装については、common/optimizer.py に Adam というクラスで実装してあるので、興味のある方は参照してください。

それでは、Adam を使って、式 (6.2) の最適化問題を解いてみます。結果は図 6-7 のようになります。

図 6-7 で示すように、Adam による更新の過程は、お椀上をボールが転がるような動きをします。Momentum も同様な動きをしましたが、Momentum のときよりもボールの左右への揺れが軽減されています。これは、学習の更新度合いが適応的に調整されることによってもたらされる恩恵です。

Adam は 3 つのハイパーパラメータを設定します。ひとつは、これまでの学習係数（論文では α として登場）。後の 2 つは、一次モーメント用の係数 β_1 と二次モーメント用の係数 β_2 です。論文によると、標準の設定値は、β_1 は 0.9、β_2 は 0.999 であり、その設定値であれば、多くの場合うまくいくようです。

6.1.7　どの更新手法を用いるか？

これまでにパラメータの更新方法として 4 つの手法を見てきました。ここでは、それら 4 つの手法の結果を比較してみることにします（ソースコードは ch06/optimizer_compare_naive.py にあります）。

図 6-8 に示すように、用いる手法によって異なる経路で更新されることが分かりま

[†1] ここでの Adam という手法の説明は、直感的な説明であり、完全に正しいものではありません。詳細は原著論文を参照してください。

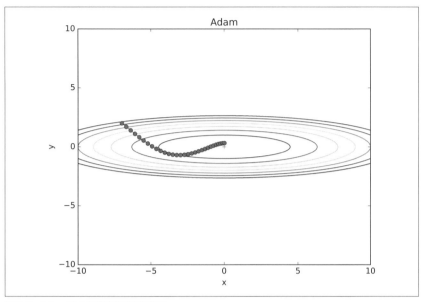

図6-7 Adam による最適化の更新経路

す。この図だけを見ると AdaGrad が一番良さそうですが、これは解くべき問題によって結果が変わるので注意が必要です。また、当たり前のことですが、ハイパーパラメータ（学習係数など）の設定値によっても結果が変わります。

　SGD、Momentum、AdaGrad、Adam と 4 つの手法を説明してきましたが、どれを用いたらよいのでしょうか？ 残念ながら、すべての問題で優れた手法というのは（今のところ）ありません。それぞれに特徴があり、得意な問題、不得意な問題があります。

　多くの研究では今でも SGD が使われています。Momentum や AdaGrad も試す価値のある手法です。最近では、多くの研究者や技術者が Adam を好んで使っているようです。本書では、主に SGD や Adam を使用しますが、読者の方においては、自分の好きなようにいろいろ試してみてください。

6.1.8　MNIST データセットによる更新手法の比較

　手書き数字認識を対象に、これまで説明した 4 つの手法 —— SGD、Momentum、AdaGrad、Adam —— を比較してみます。それぞれの手法によって、学習の進み具合がどれだけ異なるかを確認してみましょう。早速、結果を示します。結果は図6-9

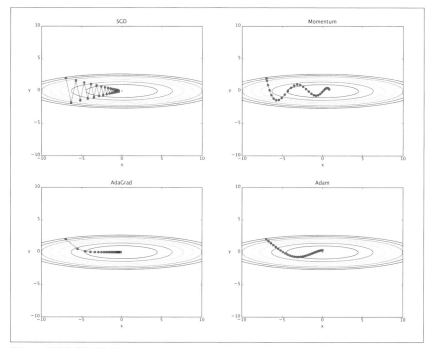

図6-8　最適化手法の比較：SGD、Momentum、AdaGrad、Adam

のようになります（ソースコードは ch06/optimizer_compare_mnist.py にあります）。

　この実験では、5層のニューラルネットワークで、各層100個のニューロンを持つネットワークを対象にしました。また、活性化関数として ReLU を使用しました。

　図6-9 の結果を見ると、SGD よりも他の手法が速く学習できていることが分かります。残り3つの手法は同じように学習が行われているようです。よく見るとAdaGrad の学習が少しだけ速く行われているようです。この実験の注意点としては、学習係数のハイパーパラメータや、ニューラルネットワークの構造（何層の深さか、など）によって結果は変化するということです。ただし、一般に SGD よりも他の3つの手法のほうが速く学習でき、時には最終的な認識性能も高くなります。

6.2　重みの初期値

　ニューラルネットワークの学習で特に重要になってくるのが、重みの初期値です。

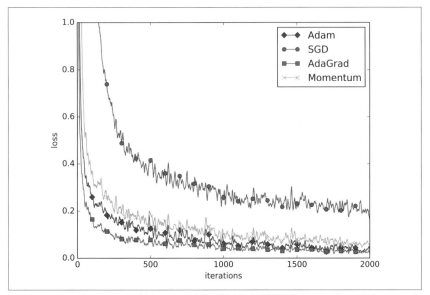

図6-9　MNISTデータセットに対する4つの更新手法の比較：横軸は学習の繰り返し回数（iterations）、縦軸は損失関数の値（loss）

重みの初期値としてどのような値を設定するかで、ニューラルネットワークの学習の成否が分かれることが実際によくあります。本節では、推奨される重みの初期値について説明し、実験によって実際にニューラルネットワークの学習が速やかに行われることを確認します。

6.2.1　重みの初期値を0にする？

過学習を抑え、汎化性能を高めるテクニックとして、この後、Weight decay（荷重減衰）という手法を紹介します。Weight decayとは、簡単に言えば、重みパラメータの値が小さくなるように学習を行うことを目的とした手法です。重みの値を小さくすることで、過学習が起きにくくなります。

重みを小さい値にしたければ、初期値もできるだけ小さい値からスタートするのが正攻法でしょう。実際、これまで、重みの初期値は、`0.01 * np.random.randn(10, 100)`のように、ガウス分布から生成される値を0.01倍した小さな値——標準偏差が0.01のガウス分布——を用いました。

重みの値を小さくしたいというのであれば、重みの初期値をすべて0に設定する、というのはどうでしょうか？　答えを先に言ってしまうと、重みの初期値を0にする

というのは悪いアイデアです。実際、重みの初期値を 0 にすると、正しい学習が行えません。

なぜ重みの初期値を 0 にしてはいけない——正確には、重みを均一な値に設定してはいけない——のでしょうか？ それは誤差逆伝播法において、すべての重みの値が均一に（同じように）更新されてしまうからです。たとえば、2 層のニューラルネットワークにおいて、1 層目と 2 層目の重みが 0 だと仮定します。そうすると、順伝播時には、入力層の重みが 0 であるため、2 層目のニューロンにはすべて同じ値が伝達されます。2 層目のニューロンですべて同じ値が入力されるということは、逆伝播のときに 2 層目の重みはすべて同じように更新されるということになります（「乗算ノードの逆伝播」を思い出しましょう）。そのため、均一の値で更新され、重みは対称的な値（重複した値）を持つようになってしまうのです。これでは、たくさんの重みを持つ意味がなくなってしまいます。この「重みが均一になってしまうこと」を防ぐ——正確には、重みの対称的な構造を崩す——ために、ランダムな初期値が必要なのです。

6.2.2　隠れ層のアクティベーション分布

隠れ層のアクティベーション[†2]（活性化関数の後の出力データ）の分布を観察することで多くの知見が得られます。ここでは、重みの初期値によって隠れ層のアクティベーションがどのように変化するか、簡単な実験を行ってみようと思います。ここで行う実験は、5 層のニューラルネットワーク（活性化関数にシグモイド関数を使用）に、ランダムに生成した入力データを流し、各層のアクティベーションのデータ分布をヒストグラムで描画するというものです。なお、この実験は、スタンフォード大学の授業「CS231n」[5] を参考にしています。

ここで行う実験のためのソースコードは、ch06/weight_init_activation_histogram.py にあります。ここでは、そのコードの一部を示します。

```
import numpy as np
import matplotlib.pyplot as plt

def sigmoid(x):
    return 1 / (1 + np.exp(-x))

x = np.random.randn(1000, 100)  # 1000 個のデータ
```

[†2] ここでは、活性化関数の後の出力データを「アクティベーション」と呼んでいますが、文献によっては、レイヤ間を流れるデータを「アクティベーション」と呼ぶこともあります。

```
node_num = 100        # 各隠れ層のノード（ニューロン）の数
hidden_layer_size = 5 # 隠れ層が 5 層
activations = {}      # ここにアクティベーションの結果を格納する

for i in range(hidden_layer_size):
    if i != 0:
        x = activations[i-1]

    w = np.random.randn(node_num, node_num) * 1

    z = np.dot(x, w)
    a = sigmoid(z)  # シグモイド関数！
    activations[i] = a
```

ここでは、5 つの層があり、それぞれの層は 100 個のニューロンを持つものとします。そして、入力データとして、1,000 個のデータをガウス分布でランダムに生成し、それを 5 層ニューラルネットワークに流します。活性化関数にはシグモイド関数を利用し、各層のアクティベーションの結果を activations という変数に格納します。このコードで注意すべき点は、重みのスケールについてです。今回は標準偏差が 1 のガウス分布を用いていますが、このスケール（標準偏差）を変えることで、アクティベーションの分布がどのように変化するかを観察することが、この実験の目的です。

それでは、activations に格納された各層のデータをヒストグラムとして描画してみます。

```
# ヒストグラムを描画
for i, a in activations.items():
    plt.subplot(1, len(activations), i+1)
    plt.title(str(i+1) + "-layer")
    plt.hist(a.flatten(), 30, range=(0,1))
plt.show()
```

このコードを実行すると、図 6-10 のヒストグラムが得られます。

図 6-10 を見ると、各層のアクティベーションは 0 と 1 に偏った分布になっていることが分かります。ここで使用しているシグモイド関数は、S 字カーブの関数ですが、シグモイド関数の出力が 0 に近づくにつれて（または 1 に近づくにつれて）、その微分の値は 0 に近づきます。そのため、0 と 1 に偏ったデータ分布では、逆伝播での勾配の値がどんどん小さくなって消えてしまいます。これは**勾配消失**（gradient vanishing）と呼ばれる問題です。層を深くするディープラーニングでは、勾配消失はさらに深刻な問題になりえます。

それでは続いて、重みの標準偏差を 0.01 として同じ実験を行います。実験のコー

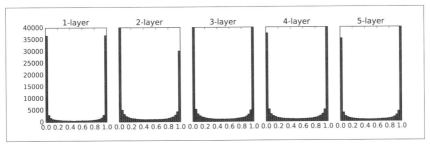

図6-10 重みの初期値として標準偏差1のガウス分布を用いたときの、各層のアクティベーションの分布

ドでは、重みの初期値設定を行う場所を、次のコードに差し替えるだけです。

```
# w = np.random.randn(node_num, node_num) * 1
w = np.random.randn(node_num, node_num) * 0.01
```

それでは結果を見てみましょう。標準偏差を0.01としたガウス分布の場合、各層のアクティベーションの分布は図6-11のようになります。

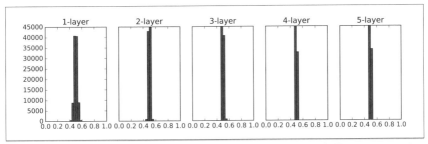

図6-11 重みの初期値として標準偏差0.01のガウス分布を用いたときの、各層のアクティベーションの分布

今度は、0.5付近に集中する分布になりました。先ほどの例のように0と1への偏りはないので、勾配消失の問題は起きません。しかし、アクティベーションに偏りがあるということは、表現力の点で大きな問題があります。なぜなら、複数のニューロンがほとんど同じ値を出力するとすれば、複数のニューロンが存在する意味がなくなってしまうからです。たとえば、100個のニューロンがほぼ同じ値を出力するとすれば、それは1個のニューロンでもほぼ同じことを表現することができます。そのため、アクティベーションの偏りは、「表現力の制限」の点で問題になります。

各層のアクティベーションの分布は、適度な広がりを持つことが求められます。なぜなら、適度に多様性のあるデータが各層を流れることで、ニューラルネットワークの学習が効率的に行えるからです。逆に、偏ったデータが流れると、勾配消失や「表現力の制限」が問題になって、学習がうまくいかない場合があります。

続いて、Xavier Glorot らの論文 [9] で推奨される重みの初期値――通称、「Xavier の初期値」――を使ってみたいと思います。現在、「Xavier の初期値」は一般的なディープラーニングのフレームワークで標準的に用いられています。たとえば、Caffe というフレームワークでは、重みの初期値設定に xavier という引数を与えることで、「Xavier の初期値」を用いることができます。

さて、Xavier の論文では、各層のアクティベーションを同じ広がりのある分布にすることを目的として、適切な重みのスケールを導きました。その導き出した結論は、前層のノードの個数を n とした場合、$\frac{1}{\sqrt{n}}$ の標準偏差を持つ分布を使う[†3]というものです（図6-12）。

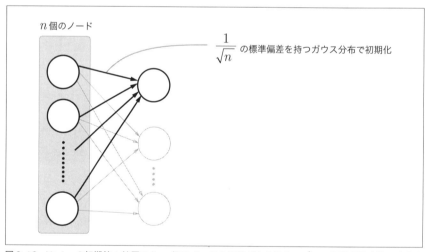

図6-12　Xavier の初期値：前層から n 個のノードの接続がある場合、$\frac{1}{\sqrt{n}}$ の標準偏差を持つ分布を初期値として使う

[†3] Xavier の論文では、前層の入力ノードの個数に加えて、次層の出力ノードの個数も考慮した設定値が提案されています。ただし、Caffe などのフレームワークの実装では、ここで説明するような、前層の入力ノードのみから計算する単純化が行われています。

「Xavier の初期値」を用いると、前層のノードの数が多ければ多いほど、対象ノードの初期値として設定する重みのスケールは小さくなります。それでは、「Xavier の初期値」を使って実験をしてみましょう。実験コードの実装は、重みの初期値設定を次のように書き換えるだけです（ここでの実装は、ノードの数がすべての層で 100 個であるため、単純化して実装しています）。

```
node_num = 100 # 前層のノードの数
w = np.random.randn(node_num, node_num) / np.sqrt(node_num)
```

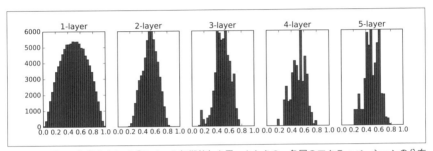

図 6-13 重みの初期値として「Xavier の初期値」を用いたときの、各層のアクティベーションの分布

「Xavier の初期値」を使った結果は図 6-13 のようになります。この結果を見ると、上位の層に行くにつれて、ややいびつな形にはなりますが、これまでよりも広がりを持った分布になっていることが分かります。各層に流れるデータには適度な広がりがあるので、シグモイド関数の表現力も制限されることなく、効率的に学習が行えることが期待できます。

図 6-13 の分布は、上位層の分布の形状がややいびつな形状になりました。このややいびつな形状は、sigmoid 関数の代わりに、tanh 関数（双曲線関数）を用いると改善されます。実際、tanh 関数を用いると、キレイな釣鐘型の分布になります。tanh 関数は、sigmoid 関数と同じ S 字カーブの関数ですが、tanh 関数が原点 $(0, 0)$ で対称な S 字カーブであるのに対して、sigmoid 関数は $(x, y) = (0, 0.5)$ において対称な S 字カーブです。なお、活性化関数に用いる関数は、原点対称であることが望ましい性質として知られています。

6.2.3　ReLU の場合の重みの初期値

「Xavier の初期値」は、活性化関数が線形であることを前提に導いた結果です。

sigmoid 関数や tanh 関数は左右対称で中央付近が線形関数として見なせるので、「Xavier の初期値」が適しています。一方、ReLU を用いる場合は、ReLU に特化した初期値を用いることが推奨されています。それは、Kaiming He らが推奨する初期値——その名も「He の初期値」[10] です。「He の初期値」は、前層のノードの数が n 個の場合、$\sqrt{\frac{2}{n}}$ を標準偏差とするガウス分布を用います。「Xavier の初期値」が $\sqrt{\frac{1}{n}}$ であったことを考えると、ReLU の場合は負の領域が 0 になるため、より広がりを持たせるために倍の係数が必要になると（直感的には）解釈できます。

それでは活性化関数に ReLU を用いた場合のアクティベーションの分布を見てみましょう。まずは、標準偏差が 0.01 のガウス分布（以降、「std=0.01」と略記）、続いて「Xavier の初期値」、そして ReLU 専用の「He の初期値」の場合の 3 つの実験結果を示します（図6-14）。

実験の結果を見ると、「std=0.01」の場合、各層のアクティベーションはとても小さな値[†4]になります。ニューラルネットワーク上をとても小さなデータが流れるということは、逆伝播の際の重みの勾配も同様に小さくなるということです。これは重大な問題であり、実際には学習がほとんど進まないでしょう。

続いて「Xavier の初期値」の結果ですが、こちらは、層が深くなるにつれて、偏りが少しずつ大きくなっていきます。実際、層をディープにしていくと、アクティベーションの偏りも大きくなり、学習の際に「勾配消失」が問題になります。一方、「He の初期値」は、各層で分布の広がりが均一になっています。データの広がりが層を深くしても均一に保たれるので、逆伝播の際も適切な値が流れると期待できます。

以上のまとめとしては、活性化関数に ReLU を使う場合は「He の初期値」、sigmoid や tanh などの S 字カーブのときは「Xavier の初期値」を使う——これが現時点でのベストプラクティスということになります。

6.2.4 MNIST データセットによる重み初期値の比較

実際のデータを対象に、重みの初期値の与え方の違いによって、ニューラルネットワークの学習にどれだけ影響を与えるか見てみましょう。ここでは、3 つのケース——「std=0.01」、「Xavier の初期値」、「He の初期値」——で実験を行います（ソースコードは ch06/weight_init_compare.py にあります）。早速、結果を示します。結果は次の図6-15のようになります。

[†4] 各層のアクティベーションの分布の平均は、次のようになります。1 層：0.0396、2 層：0.00290、3 層：0.000197、4 層：1.32e-5、5 層：9.46e-7

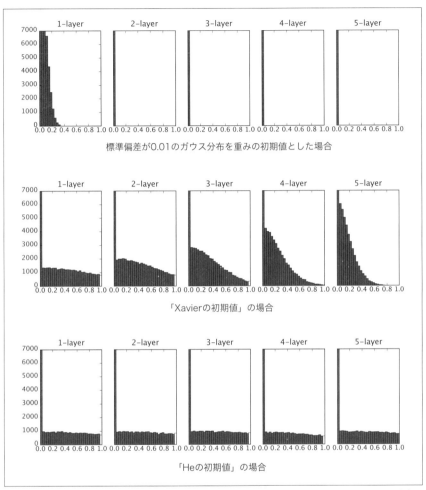

図6-14 活性化関数として ReLU を使用した場合の重みの初期値によるアクティベーション分布の変化

　この実験では、5層のニューラルネットワーク（各層100個のニューロン）で、活性化関数として ReLU を使用します。**図6-15** の結果を見て分かるとおり、「std=0.01」のときはまったく学習ができていません。これは、先ほどアクティベーションの分布を観察したときのとおり、順伝播では小さな値（0に集中したデータ）が流れるからです。それによって、逆伝播の際に求める勾配も小さくなり、重みの更新がほとんど行われなくなってしまいます。逆に、Xavier と He の初期値の場合は、順調に学習が

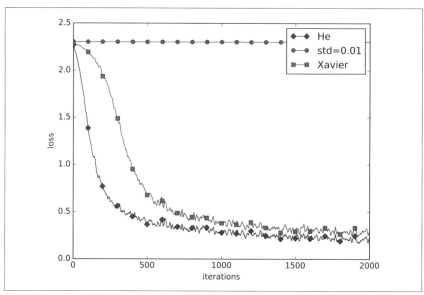

図6-15 MNIST データセットに対する「重みの初期値」による比較：横軸は学習の繰り返し回数（iterations）、縦軸は損失関数の値（loss）

行われています。そして、「He の初期値」のほうが、学習の進みが速いことも分かります。

以上見てきたように、ニューラルネットワークの学習において、重みの初期値はとても重要なポイントです。重みの初期値によって、ニューラルネットワークの学習の成否が分かれることが多くあります。重みの初期値の重要性は見落とされがちなポイントですが、何事もスタート（初期値）が肝心だということです。重みの初期値の重要性を再度強調して、本節を締めくくりたいと思います。

6.3　Batch Normalization

前節の「6.2 重みの初期値」では、各層のアクティベーションの分布を観察しました。そこで学んだことは、重みの初期値を適切に設定すれば、各層のアクティベーションの分布は適度な広がりを持ち、学習がスムーズに行えるということでした。それでは、各層で適度な広がりを持つように、"強制的"にアクティベーションの分布を調整してみてはどうでしょうか？　実は、そのようなアイデアをベースとする手法が Batch Normalization [11] なのです。

6.3.1　Batch Normalization のアルゴリズム

　Batch Normalization（以降、Batch Norm と略記）は、2015 年に提案された手法です。Batch Norm は、まだ世に出て間もない新しい手法にもかかわらず、多くの研究者や技術者に広く使われています。実際、機械学習のコンペティションの結果を見てみると、この Batch Norm を使用して、優れた結果を達成している例が多く見られます。

　なぜこれほど Batch Norm が注目されているかというと、Batch Norm には次の利点があるからです。

- 学習を速く進行させることができる（学習係数を大きくすることができる）
- 初期値にそれほど依存しない（初期値に対してそこまで神経質にならなくてよい）
- 過学習を抑制する（Dropout などの必要性を減らす）

　ひとつ目の利点は、ディープラーニングの学習に多くの時間がかかることを考えると、とても喜ばしいことです。また、初期値に対してそこまで気をつかう必要がなく、過学習の抑制効果もあるというのも、ディープラーニングの学習における頭痛の種を解消してくれます。

　さて、Batch Norm のアイデアは、先ほど述べたとおり、各層でのアクティベーションの分布を、適度な広がりを持つように調整することです。そのために、図6-16 に示すように、Batch Normalization レイヤ（以降、「Batch Norm レイヤ」と表記）として、データ分布の正規化を行うレイヤをニューラルネットワークに挿入します。

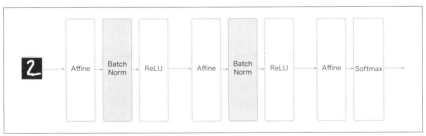

図6-16　Batch Normalization を使用したニューラルネットワークの例（Batch Norm レイヤは背景をグレーで描画）

Batch Norm は、その名前が示すとおり、学習を行う際のミニバッチを単位として、ミニバッチごとに正規化を行います。具体的には、データの分布が平均が 0 で分散が 1 になるように正規化を行います。数式で表すと、次のようになります。

$$\begin{aligned} \mu_B &\leftarrow \frac{1}{m} \sum_{i=1}^{m} x_i \\ \sigma_B^2 &\leftarrow \frac{1}{m} \sum_{i=1}^{m} (x_i - \mu_B)^2 \\ \hat{x}_i &\leftarrow \frac{x_i - \mu_B}{\sqrt{\sigma_B^2 + \varepsilon}} \end{aligned} \quad (6.7)$$

ここでは、ミニバッチとして $B = \{x_1, x_2, \cdots, x_m\}$ という m 個の入力データの集合に対して、平均 μ_B、分散 σ_B^2 を求めます。そして、入力データを平均が 0 で分散が 1 になる——適切な分布になる——ように正規化します。なお、式 (6.7) の ε は、小さな値（たとえば、10e-7 など）です。これは 0 で除算されることを防止するためのものです。

式 (6.7) で行っていることは、ミニバッチの入力データ $\{x_1, x_2, \cdots, x_m\}$ を、平均 0、分散 1 のデータ $\{\hat{x}_1, \hat{x}_2, \cdots, \hat{x}_m\}$ に変換するというシンプルなものです。この処理を、活性化関数の前（もしくは後）に挿入[†5]することで、データの分布の偏りを減らすことができます。

さらに、Batch Norm レイヤは、この正規化されたデータに対して、固有のスケールとシフトで変換を行います。数式では次のように表されます。

$$y_i \leftarrow \gamma \hat{x}_i + \beta \quad (6.8)$$

ここで、γ と β はパラメータです。最初は $\gamma = 1, \beta = 0$ からスタートして、学習によって適した値に調整されていきます。

以上が Batch Norm のアルゴリズムです。このアルゴリズムが、ニューラルネットワーク上での順伝播になります。なお、5 章で説明した計算グラフを用いれば、Batch Norm は図6-17 のように表すことができます。

Batch Norm の逆伝播の導出はやや複雑になるため、ここでは説明を省略しますが、図6-17 のような計算グラフを使って考えれば、Batch Norm の逆伝播も比較

[†5] Batch Normalization を活性化関数の前と後のどちらに挿入すべきかの議論（および実験）は、文献 [11] や [12] などで行われています。

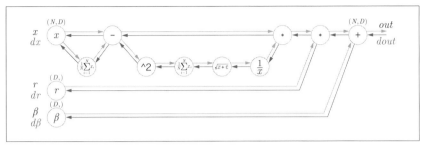

図6-17　Batch Normalization の計算グラフ（文献 [13] より引用）

的簡単に導出できるでしょう。Frederik Kratzert のブログ「Understanding the backward pass through Batch Normalization Layer」[13] に詳しい解説があります。興味のある方は、参照してください。

6.3.2　Batch Normalization の評価

それでは Batch Norm レイヤを使って、実験をしてみましょう。まずは、MNIST データセットを使って、Batch Norm レイヤを用いるときと用いないときで、学習の進みがどう変わるかを見てみます（ソースコードは、ch06/batch_norm_test.py）。結果は、図6-18 のようになります。

図6-18 の結果が示すとおり、Batch Norm によって、学習が速く進んでいることが分かります。続いて、さまざまな初期値のスケールを与え、学習の進行がどのように変化するか見てみましょう。図6-19 は、重みの初期値の標準偏差をさまざまな値に変えたときの学習経過のグラフです。

ほとんどすべてのケースで、Batch Norm を使用したほうが学習の進みが速いことが分かります。実際、Batch Norm を用いない場合は、良い初期値のスケールを与えないと、まったく学習が進まないことも分かります。

以上見てきたように、Batch Norm を使用することで、学習の進行を促進させることができ、また、重みの初期値にロバストになります（「初期値にロバスト」とは、初期値にそれほど依存しない、ということを表します）。Batch Norm は、このように素晴らしい性質を備えているので、多くの場面で活躍してくれることでしょう。

6.4　正則化

機械学習の問題では、**過学習**（overfitting）が問題になることが多くあります。過

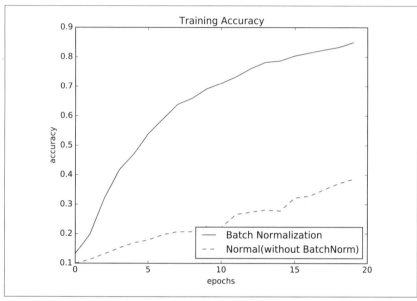

図6-18　Batch Normによる効果：Batch Normによって、学習の進み具合が速くなる

　学習とは、訓練データだけに適応しすぎてしまい、訓練データに含まれない他のデータにはうまく対応できない状態を言います。機械学習で目指すことは、汎化性能です。訓練データには含まれないまだ見ぬデータであっても、正しく識別できるモデルが望まれます。複雑で表現力の高いモデルを作ることは可能ですが、その分、過学習を抑制するテクニックが重要になってくるのです。

6.4.1　過学習

過学習が起きる原因として、主に次の2つが挙げられます。

- パラメータを大量に持ち、表現力の高いモデルであること
- 訓練データが少ないこと

　ここでは、この2つの要件をわざと満たして、過学習を発生させたいと思います。そのために、MNISTデータセットの訓練データを本来の60,000個から300個だけに限定し、また、ネットワークの複雑性を高めるために7層のネットワーク——各層のニューロンの個数は100個、活性化関数はReLU——を使います。

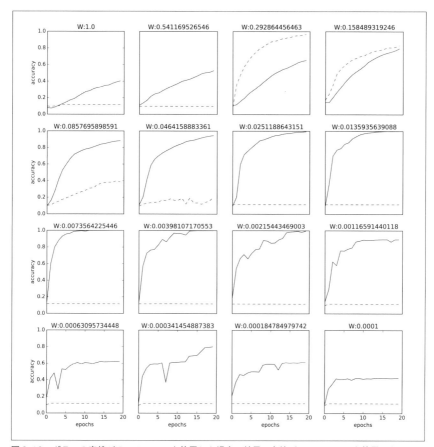

図6-19 グラフの実線が Batch Norm を使用した場合の結果、点線が Batch Norm を使用しなかった場合の結果：図のタイトルに重みの初期値の標準偏差を表記する

実験のためのコードを抜粋して示します（該当ファイルは ch06/overfit_weight_decay.py）。まずは、データ読み込みのコードです。

```
(x_train, t_train), (x_test, t_test) = load_mnist(normalize=True)
# 過学習を再現するために、学習データを削減
x_train = x_train[:300]
t_train = t_train[:300]
```

続いて、訓練を行うコードです。これまでのコードと同じですが、エポックごとに、すべての訓練データとすべてのテストデータでそれぞれ認識精度を算出します。

```
network = MultiLayerNet(input_size=784, hidden_size_list=[100, 100, 100,
100, 100, 100], output_size=10)
optimizer = SGD(lr=0.01) # 学習係数 0.01 の SGD でパラメータ更新

max_epochs = 201
train_size = x_train.shape[0]
batch_size = 100

train_loss_list = []
train_acc_list = []
test_acc_list = []

iter_per_epoch = max(train_size / batch_size, 1)
epoch_cnt = 0

for i in range(1000000000):
    batch_mask = np.random.choice(train_size, batch_size)
    x_batch = x_train[batch_mask]
    t_batch = t_train[batch_mask]

    grads = network.gradient(x_batch, t_batch)
    optimizer.update(network.params, grads)

    if i % iter_per_epoch == 0:
        train_acc = network.accuracy(x_train, t_train)
        test_acc = network.accuracy(x_test, t_test)
        train_acc_list.append(train_acc)
        test_acc_list.append(test_acc)

        epoch_cnt += 1
        if epoch_cnt >= max_epochs:
            break
```

train_acc_list、test_acc_list には、エポック単位——すべての訓練データを見終わった単位——の認識精度が格納されます。それでは、それらのリスト（train_acc_list、test_acc_list）をグラフとして描画してみます。結果は次の図6-20 のようになります。

訓練データを用いて計測した認識精度は、100 エポックを過ぎたあたりから、ほとんど 100% です。しかし、テストデータに対しては、100% の認識精度からは大きな隔たりがあります。このような認識精度の大きな隔たりは、訓練データだけに適応しすぎてしまった結果です。訓練の際に使用しなかった汎用的なデータ（テストデータ）への対応がうまくできていないことが、このグラフから分かります。

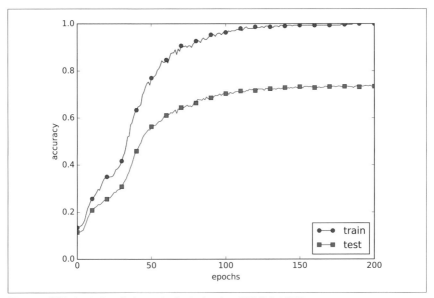

図6-20　訓練データ（train）とテストデータ（test）の認識精度の推移

6.4.2　Weight decay

過学習抑制のために昔からよく用いられる手法に、Weight decay（荷重減衰）という手法があります。これは、学習の過程において、大きな重みを持つことに対してペナルティを課すことで、過学習を抑制しようというものです。そもそも過学習は、重みパラメータが大きな値を取ることによって発生することが多くあるのです。

さて、復習になりますが、ニューラルネットワークの学習は、損失関数の値を小さくすることを目的として行われます。このとき、たとえば、重みの2乗ノルム（L2 ノルム）を損失関数に加算します。そうすれば、重みが大きくなることを抑えることができそうです。記号で表すと、重みを $\mathbf{W}$ とすれば、L2 ノルムの Weight decay は、$\frac{1}{2}\lambda\mathbf{W}^2$ になり、この $\frac{1}{2}\lambda\mathbf{W}^2$ を損失関数に加算します。ここで、λ は正則化の強さをコントロールするハイパーパラメータです。λ を大きく設定すればするほど、大きな重みを取ることに対して強いペナルティを課すことになります。また、$\frac{1}{2}\lambda\mathbf{W}^2$ の先頭の $\frac{1}{2}$ は、$\frac{1}{2}\lambda\mathbf{W}^2$ の微分の結果を $\lambda\mathbf{W}$ にするための調整用の定数です。

Weight decay は、すべての重みに対して、損失関数に $\frac{1}{2}\lambda\mathbf{W}^2$ を加算します。そのため、重みの勾配を求める計算では、これまでの誤差逆伝播法による結果に、正則化項の微分 $\lambda\mathbf{W}$ を加算します。

L2 ノルムは、各要素の 2 乗和に対応します。数式で表すと、$\mathbf{W} = (w_1, w_2, \cdots, w_n)$ の重みがあるとすれば、L2 ノルムは $\sqrt{w_1^2 + w_2^2 + \cdots + w_n^2}$ で計算できます。また、L2 ノルムの他に、L1 ノルムや L∞ノルムもあります。L1 ノルムは絶対値の和、つまり、$|w_1| + |w_2| + \cdots + |w_n|$ に相当します。L∞ノルムは、Max ノルムとも呼ばれ、各要素の絶対値の中で最大のものに相当します。正則化項として、L2 ノルム、L1 ノルム、L∞ノルムのどれでも用いることができます。それぞれに特徴がありますが、ここでは一般的によく用いられる L2 ノルムだけを実装します。

それでは、実験を行いましょう。先ほど行った実験に対して、$\lambda = 0.1$ として Weight decay を適用します。結果は次の図6-21 のようになります（Weight decay に対応したネットワークは common/multi_layer_net.py に、実験用のコードは ch06/overfit_weight_decay.py にあります）。

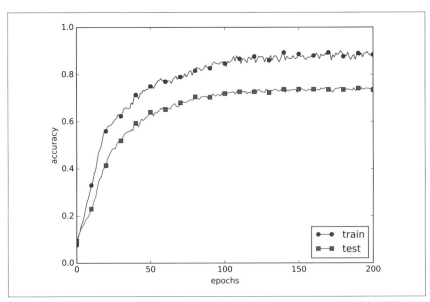

図6-21　Weight decay を用いた訓練データ（train）とテストデータ（test）の認識精度の推移

図6-21 のとおり、訓練データの認識精度とテストデータの認識精度には"隔たり"がありますが、Weight decay を用いなかった図6-20 の結果と比較すると、その隔

たりは小さくなっています。これは過学習が抑制されたということです。また、訓練データの認識精度が100％（1.0）に到達していない点も注目すべき点です。

6.4.3 Dropout

過学習を抑制する手法として、損失関数に対して重みの L2 ノルムを加算する Weight decay という手法を説明しました。Weight decay は簡単に実装でき、ある程度過学習を抑制することができます。しかし、ニューラルネットワークのモデルが複雑になってくると、Weight decay だけでは対応が困難になってきます。そこで、Dropout [14] という手法がよく用いられます。

Dropout は、ニューロンをランダムに消去しながら学習する手法です。訓練時に隠れ層のニューロンをランダムに選び出し、その選び出したニューロンを消去します。消去されたニューロンは、図6-22 に示すように、信号の伝達が行われなくなります。なお、訓練時には、データが流れるたびに、消去するニューロンをランダムに選択します。そして、テスト時には、すべてのニューロンの信号を伝達しますが、各ニューロンの出力に対して、訓練時に消去しなかった割合を乗算して出力します。

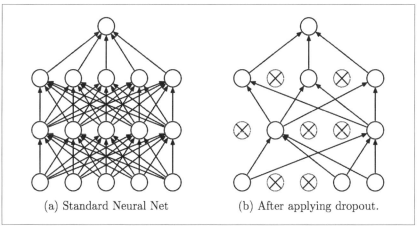

図6-22　Dropout の概念図（文献 [14] より引用）：左が通常のニューラルネットワーク、右が Dropout を適用したネットワーク。Dropout はランダムにニューロンを選び、そのニューロンを消去することで、その先の信号の伝達をストップする

続いて Dropout を実装します。ここで行う実装は、分かりやすさを重視しています。しかし、訓練の際に適切な計算を行えば、順伝播には、単にデータを流すだけで

よい（消去しなかった割合を乗算しなくてもよい）ので、ディープラーニングのフレームワークでは、そのような実装が行われています。効率的な実装については、たとえば、Chainer で実装される Dropout が参考になるでしょう。

```python
class Dropout:
    def __init__(self, dropout_ratio=0.5):
        self.dropout_ratio = dropout_ratio
        self.mask = None

    def forward(self, x, train_flg=True):
        if train_flg:
            self.mask = np.random.rand(*x.shape) > self.dropout_ratio
            return x * self.mask
        else:
            return x * (1.0 - self.dropout_ratio)

    def backward(self, dout):
        return dout * self.mask
```

ここでのポイントは、順伝播のたびに、self.mask に消去するニューロンを False として格納するということです。self.mask は、x と同じ形状の配列をランダムに生成し、その値が dropout_ratio よりも大きい要素だけを True とします。逆伝播の際の挙動は ReLU と同じです。つまり、順伝播で信号を通したニューロンは、逆伝播の際に伝わる信号をそのまま通し、順伝播で信号を通さなかったニューロンは、逆伝播では信号がそこでストップします。

それでは、Dropout の効果を確かめるために、MNIST データセットで検証してみることにします。ソースコードは ch06/overfit_dropout.py です。なお、ソースコードでは、Trainer というクラスを利用して、実装の簡略化を行っています。

common/trainer.py では Trainer クラスを実装しています。このクラスを用いることで、これまで行ってきたようなネットワークの学習を、Trainer クラスが代わりに行ってくれます。詳しくは、common/trainer.py と ch06/overfit_dropout.py を参照してください。

さて、Dropout の実験ですが、前の実験と同じく、7 層のネットワーク（各層のニューロンの個数は 100 個、活性化関数は ReLU）を使い、片方には Dropout を適用し、もう片方には Dropout を使用しないものとします。結果は次の図6-23 のようになります。

図6-23 のとおり、Dropout を用いることで、訓練データとテストデータの認識精

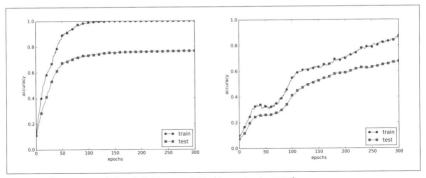

図6-23　左はDropoutなし、右はDropoutあり（dropout_rate=0.15）

度の隔たりが小さくなりました。また、訓練データが100%の認識精度に到達することもなくなりました。このように、Dropoutを用いれば、表現力の高いネットワークであっても、過学習を抑制することができるようになります。

機械学習では、アンサンブル学習というものをよく使います。アンサンブル学習とは、複数のモデルを個別に学習させ、推論時には、その複数の出力を平均するというものです。ニューラルネットワークの文脈で話をすると、たとえば、5つの同じ構造（もしくは似た構造）のネットワークを用意して、それぞれに学習させ、テストのときには、その5つの出力の平均を答えとします。アンサンブル学習を行うことで、ニューラルネットワークの認識精度が数%向上することが実験的に分かっています。

このアンサンブル学習はDropoutと近い関係があります。というのは、Dropoutは、学習時にニューロンをランダムに消去することで、毎回、異なるモデルを学習させていると解釈できるからです。そして、推論時には、ニューロンの出力に対して消去しなかった割合（たとえば、0.5など）を乗算することで、モデルの平均を取っているのです。つまり、Dropoutは、アンサンブル学習と同じ効果を（擬似的に）ひとつのネットワークで実現していると考えることができるのです。

6.5　ハイパーパラメータの検証

ニューラルネットワークでは、重みやバイアスといったパラメータとは別に、ハイパーパラメータ（hyper-parameter）が多く登場します。ここで言うハイパーパラメータとは、たとえば、各層のニューロンの数やバッチサイズ、パラメータの更新の

際の学習係数や Weight decay などです。そのようなハイパーパラメータは、適切な値に設定しなければ、性能の悪いモデルになってしまいます。ハイパーパラメータの値はとても重要ですが、ハイパーパラメータの決定には一般に多くの試行錯誤が伴います。ここでは、できるだけ効率的にハイパーパラメータの値を探索する方法について説明します。

6.5.1 検証データ

これまで使用したデータセットは、訓練データとテストデータの 2 つに分離して利用してきました。訓練データで学習を行い、テストデータを使って汎化性能を評価する——そうすることで、訓練データだけに過度に適応しすぎていないか（過学習を起こしていないか）、そして、汎化性能はどれくらいか、ということを評価することができたのです。

これからハイパーパラメータをさまざまな値に設定して検証していきますが、ここで注意すべき点は、テストデータを使ってハイパーパラメータの性能を評価してはいけない、ということです。これは非常に大切ですが、見落としがちなポイントです。

なぜ、テストデータを使ってハイパーパラメータの性能を評価してはいけないのでしょうか？ それは、テストデータを使ってハイパーパラメータを調整するとすれば、ハイパーパラメータの値はテストデータに対して過学習を起こすことになるからです。言い換えると、ハイパーパラメータの値の「良さ」をテストデータを使って確認することになるので、テストデータだけに適合するようにハイパーパラメータの値が調整されてしまいます。そうなると、他のデータには適応できない汎化性能の低いモデルになってしまうかもしれません。

そのため、ハイパーパラメータを調整する際には、ハイパーパラメータ専用の確認データが必要になります。ハイパーパラメータの調整用のデータは、一般に**検証データ**（validation data）と呼びます。この検証データを使って、ハイパーパラメータの良さを評価します。

訓練データは、パラメータ（重みやバイアス）の学習に利用します。検証データは、ハイパーパラメータの性能を評価するために利用します。テストデータは汎化性能をチェックするために、最後に（理想的には一度だけ）利用します。

データセットによっては、あらかじめ訓練データ・検証データ・テストデータの 3 つに分離されているものがあります。また、データセットによっては、訓練データと

テストデータの2つだけに分離されて提供されているものや、そのような分離は行われていないものもあります。その場合、データの分離は、ユーザーの手によって行う必要があります。MNISTデータセットの場合、検証データを得るための最も簡単な方法は、訓練データの中から20%程度を検証データとして先に分離することです。コードで書くと次のようになります。

```
(x_train, t_train), (x_test, t_test) = load_mnist()

# 訓練データをシャッフル
x_train, t_train = shuffle_dataset(x_train, t_train)

# 検証データの分割
validation_rate = 0.20
validation_num = int(x_train.shape[0] * validation_rate)

x_val = x_train[:validation_num]
t_val = t_train[:validation_num]
x_train = x_train[validation_num:]
t_train = t_train[validation_num:]
```

ここでは、訓練データの分離の前に、入力データと教師ラベルをシャッフルしています。これは、データセットによってはデータに偏りがあるかもしれないからです（たとえば、数字の「0」から「10」まで順番に並べられている、など）。なお、ここで使用した shuffle_dataset という関数は、np.random.shuffle を利用したもので、common/util.py に、その実装があります。

それでは続いて、検証データを使ってハイパーパラメータの最適化手法を見ていきましょう。

6.5.2　ハイパーパラメータの最適化

　ハイパーパラメータの最適化を行う上で重要なポイントは、ハイパーパラメータの「良い値」が存在する範囲を徐々に絞り込んでいく、ということです。範囲を徐々に絞り込んでいくとは、最初はおおまかに範囲を設定し、その範囲の中からランダムにハイパーパラメータを選び出し（サンプリングし）、そのサンプリングした値で認識精度の評価を行います。そして、それを複数回繰り返し行い、認識精度の結果を観察し、その結果からハイパーパラメータの「良い値」の範囲を狭めていくのです。この作業を繰り返し行うことで、適切なハイパーパラメータの範囲を徐々に限定していくことができます。

ニューラルネットワークのハイパーパラメータの最適化では、グリッドサーチなどの規則的な探索よりも、ランダムにサンプリングして探索するほうが良い結果になることが報告されています [15]。これは、複数あるハイパーパラメータのうち、最終的な認識精度に与える影響度合いがハイパーパラメータごとに異なるからです。

ハイパーパラメータの範囲は、おおまかに"ざっくりと"指定するのが有効です。"ざっくりと"指定するとは、0.001（10^{-3}）から 1,000（10^3）ぐらいといったように、「10 のべき乗」のスケールで範囲を指定します（これは、「対数スケール（log scale）で指定する」とも表現します）。

ハイパーパラメータの最適化で注意すべき点は、ディープラーニングの学習には多くの時間（たとえば、数日や数週間など）が必要になるということです。そのため、ハイパーパラメータの探索では、筋の悪そうなハイパーパラメータは早い段階で見切りをつける必要があります。そこで、ハイパーパラメータの最適化においては、学習のためのエポックを小さくして、1 回の評価に要する時間を短縮するのが有効です。

以上がハイパーパラメータの最適化です。これまでの話をまとめると、次のようになります。

ステップ 0

ハイパーパラメータの範囲を設定する。

ステップ 1

設定されたハイパーパラメータの範囲から、ランダムにサンプリングする。

ステップ 2

ステップ 1 でサンプリングされたハイパーパラメータの値を使用して学習を行い、検証データで認識精度を評価する（ただし、エポックは小さく設定）。

ステップ 3

ステップ 1 とステップ 2 をある回数（100 回など）繰り返し、それらの認識精度の結果から、ハイパーパラメータの範囲を狭める。

上記を繰り返し行い、ハイパーパラメータの範囲を絞り込んでいき、ある程度絞り込んだ段階で、その絞り込んだ範囲からハイパーパラメータの値をひとつ選び出しま

す。これがハイパーパラメータの最適化のための、ひとつのアプローチです。

ここで説明したハイパーパラメータの最適化のアプローチは、実践的な方法です。ただし、このアプローチは、科学というよりは、どちらかというと、実践者の"知恵"のような趣が感じられるかもしれません。ハイパーパラメータの最適化において、より洗練された手法を求めるとすれば、**ベイズ最適化**（Bayesian optimization）が挙げられるでしょう。ベイズ最適化は、ベイズの定理を中心とした数学（理論）を駆使して、より厳密に効率良く最適化を行います。詳しくは、論文「Practical Bayesian Optimization of Machine Learning Algorithms」[16] などを参照してください。

6.5.3 ハイパーパラメータ最適化の実装

それでは、MNIST データセットを使って、ハイパーパラメータの最適化を行いたいと思います。ここでは、学習係数（learning rate）と Weight decay の強さをコントロールする係数（以降、「Weight decay 係数」と呼ぶ）の 2 つを探索する問題を対象とします。なお、この問題設定と問題解決のアプローチは、スタンフォード大学の授業「CS231n」[5] を参考にしています。

先ほど述べたとおり、ハイパーパラメータの検証は、0.001 (10^{-3}) から 1,000 (10^3) のような対数スケールの範囲からランダムにサンプリングして検証を行います。これは、Python では、`10 ** np.random.uniform(-3, 3)` と書くことができます。ここで行う実験では、Weight decay 係数を 10^{-8} から 10^{-4}、学習係数を 10^{-6} から 10^{-2} の範囲としてスタートします。その場合、ハイパーパラメータのランダムサンプリングは、次のように書くことができます。

```
weight_decay = 10 ** np.random.uniform(-8, -4)
lr = 10 ** np.random.uniform(-6, -2)
```

このようにランダムにサンプリングし、それらの値を使って学習を行います。後は、複数回さまざまなハイパーパラメータの値で繰り返し学習を行い、筋の良さそうなハイパーパラメータはどこに存在するのか観察します。ここでは、実装の詳細は省略し、結果だけを示します。ハイパーパラメータの最適化を行うソースコードは `ch06/hyperparameter_optimization.py` にあるので、適宜参照してください。

さて、Weight decay 係数を 10^{-8} から 10^{-4}、学習係数を 10^{-6} から 10^{-2} の範囲で実験を行うと、結果は次の**図6-24**のようになります。

図6-24 では、検証データの学習の推移を認識精度が高かった順に並べています。

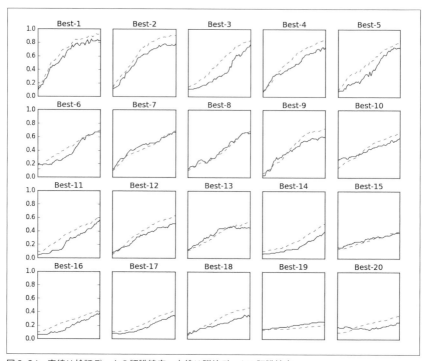

図6-24　実線は検証データの認識精度、点線は訓練データの認識精度

これを見ると、「Best-5」ぐらいまでは順調に学習が進んでいることが分かります。そこで、「Best-5」までのハイパーパラメータの値（学習係数と Weight decay 係数）を見てみることにします。結果は、次のようになります。

```
Best-1 (val acc:0.83) | lr:0.0092, weight decay:3.86e-07
Best-2 (val acc:0.78) | lr:0.00956, weight decay:6.04e-07
Best-3 (val acc:0.77) | lr:0.00571, weight decay:1.27e-06
Best-4 (val acc:0.74) | lr:0.00626, weight decay:1.43e-05
Best-5 (val acc:0.73) | lr:0.0052, weight decay:8.97e-06
```

この結果を見ると、うまく学習が進んでいるのは、学習係数が 0.001 から 0.01、Weight decay 係数が 10^{-8} から 10^{-6} ぐらいということが分かります。このように、うまくいきそうなハイパーパラメータの範囲を観察し、値の範囲を小さくしていきます。そして、その縮小した範囲で同じ作業を繰り返していくのです。そのようにして、適切なハイパーパラメータの存在範囲を狭め、ある段階で、最終的なハイパラメータの値をひとつピックアップします。

6.6 まとめ

本章では、ニューラルネットワークの学習を行う上で重要なテクニックをいくつか紹介しました。パラメータの更新方法や、重みの初期値の与え方、また、Batch Normalization や Dropout など、どれも現代のニューラルネットワークにとっては欠くことのできない技術です。また、ここで学んだ技術は、最先端のディープラーニングにおいても頻繁に利用されています。

本章で学んだこと

- パラメータの更新方法には、SGD の他に、有名なものとして、Momentum や AdaGrad、Adam などの手法がある。
- 重みの初期値の与え方は、正しい学習を行う上で非常に重要である。
- 重みの初期値として、「Xavier の初期値」や「He の初期値」などが有効である。
- Batch Normalization を用いることで、学習を速く進めることができ、また、初期値に対してロバストになる。
- 過学習を抑制するための正則化の技術として、Weight decay や Dropout がある。
- ハイパーパラメータの探索は、良い値が存在する範囲を徐々に絞りながら進めるのが効率の良い方法である。

7章
畳み込みニューラルネットワーク

　本章のテーマは、畳み込みニューラルネットワーク（convolutional neural network：**CNN**）です。CNN は、画像認識や音声認識など、至るところで使われています。また、画像認識のコンペティションでは、ディープラーニングによる手法のほとんどすべてが CNN をベースとしています。本章では、CNN のメカニズムについて詳しく説明し、その処理内容を Python で実装していきます。

7.1　全体の構造

　まずは CNN の大枠を理解するために、CNN のネットワーク構造から見ていくことにします。CNN も、これまで見てきたニューラルネットワークと同じで、レゴブロックのようにレイヤを組み合わせて作ることができます。ただし CNN の場合、新たに「Convolution レイヤ（畳み込み層）」と「Pooling レイヤ（プーリング層）」が登場します。畳み込み層とプーリング層の詳細は次節以降で説明するとして、ここでは、どのようにレイヤを組み合わせて CNN が構築されるかを先に見ていきます。
　さて、これまで見てきたニューラルネットワークは、隣接する層のすべてのニューロン間で結合がありました。これを**全結合**（fully-connected）と呼び、私たちは全結合層を Affine レイヤという名前で実装しました。この Affine レイヤを使えば、たとえば、5 層の全結合のニューラルネットワークは、図7-1 のような構成のネットワークで実現することができます。
　図7-1 で示すように、全結合のニューラルネットワークは、Affine レイヤの後に活性化関数の ReLU レイヤ（もしくは Sigmoid レイヤ）が続きます。ここでは、「Affine - ReLU」の組み合わせを 4 層重ね、5 層目の Affine レイヤと続き、最後に

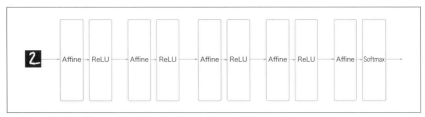

図7-1　全結合層（Affine レイヤ）によるネットワークの例

Softmax レイヤで最終的な結果（確率）を出力します。

それでは、CNN はどのような構成になるのでしょうか？ 図7-2 に CNN の例を示します。

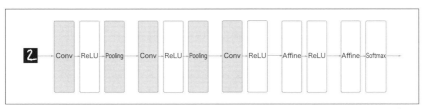

図7-2　CNN によるネットワークの例：Convolution レイヤと Pooling レイヤが新たに加わる（それぞれ背景が灰色の矩形で描画）

図7-2 に示すように、CNN では、新しく「Convolution レイヤ」と「Pooling レイヤ」が加わります。CNN のレイヤのつながり順は、「Convolution - ReLU - (Pooling)」という流れです（Pooling レイヤは省略されることもあります）。これは、今までの「Affine - ReLU」というつながりが、「Convolution - ReLU - (Pooling)」に置き換わったと考えることができます。

図7-2 の CNN で他に注目する点は、出力に近い層では、これまでの「Affine - ReLU」という組み合わせが用いられるということです。また、最後の出力層においては、これまでの「Affine - Softmax」の組み合わせが用いられます。これらは一般的な CNN でよく見られる構成です。

7.2　畳み込み層

CNN では、パディング、ストライドなどの CNN 特有の用語が登場します。また、各層を流れるデータは形状のあるデータ（たとえば、3 次元のデータ）になり、これ

までの全結合のネットワークとは異なります。そのため、初めて CNN を学ぶときは、分かりにくく感じるかもしれません。ここでは、CNN で使われる畳み込み層の仕組みを、じっくりと時間をかけて見ていきたいと思います。

7.2.1　全結合層の問題点

これまで見てきた全結合のニューラルネットワークでは、全結合層（Affine レイヤ）を用いました。全結合層では、隣接する層のニューロンがすべて連結されており、出力の数は任意に決めることができます。

全結合層の問題点は何でしょうか。それは、データの形状が"無視"されてしまうことです。たとえば入力データが画像の場合、画像は通常、縦・横・チャンネル方向の 3 次元の形状です。しかし、全結合層に入力するときには、3 次元のデータを平ら——1 次元のデータ——にする必要があります。実際、これまでの MNIST データセットを使った例では、入力画像が $(1, 28, 28)$ ——1 チャンネル、縦 28 ピクセル、横 28 ピクセル——の形状でしたが、それを 1 列に並べた 784 個のデータを最初の Affine レイヤへ入力しました。

画像は 3 次元の形状であり、この形状には大切な空間的情報が含まれているでしょう。たとえば、空間的に近いピクセルは似たような値であったり、RBG の各チャンネル間にはそれぞれに密接な関連性があったり、距離の離れたピクセルどうしはあまり関わりがなかったりなど、3 次元の形状の中には汲み取るべき本質的なパターンが潜んでいるはずです。しかし、全結合層は、形状を無視して、すべての入力データを同等のニューロン（同じ次元のニューロン）として扱うので、形状に関する情報を生かすことができません。

一方、畳み込み層（Convolution レイヤ）は、形状を維持します。画像の場合、入力データを 3 次元のデータとして受け取り、同じく 3 次元のデータとして、次の層にデータを出力します。そのため、CNN では、画像などの形状を有したデータを正しく理解できる（可能性がある）のです。

なお、CNN では、畳み込み層の入出力データを、**特徴マップ**（feature map）と言う場合があります。さらに、畳み込み層の入力データを**入力特徴マップ**（input feature map）、出力データを**出力特徴マップ**（output feature map）と言います。本書では、「入出力データ」と「特徴マップ」を同じ意味の言葉として用います。

7.2.2 畳み込み演算

畳み込み層で行う処理は「畳み込み演算」です。畳み込み演算は、画像処理で言うところの「フィルター演算」に相当します。畳み込み演算の説明をするにあたって、ここでは具体的な例（図7-3）を見ていくことにします。

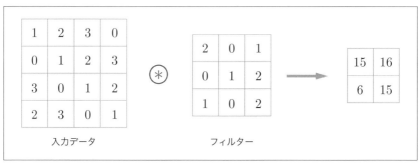

図7-3　畳み込み演算の例：畳み込み演算を「⊛」記号で表記

図7-3で示すように、畳み込み演算は、入力データに対して、フィルターを適用します。この例では、入力データは縦・横方向の形状を持つデータで、フィルターも同様に、縦・横方向の次元を持ちます。データとフィルターの形状を、(height, width) で表記するとして、この例では、入力サイズは $(4, 4)$、フィルターサイズは $(3, 3)$、出力サイズは $(2, 2)$ になります。なお、文献によっては、ここで述べたような「フィルター」という用語は、「カーネル」という言葉で表現されることもあります。

それでは、図7-3の畳み込み演算の例において、どのような計算が行われているかを説明しましょう。図7-4に、畳み込み演算の計算手順を図示します。

畳み込み演算は、入力データに対して、フィルターのウィンドウを一定の間隔でスライドさせながら適用していきます。ここで言うウィンドウとは、図7-4における灰色の 3 × 3 の部分を指します。図7-4に示すように、それぞれの場所で、フィルターの要素と入力の対応する要素を乗算し、その和を求めます（この計算を**積和演算**と呼ぶこともあります）。そして、その結果を出力の対応する場所へ格納していきます。このプロセスをすべての場所で行うことで、畳み込み演算の出力を得ることができます。

さて、全結合のニューラルネットワークでは、重みパラメータの他にバイアスが存在しました。CNNの場合、フィルターのパラメータが、これまでの「重み」に対応します。そして、CNNの場合もバイアスが存在します。図7-3の畳み込み演算の例

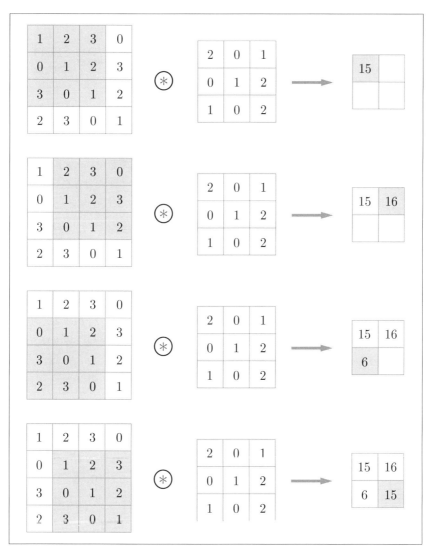

図7-4　畳み込み演算の計算手順

は、フィルターを適用した段階までを示していました。バイアスも含めた畳み込み演算の処理フローは、**図7-5**のようになります。

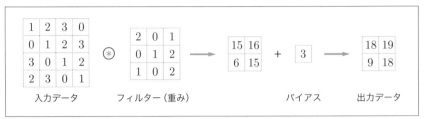

図7-5 畳み込み演算のバイアス：フィルターの適用後の要素に固定の値（バイアス）を加算する

図7-5 に示すように、バイアス項の加算は、フィルター適用後のデータに対して行われます。ここで示すように、つねにバイアスはひとつ (1×1) だけ存在します（この例では、フィルター適用後のデータ 4 つに対してバイアスはひとつです）。そのひとつの値がフィルター適用後のすべての要素に加算されます。

7.2.3 パディング

畳み込み層の処理を行う前に、入力データの周囲に固定のデータ（たとえば 0 など）を埋めることがあります。これを**パディング**（padding）と言って、畳み込み演算ではよく用いられる処理です。たとえば、**図7-6** の例では、(4, 4) のサイズの入力データに対して、幅 1 のパディングを適用しています。幅 1 のパディングとは、周囲を幅 1 ピクセルの 0 で埋めることを言います。

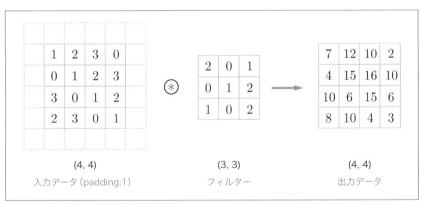

図7-6 畳み込み演算のパディング処理：入力データの周囲に 0 を埋める（図ではパディングを破線で表し、中身の「0」の記載は省略する）

図7-6 に示すように、$(4,4)$ のサイズの入力データはパディングによって、$(6,6)$ の形状になります。そして、$(3,3)$ のサイズのフィルターをかけると、$(4,4)$ のサイズの出力データが生成されます。この例では、パディングを 1 に設定しましたが、パディングの値は 2 や 3 など任意の整数に設定することができます。もし図7-5 の例でパディングを 2 に設定すれば、入力データのサイズは $(8,8)$ になり、パディングが 3 であれば、サイズは $(10,10)$ になります。

パディングを使う主な理由は、出力サイズを調整するためにあります。たとえば、$(4,4)$ のサイズの入力データに $(3,3)$ のフィルターを適用する場合、出力サイズは $(2,2)$ になり、出力サイズは入力サイズから 2 要素分だけ縮小されることになります。これは、畳み込み演算を何度も繰り返して行うようなディープなネットワークでは問題になります。なぜなら、畳み込み演算を行うたびに空間的に縮小されるのであれば、ある時点で出力サイズが 1 になってしまい、それ以上畳み込み演算を適用できなくなるかもしれません。そのような事態を回避するには、パディングを使用します。先の例では、パディングの幅を 1 に設定すれば、入力サイズの $(4,4)$ に対して、出力サイズも $(4,4)$ のままサイズは保たれます。そのため、畳み込み演算によって、空間的なサイズを一定にしたまま次の層へデータを渡すことができるのです。

7.2.4 ストライド

フィルターを適用する位置の間隔を**ストライド**（stride）と言います。これまで見てきた例はすべてストライドが 1 でしたが、たとえば、ストライドを 2 にすると、図7-7 のように、フィルターを適用する窓の間隔が 2 要素ごとになります。

図7-7 の例では、入力サイズが $(7,7)$ のデータに対して、ストライドが 2 でフィルターを適用します。ストライドを 2 に設定することで、出力サイズは $(3,3)$ になります。このように、ストライドは、フィルターを適用する間隔を指定します。

ここまで見てきたように、ストライドを大きくすると、出力サイズは小さくなります。一方、パディングを大きくすれば、出力サイズは大きくなります。このような関係性を定式化すると、どうなるでしょうか。続いて、パディングとストライドに対して、出力サイズはどのように計算されるのかを見ていきましょう。

ここでは、入力サイズを (H,W)、フィルターサイズを (FH,FW)、出力サイズを (OH,OW)、パディングを P、ストライドを S とします。その場合、出力サイズは次の式 (7.1) で計算できます。

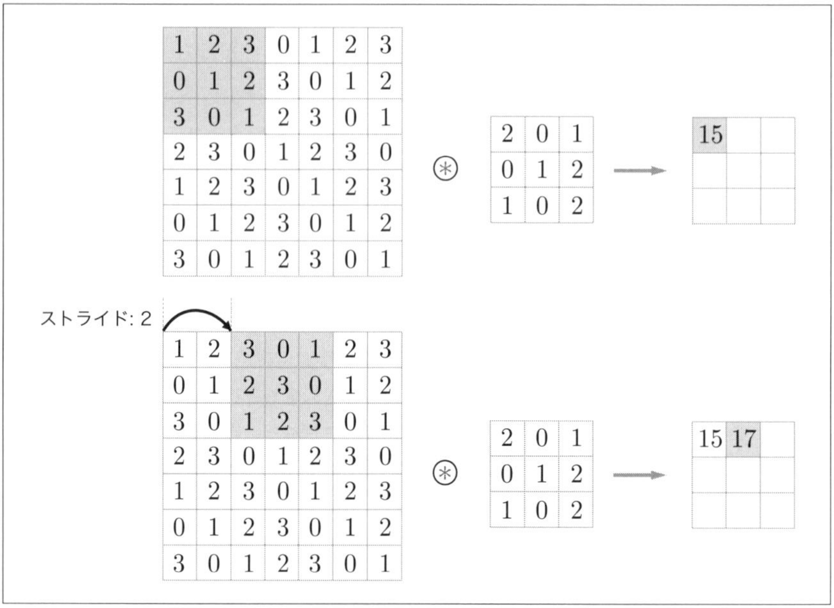

図7-7　ストライドが2の畳み込み演算の例

$$OH = \frac{H + 2P - FH}{S} + 1$$
$$OW = \frac{W + 2P - FW}{S} + 1 \tag{7.1}$$

それでは、この計算式を使って、いくつか計算してみましょう。

例1：図 7-6 の例

　　　入力サイズ：$(4, 4)$、パディング：1、ストライド：1、フィルターサイズ：$(3, 3)$

$$OH = \frac{4 + 2 \cdot 1 - 3}{1} + 1 = 4$$
$$OW = \frac{4 + 2 \cdot 1 - 3}{1} + 1 = 4$$

例 2：図 7-7 の例

入力サイズ：$(7,7)$、パディング：0、ストライド：2、フィルターサイズ：$(3,3)$

$$OH = \frac{7+2\cdot 0-3}{2}+1 = 3$$
$$OW = \frac{7+2\cdot 0-3}{2}+1 = 3$$

例 3

入力サイズ：$(28,31)$、パディング：2、ストライド：3、フィルターサイズ：$(5,5)$

$$OH = \frac{28+2\cdot 2-5}{3}+1 = 10$$
$$OW = \frac{31+2\cdot 2-5}{3}+1 = 11$$

　これらの例で示したように、式 (7.1) に値を代入することで出力サイズを計算することができます。単に代入するだけで出力サイズを求めることはできますが、ここで注意すべき点は、式 (7.1) の $\frac{W+2P-FW}{S}$ と $\frac{H+2P-FH}{S}$ が割り切れるように、それぞれの値を設定しなければならないということです。出力サイズが割り切れない場合（結果が小数の場合）は、エラーを出力するなどして対応する必要があります。ちなみに、ディープラーニングのフレームワークによっては、値が割り切れないときは最も近い整数に丸めるなどして、特にエラーを出さないで先に進むような実装をする場合もあります。

7.2.5　3次元データの畳み込み演算

　これまで見てきた畳み込み演算の例は、縦方向と横方向の2次元の形状を対象としたものでした。しかし、画像の場合、縦・横方向に加えてチャンネル方向も合わせた3次元のデータを扱う必要があります。ここでは、先ほどと同じ手順で、チャンネル方向も合わせた3次元データに対して畳み込み演算を行う例を見ていきます。

　図7-8 は畳み込み演算の例です。図7-9 は計算手順です。ここでは、3チャンネルのデータを例に、畳み込み演算の結果を示します。2次元の場合（図7-3 の例）と比較すると、奥行き方向（チャンネル方向）に特徴マップが増えていることが分かります。チャンネル方向に複数の特徴マップがある場合、チャンネルごとに入力データとフィルターの畳み込み演算を行い、それらの結果を加算してひとつの出力を得ます。

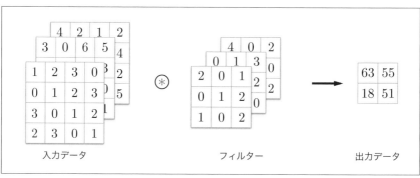

図7-8　3次元データに対する畳み込み演算の例

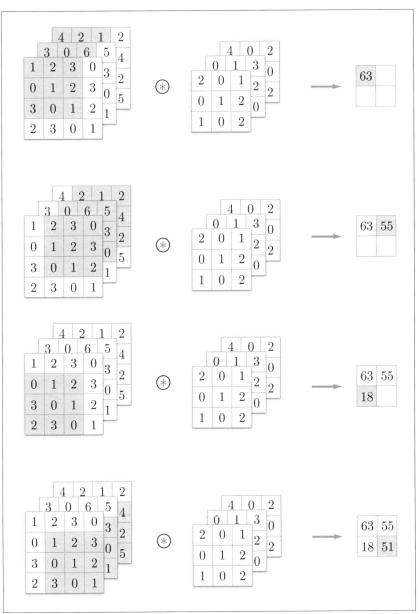

図7-9　3次元データに対する畳み込み演算の計算手順

この例で示すような3次元の畳み込み演算で注意する点は、入力データとフィルターのチャンネル数は同じ値にするということです。この例の場合、入力データとフィルターのチャンネル数はどちらも3で一致しています。一方、フィルターのサイズは好きな値に設定することができます（ただし、チャンネルごとのフィルターのサイズはすべて同じです）。この例ではフィルターのサイズは (3, 3) ですが、それは (2, 2) や (1, 1) または (5, 5) などといったように、好きな値に設定することができます。しかし、繰り返しになりますが、チャンネル数は入力データのチャンネル数と同じ値——この例では3——にしか設定できません。

7.2.6　ブロックで考える

3次元の畳み込み演算は、データやフィルターを直方体のブロックで考えると分かりやすいでしょう。ブロックとは、**図7-10** に示すような、3次元の直方体です。また、3次元データを多次元配列として表すときは、(channel, height, width) の順に並べて書くものとします。たとえば、チャンネル数 C、高さ H、横幅 W のデータの形状は、(C, H, W) と書きます。また、フィルターの場合も同様に、(channel, height, width) という順に書くことにします。たとえば、チャンネル数 C、フィルターの高さ FH（Filter Height）、横幅 FW（Filter Width）の場合、(C, FH, FW) と書きます。

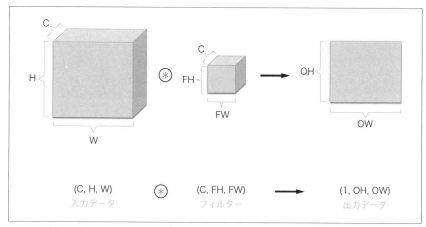

図7-10　畳み込み演算をブロックで考える。ブロックの形状に注意

さて、この例ではデータ出力は1枚の特徴マップです。1枚の特徴マップとは、言

い換えれば、チャンネル数が 1 の特徴マップということです。それでは、畳み込み演算の出力を、チャンネル方向にも複数持たせるにはどうすればよいでしょうか？ そのためには、複数のフィルター（重み）を用います。図で表すと、次の図 7-11 のようになります。

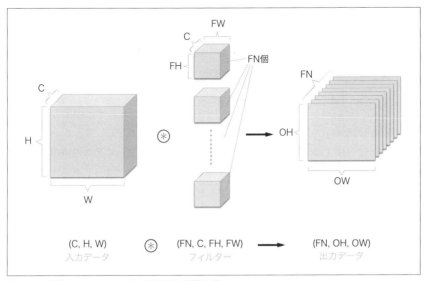

図 7-11　複数のフィルターによる畳み込み演算の例

図 7-11 に示すように、FN 個のフィルターを適用することで、出力のマップも FN 個生成されます。そして、その FN 個のマップをまとめると、形状が (FN, OH, OW) のブロックが完成します。この完成したブロックを、次の層に渡していくというのが、CNN での処理フローです。

図 7-11 で示したように、畳み込み演算のフィルターに関しては、フィルターの個数も考慮する必要があります。そのため、フィルターの重みデータは 4 次元のデータとして、(output_channel, input_channel, height, width) という順に書くことにします。たとえば、チャンネル数 3、サイズ 5 × 5 のフィルターが 20 個ある場合は、(20, 3, 5, 5) と書きます。

さて、畳み込み演算では（全結合層と同じく）バイアスが存在します。図 7-11 の例に、さらにバイアスの加算処理も追加すると、次の図 7-12 のようになります。

図 7-12 に示すとおり、バイアスは、1 チャンネルごとにひとつだけデータを持ち

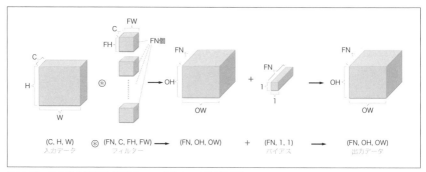

図7-12 畳み込み演算の処理フロー（バイアス項も追加）

ます。ここでは、バイアスの形状は (FN, 1, 1) であり、フィルターの出力結果の形状は (FN, OH, OW) です。それら 2 つのブロックの足し算では、フィルターの出力結果の (FN, OH, OW) に対して、チャンネルごとに、同じバイアスの値が加算されます。なお、異なる形状のブロックの足し算は、NumPy のブロードキャストによって簡単に実現できます（「1.5.5 ブロードキャスト」を参照）。

7.2.7 バッチ処理

　ニューラルネットワークの処理では、入力データを一束にまとめたバッチ処理を行いました。これまでの全結合のニューラルネットワークの実装も、バッチ処理に対応したものであり、これによって、処理の効率化や、学習時のミニバッチへの対応が可能になりました。

　畳み込み演算でも同じように、バッチ処理に対応したいと思います。そのために、各層を流れるデータは 4 次元のデータとして格納します。具体的には、(batch_num, channel, height, width) という順にデータを格納するものとします。たとえば、**図7-12** の処理を、N 個のデータに対してバッチ処理を行う場合、データの形状は、次の**図7-13**のようになります。

　図7-13 のバッチ処理版のデータフローでは、各データの先頭にバッチ用の次元が追加されています。このように、データは 4 次元の形状として各層を伝わっていきます。ここでの注意点としては、ネットワークには 4 次元のデータが流れますが、これは、N 個のデータに対して畳み込み演算が行われている、ということです。つまり、N 回分の処理を 1 回にまとめて行っているのです。

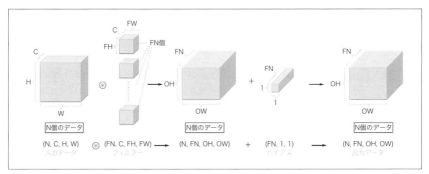

図7-13 畳み込み演算の処理フロー(バッチ処理)

7.3 プーリング層

プーリングは、縦・横方向の空間を小さくする演算です。図7-14 に示すように、たとえば、2 × 2 の領域をひとつの要素に集約するような処理を行い、空間サイズを小さくします。

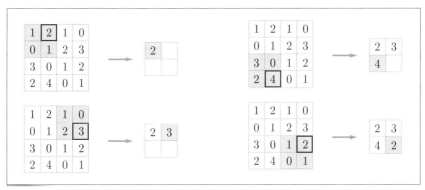

図7-14 Max プーリングの処理手順

図7-14 の例は、2 × 2 の Max プーリングをストライド 2 で行った場合の処理手順です。「Max プーリング」とは最大値を取る演算であり、「2 × 2」とは対象とする領域のサイズを表します。図に示すとおり、2 × 2 の領域に対して最大となる要素を取り出します。また、ストライドはこの例では 2 に設定しているので、2 × 2 のウィンドウの移動間隔は 2 要素ごとになります。なお、一般的に、プーリングのウィンド

ウサイズと、ストライドは同じ値に設定します。たとえば、3 × 3 のウィンドウはストライド 3、4 × 4 のウィンドウはストライド 4 といったように設定します。

プーリングには、Max プーリングの他に、Average プーリングなどがあります。Max プーリングは対象領域から最大値を取る演算であるのに対して、Average プーリングは、対象領域の平均を計算します。画像認識の分野においては、主に Max プーリングが使われます。そのため、本書で「プーリング層」という場合は、Max プーリングを指すものとします。

7.3.1 プーリング層の特徴

プーリング層には以下の特徴があります。

学習するパラメータがない

  プーリング層は、畳み込み層と違って、学習するパラメータを持ちません。プーリングは、対象領域から最大値を取る（もしくは平均を取る）だけの処理なので、学習すべきパラメータは存在しないのです。

チャンネル数は変化しない

  プーリングの演算によって、入力データと出力データのチャンネル数は変化しません。図7-15 に示すようにチャンネルごとに独立して計算が行われます。

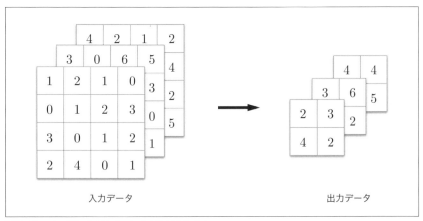

図7-15　プーリングではチャンネル数は変わらない

微小な位置変化に対してロバスト（頑健）
入力データの小さなズレに対して、プーリングは同じような結果を返します。そのため、入力データの微小なズレに対してロバストです。たとえば、3 × 3 のプーリングの場合、図7-16 に示すように、入力データのズレをプーリングが吸収します（データによって、結果が必ず一致するとはかぎりません）。

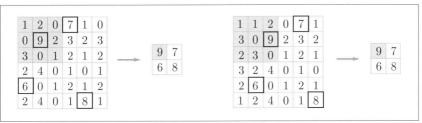

図7-16　入力データが横方向に 1 要素分だけずれた場合でも、出力は同じような結果になる（データによっては同じにならない場合もある）

7.4　Convolution／Pooling レイヤの実装

　これまでに、畳み込み層とプーリング層について詳しく説明してきました。ここでは、その 2 つの層を Python で実装したいと思います。「5 章 誤差逆伝播法」で説明したように、ここで実装するクラスにも、`forward` と `backward` というメソッドを持たせ、モジュールとして利用できるように実装します。

　畳み込み層やプーリング層の実装は複雑になりそうな予感がするかもしれませんが、実は、ある"トリック"を使えば簡単に実装することができます。本節では、そのトリックについて説明し、問題を簡単にしてから、畳み込み層の実装を行います。

7.4.1　4 次元配列

　先に説明したとおり、CNN では、各層を流れるデータは 4 次元のデータです。4次元のデータとは、たとえば、データの形状が $(10, 1, 28, 28)$ だとすると、これは高さ 28・横幅 28 で 1 チャンネルのデータが 10 個ある場合に対応します。これを Python で実装すると、次のようになります。

```
>>> x = np.random.rand(10, 1, 28, 28) # ランダムにデータを生成
>>> x.shape
(10, 1, 28, 28)
```

ここでひとつ目のデータにアクセスするには、単に x[0] と書くだけです（Pythonのインデックスは 0 から始まることに注意）。同じように 2 つ目のデータは x[1] でアクセスできます。

```
>>> x[0].shape # (1, 28, 28)
>>> x[1].shape # (1, 28, 28)
```

また、ひとつ目のデータの 1 チャンネル目の空間データにアクセスするには次のように書きます。

```
>>> x[0, 0] # もしくは x[0][0]
```

このように、CNN では 4 次元のデータを扱うことになります。そのため、畳み込み演算の実装は複雑になりそうですが、次に説明する im2col という "トリック" によって、問題は簡単になります。

7.4.2　im2col による展開

　畳み込み演算の実装は、真面目にやるとすれば、for 文を幾重にも重ねた実装になるでしょう。そのような実装はやや面倒であり、また、NumPy では for 文を使うと処理が遅くなってしまうという欠点があります（NumPy では、要素アクセスの際に for 文を使わないことが望まれます）。ここでは、for 文による実装は行わず、im2col という便利な関数を使ったシンプルな実装を行います。

　im2col は、フィルター（重み）にとって都合の良いように入力データを展開する関数です。図 7-17 に示すように、3 次元の入力データに対して im2col を適用すると、2 次元の行列に変換されます（正確には、バッチ数も含めた 4 次元のデータを 2 次元に変換します）。

　im2col は、フィルターにとって都合の良いように入力データを展開します。具体的には、図 7-18 に示すように、入力データに対してフィルターを適用する場所の領域（3 次元のブロック）を横方向に 1 列に展開します。この展開処理を、フィルターを適用するすべての場所で行うのが im2col です。

　なお、図 7-18 の図では、見やすさを優先し、フィルターの適用領域が重ならないように、ストライドを大きく設定しています。実際の畳み込み演算の場合は、フィルター領域が重なる場合がほとんどでしょう。フィルターの適用領域が重なる場合、

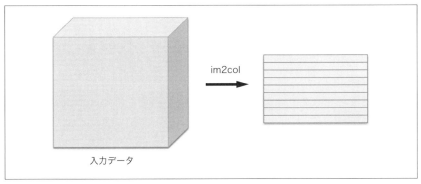

図7-17　im2colの概略図

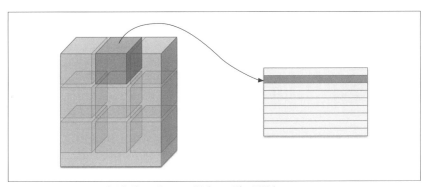

図7-18　フィルターの適用領域を、先頭から順番に1列に展開する

im2colによって展開すると、展開後の要素の数は元のブロックの要素数よりも多くなります。そのため、im2colを使った実装では通常よりも多くのメモリを消費するという欠点があります。しかし、大きな行列にまとめて計算することは、コンピュータで計算する上で多くの恩恵があります。たとえば、行列計算のライブラリ（線形代数ライブラリ）などは、行列の計算実装が高度に最適化されており、大きな行列の掛け算を高速に行うことができます。そのため、行列の計算に帰着させることで、線形代数ライブラリを有効に活用することができるのです。

im2colという名前は、「image to column」の略記であり、日本語では「画像から行列へ」という意味になります。ディープラーニングのフレームワークであるCaffeやChainerなどでは、im2colという名前の関数があり、畳み込み層の実装では、それぞれim2colを利用した実装が行われています。

im2colによって入力データを展開してしまえば、その後にやることは、畳み込み層のフィルター（重み）を1列に展開して、2つの行列の積を計算するだけです（図7-19参照）。これは、全結合層のAffineレイヤで行ったこととほとんど同じです。

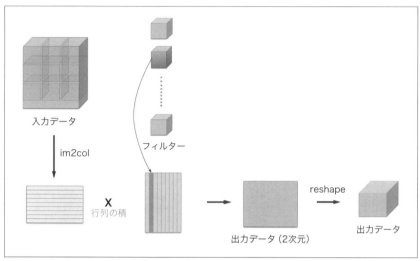

図7-19 畳み込み演算のフィルター処理の詳細：フィルターを縦方向に1列に展開して並べ、im2colで展開したデータと行列の積を計算する。最後に、出力データのサイズに整形（reshape）する

図7-19に示すように、im2col方式による出力結果は2次元の行列です。CNNの場合、データは4次元配列として格納するので、2次元の出力データを適切な形状に整形します。以上が畳み込み層の実装の流れです。

7.4.3　Convolutionレイヤの実装

本書では、im2colという関数を提供します。このim2colという関数は、ブラックボックスとして（実装の中身は気にせずに）利用することを想定します。なお、im2colの実装の中身はcommon/util.pyにあります。その実装は（実質）10行程度の簡単な関数です。興味のある方は参照してください。

さて、便利関数のim2colですが、これは次のインタフェースを持ちます。

```
im2col(input_data, filter_h, filter_w, stride=1, pad=0)
```

7.4 Convolution / Pooling レイヤの実装

- `input_data` —— (データ数, チャンネル, 高さ, 横幅) の 4 次元配列からなる入力データ
- `filter_h` —— フィルターの高さ
- `filter_w` —— フィルターの横幅
- `stride` —— ストライド
- `pad` —— パディング

この im2col は、「フィルターサイズ」「ストライド」「パディング」を考慮して、入力データを 2 次元配列に展開します。それでは、この im2col を実際に使ってみましょう。

```python
import sys, os
sys.path.append(os.pardir)
from common.util import im2col

x1 = np.random.rand(1, 3, 7, 7)
col1 = im2col(x1, 5, 5, stride=1, pad=0)
print(col1.shape) # (9, 75)

x2 = np.random.rand(10, 3, 7, 7) # 10 個のデータ
col2 = im2col(x2, 5, 5, stride=1, pad=0)
print(col2.shape) # (90, 75)
```

ここでは 2 つの例を示しています。ひとつ目は、バッチサイズが 1 で、チャンネル 3 の 7 × 7 のデータ、2 つ目はバッチサイズが 10 で、データの形状はひとつ目と同じ場合の例です。それぞれ im2col 関数を適用すると、両方のケースで、2 次元目の要素数は 75 になります。これはフィルター（チャンネル 3、サイズ 5 × 5）の要素数の総和です。また、バッチサイズが 1 の場合は im2col の結果が (9, 75) のサイズです。一方、2 つ目の例はバッチサイズが 10 なので、(90, 75) と 10 倍のデータが格納されることになります。

それでは、この im2col を使って、畳み込み層を実装します。ここでは、畳み込み層を Convolution という名前のクラスで実装することにします。

```python
class Convolution:
    def __init__(self, W, b, stride=1, pad=0):
        self.W = W
        self.b = b
        self.stride = stride
        self.pad = pad
```

```
    def forward(self, x):
        FN, C, FH, FW = self.W.shape
        N, C, H, W = x.shape
        out_h = int(1 + (H + 2*self.pad - FH) / self.stride)
        out_w = int(1 + (W + 2*self.pad - FW) / self.stride)

        col = im2col(x, FH, FW, self.stride, self.pad)
        col_W = self.W.reshape(FN, -1).T # フィルターの展開
        out = np.dot(col, col_W) + self.b

        out = out.reshape(N, out_h, out_w, -1).transpose(0, 3, 1, 2)

        return out
```

Convolution レイヤの初期化メソッドは、フィルター (重み) とバイアス、ストライドとパディングを引数として受け取ります。フィルターは (FN, C, FH, FW) の4次元の形状です。なお、FN は Filter Number (フィルターの個数)、C は Channel、FH は Filter Height、FW は Filter Width を表す略記だとします。

Convolution レイヤの実装では、重要な箇所を太字で示しています。この太字の箇所では、入力データを im2col で展開し、フィルターも reshape を使って 2 次元配列に展開します。そして、その展開した行列の積を計算します。

フィルターの展開を行う箇所 (コード中の太字) は、図7-19 に示したように、各フィルターのブロックを 1 列に展開して並べます。ここで、reshape(FN, -1) のように-1 が指定されていますが、これは、reshape の便利な機能のひとつです。reshape の際に-1 を指定すると、多次元配列の要素数の辻褄が合うように要素数をまとめてくれるのです。たとえば、(10, 3, 5, 5) の形状の配列は要素数が全部で 750 個ありますが、ここで reshape(10, -1) とすると、(10, 75) の形状の配列に整形されます。

また、forward の実装では、最後に、出力サイズを適切な形状に整形します。この整形の際に、NumPy の transpose という関数を使います。transpose は、多次元配列の軸の順番を入れ替える関数です。図7-20 に示すように、0 から始まるインデックス (番号) の並びを指定することで、軸の順番を変更します。

以上が畳み込み層の forward 処理の実装です。im2col によって展開することで、全結合層の Affine レイヤとほとんど同じように実装することができます (「5.6 Affine / Softmax レイヤの実装」を参照)。続いて Convolution レイヤの逆伝播の実装ですが、これは Affine レイヤの実装と共通することが多いので、説明は省略します。ひとつ注意点としては、Convolution レイヤの逆伝播の際には、im2col の逆の

7.4 Convolution／Pooling レイヤの実装

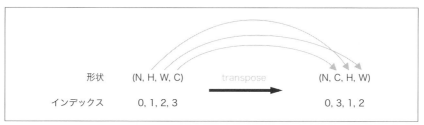

図 7-20　NumPy の transpose による軸の順番の入れ替え：インデックス（番号）によって、軸の順番を変更する

処理を行う必要があることです。これは本書が提供する col2im という関数（col2im の実装は common/util.py にあります）を使って対応します。col2im を使うという点を除けば、Convolution レイヤの逆伝播は、Affine レイヤと同じように実装することができます。Convolution レイヤの逆伝播の実装は common/layer.py にあるので、興味のある方は参照して下さい。

7.4.4　Pooling レイヤの実装

Pooling レイヤの実装も、Convolution レイヤと同じく、im2col を使って入力データを展開します。ただし、プーリングの場合は、チャンネル方向には独立である点が畳み込み層の場合と異なります。具体的には、図 7-21 に示すように、プーリングの適用領域はチャンネルごとに独立して展開します。

一度このように展開してしまえば、後は展開した行列に対して、行ごとに最大値を求め、適切な形状に整形するだけです（図 7-22）。

以上が、Pooling レイヤの forward 処理の実装の流れです。それでは、次に Python の実装例を示します。

```python
class Pooling:
    def __init__(self, pool_h, pool_w, stride=2, pad=0):
        self.pool_h = pool_h
        self.pool_w = pool_w
        self.stride = stride
        self.pad = pad

    def forward(self, x):
        N, C, H, W = x.shape
        out_h = int(1 + (H - self.pool_h) / self.stride)
        out_w = int(1 + (W - self.pool_w) / self.stride)

        # 展開 (1)
```

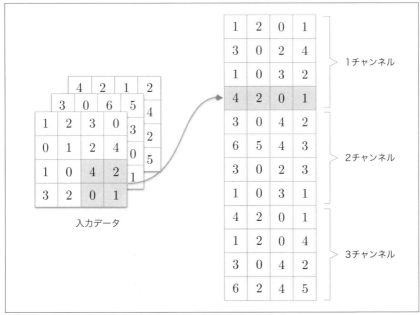

図7-21　入力データに対してプーリング適用領域を展開（2 × 2 のプーリングの例）

```
col = im2col(x, self.pool_h, self.pool_w, self.stride, self.pad)
col = col.reshape(-1, self.pool_h*self.pool_w)

# 最大値 (2)
out = np.max(col, axis=1)
# 整形 (3)
out = out.reshape(N, out_h, out_w, C).transpose(0, 3, 1, 2)

return out
```

Pooling レイヤの実装は、図7-22 に示すように、次の 3 段階の流れで行います。

1. 入力データを展開する
2. 行ごとに最大値を求める
3. 適切な出力サイズに整形する

各段階での実装は、1、2 行程度の簡単なものです。

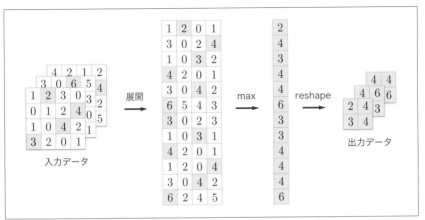

図7-22 Poolingレイヤの実装の流れ：プーリング適用領域内の最大値の要素は背景をグレーで描画

最大値の計算には、NumPyの`np.max`メソッドが利用できます。`np.max`は、引数に`axis`を指定することができ、その引数で指定した軸ごとに最大値を求めることができます。たとえば、`np.max(x, axis=1)`のように書けば、入力xの1次元目の軸ごとに最大値が求められます。

　以上がPoolingレイヤの`forward`処理の説明です。ここで示したように、入力データを、プーリングを行いやすい形に展開してしまえば、後の実装はとてもシンプルになります。

　Poolingレイヤの`backward`処理については、関連する事項はすでに説明してあるので、ここでは説明を省略します。なお、Poolingレイヤの`backward`処理は、ReLUレイヤの実装で使ったmaxの逆伝播（「5.5.1 ReLUレイヤ」）が参考になります。Poolingレイヤの実装は`common/layer.py`にあるので、興味のある方は参考にしてください。

7.5　CNNの実装

　ConvolutionレイヤとPoolingレイヤを実装したので、それらのレイヤを組み合わせて、手書き数字認識を行うCNNを組み立てたいと思います。ここでは、**図7-23**に示すようなCNNを実装します。

　図7-23に示すように、ネットワークの構成は、「Convolution - ReLU - Pooling - Affine - ReLU - Affine - Softmax」という流れです。これを、`SimpleConvNet`と

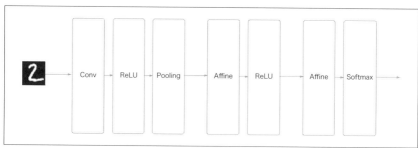

図7-23 単純な CNN のネットワーク構成

いう名前のクラスで実装します。

それでは、初めに SimpleConvNet の初期化（__init__）を見ていきましょう。これは、次の引数を取るものとします。

引数

- `input_dim` —— 入力データの (チャンネル, 高さ, 幅) の次元
- `conv_param` —— 畳み込み層のハイパーパラメータ（ディクショナリ）。ディクショナリのキーは下記のとおり
  - `filter_num` —— フィルターの数
  - `filter_size` —— フィルターのサイズ
  - `stride` —— ストライド
  - `pad` —— パディング
- `hidden_size` —— 隠れ層（全結合）のニューロンの数
- `output_size` —— 出力層（全結合）のニューロンの数
- `weight_init_std` —— 初期化の際の重みの標準偏差

ここで、畳み込み層のハイパーパラメータは、`conv_param` という名前のディクショナリとして与えられるものとします。これは、たとえば、{'filter_num':30, 'filter_size':5, 'pad':0, 'stride':1}のように、必要なハイパーパラメータの値が格納されていることを想定します。

さて、SimpleConvNet の初期化の実装ですが、これは少し長くなるので、3 つのパートに分けて説明します。それでは、初期化の最初のパートです。

7.5 CNNの実装

```python
class SimpleConvNet:
    def __init__(self, input_dim=(1, 28, 28),
                 conv_param={'filter_num':30, 'filter_size':5,
                             'pad':0, 'stride':1},
                 hidden_size=100, output_size=10, weight_init_std=0.01):
        filter_num = conv_param['filter_num']
        filter_size = conv_param['filter_size']
        filter_pad = conv_param['pad']
        filter_stride = conv_param['stride']
        input_size = input_dim[1]
        conv_output_size = (input_size - filter_size + 2*filter_pad) / \
                           filter_stride + 1
        pool_output_size = int(filter_num * (conv_output_size/2) *
                               (conv_output_size/2))
```

ここでは、初期化の引数で与えられた畳み込み層のハイパーパラメータをディクショナリから取り出します（後ほど簡単に使えるようにするため）。そして、畳み込み層の出力サイズを計算します。続いて、重みパラメータの初期化を行うパートです。

```python
        self.params = {}
        self.params['W1'] = weight_init_std * \
                            np.random.randn(filter_num, input_dim[0],
                                            filter_size, filter_size)
        self.params['b1'] = np.zeros(filter_num)
        self.params['W2'] = weight_init_std * \
                            np.random.randn(pool_output_size,
                                            hidden_size)
        self.params['b2'] = np.zeros(hidden_size)
        self.params['W3'] = weight_init_std * \
                            np.random.randn(hidden_size, output_size)
        self.params['b3'] = np.zeros(output_size)
```

学習に必要なパラメータは、1層目の畳み込み層と、残り2つの全結合層の重みとバイアスです。それらのパラメータをインスタンス変数のparamsディクショナリに格納します。1層目の畳み込み層の重みをW1、バイアスをb1というキーとします。同じように、2つ目の全結合層の重みとバイアスをW2、b2、3層目の全結合層の重みとバイアスをW3、b3というキーでそれぞれ格納します。

最後に必要なレイヤを生成します。

```python
        self.layers = OrderedDict()
        self.layers['Conv1'] = Convolution(self.params['W1'],
                                           self.params['b1'],
                                           conv_param['stride'],
                                           conv_param['pad'])
        self.layers['Relu1'] = Relu()
```

```
self.layers['Pool1'] = Pooling(pool_h=2, pool_w=2, stride=2)
self.layers['Affine1'] = Affine(self.params['W2'],
                                self.params['b2'])
self.layers['Relu2'] = Relu()
self.layers['Affine2'] = Affine(self.params['W3'],
                                self.params['b3'])

self.last_layer = SoftmaxWithLoss()
```

先頭から順にレイヤを順序付きディクショナリ（OrderedDict）の layers に追加していきます。最後の SoftmaxWithLoss レイヤだけは、last_layer という別の変数に追加します。

以上が、SimpleConvNet の初期化で行う処理です。このように初期化してしまえば、推論を行う predict メソッドと、損失関数の値を求める loss メソッドは次のように実装できます。

```
def predict(self, x):
    for layer in self.layers.values():
        x = layer.forward(x)
    return x

def loss(self, x, t):
    y = self.predict(x)
    return self.last_layer.forward(y, t)
```

ここで引数の x は入力データ、t は教師ラベルです。推論のための predict メソッドは、追加したレイヤを先頭から順に呼び出し、その結果を次のレイヤに渡すだけです。損失関数を求める loss では、predict メソッドで行った forward 処理に加えて、最後の層の SoftmaxWithLoss レイヤまで forward 処理を行います。

続いて、誤差逆伝播法によって勾配を求める実装ですが、これは次のようになります。

```
def gradient(self, x, t):
    # forward
    self.loss(x, t)

    # backward
    dout = 1
    dout = self.last_layer.backward(dout)

    layers = list(self.layers.values())
    layers.reverse()
    for layer in layers:
        dout = layer.backward(dout)
```

```
# 設定
grads = {}
grads['W1'] = self.layers['Conv1'].dW
grads['b1'] = self.layers['Conv1'].db
grads['W2'] = self.layers['Affine1'].dW
grads['b2'] = self.layers['Affine1'].db
grads['W3'] = self.layers['Affine2'].dW
grads['b3'] = self.layers['Affine2'].db

return grads
```

パラメータの勾配は、誤差逆伝播法（逆伝播）によって求めます。これは、順伝播と逆伝播を続けて行います。それぞれのレイヤで順伝播と逆伝播の機能が正しく実装されているので、ここでは単にそれらを適切な順番で呼ぶだけです。最後に grads というディクショナリに各重みパラメータの勾配を格納します。以上が SimpleConvNet の実装です。

それでは、この SimpleConvNet で、MNIST データセットを学習してみましょう。学習のためのコードは、「4.5 学習アルゴリズムの実装」で説明したものとほとんど同じです。そのため、ここではコードの掲載は省略します（対象のソースコードは、ch07/train_convnet.py にあります）。

さて、SimpleConvNet を MNIST データセットで学習すると、訓練データの認識率は 99.82%、テストデータの認識率は 98.96% となります（学習ごとに認識精度には若干の誤差が発生します）。テストデータの認識率がおよそ 99% というのは、比較的小さなネットワークにしては、とても高い認識率ではないでしょうか。なお、次章では、さらに層を重ねてディープにすることで、テストデータの認識率が 99% を超えるネットワークを実現します。

ここで見てきたように、畳み込み層とプーリング層は画像認識では必須のモジュールです。画像という空間的な形状のある特性を、CNN はうまく読み取ることができ、手書き数字認識においても、高精度の認識を実現することができました。

7.6　CNNの可視化

CNN で用いられる畳み込み層は "何を見ている" のでしょうか？ ここでは、畳み込み層の可視化を通じて、CNN で何が行われているのか探索していきたいと思います。

7.6.1　1層目の重みの可視化

先ほどMNISTデータセットに対して単純なCNNの学習を行いましたが、そのとき、1層目の畳み込み層の重みの形状は$(30, 1, 5, 5)$——サイズが5×5でチャンネルが1のフィルターが30個——でした。フィルターのサイズが5×5でチャンネル数が1ということは、フィルターは1チャンネルのグレー画像として可視化できるということを意味します。それでは、畳み込み層（1層目）のフィルターを画像として表示してみましょう。ここでは、学習前と学習後の重みを見比べてみたいと思います。結果は図7-24のようになります（ソースコードは ch07/visualize_filter.py にあります）。

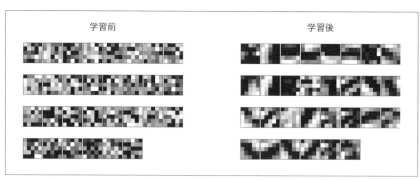

図7-24　学習前と学習後における1層目の畳み込み層の重み：重みの要素は実数であるが、画像の表示においては、最も小さな値は黒（0）、最も大きな値は白（255）に正規化して表示する

図7-24に示すように、学習前のフィルターはランダムに初期化されているため、白黒の濃淡には規則性がありません。一方、学習を終えたフィルターは規則性のある画像になっています。白から黒へグラデーションを伴って変化するフィルターや、塊のある領域（これを「ブロブ（blob）」と言う）を持つフィルターなど、学習によって規則性のあるフィルターへと更新されていることが分かります。

図7-24の右側のような規則性のあるフィルターは"何を見ている"のかというと、それは、エッジ（色が変化する境目）やブロブ（局所的に塊のある領域）などを見ています。たとえば、左半分が白で、右半分が黒のフィルターの場合、図7-25に示すように、縦方向のエッジに反応するフィルターになります。

図7-25は、学習済みのフィルターを2つ選んで、入力画像に畳み込み処理を行ったときの結果を示しています。「フィルター1」は縦方向のエッジに反応し、「フィルター2」は横方向のエッジに反応するのが分かります。

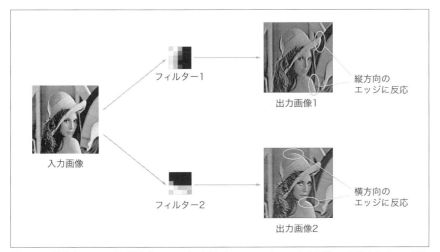

図7-25　横方向のエッジと縦方向のエッジに反応するフィルター：出力画像 1 は縦方向のエッジに白いピクセルが出現。一方、出力画像 2 は横方向のエッジに白いピクセルが多く現れる

　このように、畳み込み層のフィルターは、エッジやブロブなどのプリミティブな情報を抽出することが分かります。そのようなプリミティブな情報が後段の層に渡されていくというのが、先に実装した CNN で行われていることなのです。

7.6.2　階層構造による情報抽出

　さて、上の結果は、1 層目の畳み込み層を対象としたものでした。1 層目の畳み込み層では、エッジやブロブなどの低レベルな情報が抽出されますが、何層にも重ねた CNN では、各層でどのような情報が抽出されるのでしょうか？ ディープラーニングの可視化に関する研究 [17] [18] によると、層が深くなるに従って、抽出される情報（正確には強く反応するニューロン）は、より抽象化されていくということが示されています。

　図 7-26 には、一般物体認識（車や犬など）を行う 8 層の CNN を示します。このネットワーク構造には、次節で説明する AlexNet という名前が付いています。この AlexNet のネットワーク構成は、畳み込み層とプーリング層が何層にも重なり、最後に全結合層を経て結果が出力されます。図 7-26 のブロックで示されているのは中間データであり、それらの中間データに対して畳み込み演算が連続的に適用されます。

　ディープラーニングの興味深い点は、図 7-26 で示すように、畳み込み層を何層も重ねると、層が深くなるにつれて、より複雑で抽象化された情報が抽出されるという

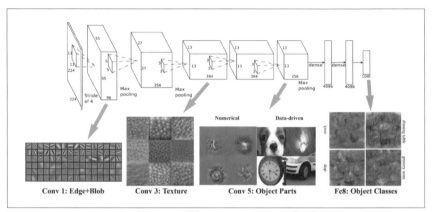

図7-26 CNN の畳み込み層で抽出される情報。1層目はエッジやブロブ、3層目はテクスチャ、5層目は物体のパーツ、そして、最後の全結合層で物体のクラス（犬や車など）にニューロンは反応する（画像は文献 [19] より引用）

ことです。最初の層は単純なエッジに反応し、続いてテクスチャに反応し、そして、より複雑な物体のパーツへと反応するように変化します。つまり、層が深くなるに従って、ニューロンは単純な形状から"高度"な情報へと変化していくのです。言い換えれば、モノの「意味」を理解するように、反応する対象が変化していくのです。

7.7　代表的な CNN

　CNN は、これまでさまざまな構成のネットワークが提案されてきました。ここでは、その中でも特に重要なネットワークを2つ紹介します。ひとつは 1998 年に初めて提案された CNN の元祖である LeNet [20]。そして、もうひとつは、ディープラーニングが注目を集めるに至った 2012 年の AlexNet [21] です。

7.7.1　LeNet

　LeNet は手書き数字認識を行うネットワークとして、1998 年に提案されました。図7-27 に示すように、畳み込み層とプーリング層——正確には、単に「要素を間引く」だけのサブサンプリング層——を連続して行い、最後に全結合層を経て結果が出力されます。

　LeNet と「現在の CNN」を比較すると、いくつか違いがあります。ひとつ目の違いは活性化関数にあります。LeNet ではシグモイド関数が使用されているのに対し

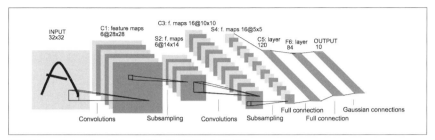

図7-27　LeNetのネットワーク構成（文献[20]より引用）

て、現在では主にReLUが使われます。また、オリジナルのLeNetでは、サブサンプリング（subsampling）によって中間データのサイズ縮小を行っていますが、現在ではMaxプーリングが主流です。

このように、LeNetと「現在のCNN」にはいくらか違いはあるものの、それほど大きな違いではありません。LeNetが今から20年近くも前に提案された「初めてのCNN」だということを考慮すれば、これは驚くべきことです。

7.7.2　AlexNet

LeNetが世に出てから20年近くが経過して、AlexNetが発表されました。このAlexNetがディープラーニング・ブームの火付け役になったのですが、図7-28に示すように、そのネットワーク構成は基本的にLeNetと大きくは変わっていません。

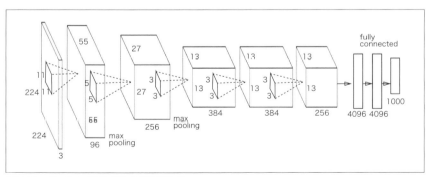

図7-28　AlexNet（文献[21]を参考に作成）

AlexNetは畳み込み層とプーリング層を重ねて、最後に全結合層を経由して結果を出力します。LeNetと大きな構造は変わりませんが、AlexNetでは以下の点が異なります。

- 活性化関数に ReLU を用いる
- LRN（Local Response Normalization）という局所的正規化を行う層を用いる
- Dropout（「6.4.3 Dropout」参照）を使用する

ここで見てきたように、ネットワーク構成については、LeNet と AlexNet には大きな違いはありません。しかし、それを取り巻く環境やコンピュータ技術には大きな進歩がありました。具体的に言うと、大量のデータを誰もが入手できるようになりました。そして、大量の並列計算を得意とする GPU が普及し、大量の演算を高速に行うことが可能になりました。ビッグデータと GPU——これがディープラーニングの発展にとって大きな原動力となったのです。

ディープラーニング（層を深くしたネットワーク）は、多くの場合、大量のパラメータが存在します。そのため、学習には多くの計算が必要であり、さらに、それらのパラメータを"満足"させるだけの大量のデータが必要になります。GPU とビッグデータは、それらの課題に光を投げかけたと言えます。

7.8　まとめ

本章では、CNN について学びました。CNN を構成する基本モジュールである「畳み込み層」と「プーリング層」はやや複雑ですが、一度理解してしまえば、後はそれらをどう使うかということだけが問題になってきます。本章では、畳み込み層とプーリング層を実装レベルで理解できるように時間をかけて説明しました。CNN は、画像を扱う分野では、ほぼ例外なく使われます。本章の内容をしっかり理解して、最終章に進みましょう。

本章で学んだこと

- CNN は、これまでの全結合層のネットワークに対して、畳み込み層とプーリング層が新たに加わる。
- 畳み込み層とプーリング層は、im2col（画像を行列に展開する関数）を用いるとシンプルで効率の良い実装ができる。
- CNN の可視化によって、層が深くなるにつれて高度な情報が抽出されていく様子が分かる。
- CNN の代表的なネットワークには、LeNet と AlexNet がある。
- ディープラーニングの発展に、ビッグデータと GPU が大きく貢献している。

8章
ディープラーニング

ディープラーニングは、層を深くしたディープなニューラルネットワークです。これまで説明してきたネットワークをベースに、後は層を重ねるだけで、ディープなネットワークを作ることができます。しかし、ディープなネットワークには課題もあります。本章では、ディープラーニングの性質と課題、そして可能性について見ていきます。また、現在のディープラーニングについて俯瞰した説明を行います。

8.1 ネットワークをより深く

ニューラルネットワークに関して、これまで多くのことを学びました。たとえば、ニューラルネットワークを構成するさまざまな層や、学習を行う上で有効なテクニック、画像系に特に有効な CNN や、パラメータの最適化手法などです。それらはどれもディープラーニングにおいて重要な技術です。ここでは、これまで学んだ技術を集約して、ディープなネットワークを作り、MNIST データセットの手書き数字認識に挑みたいと思います。

8.1.1 よりディープなネットワークへ

早速ですが、ここでは図8-1のネットワーク構成からなる CNN——これまでよりもディープなネットワーク——を作りたいと思います。なお、このネットワークは、次節で説明する VGG というネットワークを参考にしています。

図8-1に示すとおり、これまで実装してきたネットワークよりも層がディープになっています。ここで使用する畳み込み層はすべて 3 × 3 の小さなフィルターで、層が深くなるにつれてチャンネル数が大きくなるのが特徴です（畳み込み層のチャンネ

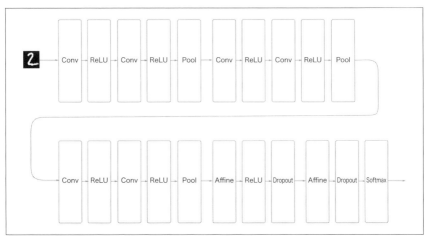

図8-1　手書き数字認識を行うディープな CNN

ル数は、前層から順に、16、16、32、32、64、64 と増えていきます)。また、図に示すとおり、プーリング層を挿入し中間データの空間サイズを徐々に小さくしていきます。そして、後段の全結合層では、Dropout レイヤを使用します。

このネットワークでは、重みの初期値として「He の初期値」を使用し、重みパラメータの更新に Adam を用います。以上をまとめると、このネットワークの特徴としては次の点が挙げられます。

- 3×3 の小さなフィルターによる畳み込み層
- 活性化関数は ReLU
- 全結合層の後に Dropout レイヤを使用
- Adam による最適化
- 重みの初期値として「He の初期値」を使用

これらの特徴が物語るように、図8-1 のネットワークには、これまで学んだニューラルネットワークの技術が多く使われています。それでは、このネットワークを使って、学習を行ってみましょう。結果を先に言うと、このネットワークの認識精度は 99.38%[1] になります。これは、とても素晴らしい性能と言えるでしょう！

---

[1] 最終的な認識精度には多少のばらつきがあります。ただし、今回のネットワークでは、概ね 99% を超える結果になるでしょう。

図8-1のネットワークを実装したソースコードは ch08/deep_convnet.py にあります。また、訓練用のコードは、ch08/train_deepnet.py に用意しています。それらのコードを用いれば、ここで行った学習は再現できますが、ディープなネットワークの学習には多くの時間（おそらく半日以上）が必要になります。本書では、学習済みの重みパラメータを ch08/deep_convnet_params.pkl として与えています。先の deep_convnet.py は、学習済みのパラメータを読み込む機能を備えているので、適宜利用してください。

図8-1のネットワークの誤認識率はわずか 0.62% です。ここでは、どのような画像に対して認識を誤ったのか、実際に見てみることにしましょう。図8-2に、実際に認識を誤った例を示します。

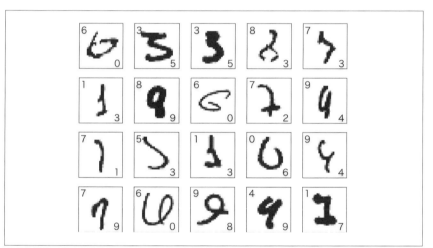

図8-2　認識を誤った画像の例：各画像の左上に正解ラベル、右下に本ネットワークの推論の結果を示す

図8-2を見て分かるとおり、これらの画像は私たち人間にとっても判断が難しい画像です。実際、何の数字か判断が難しいケースや、私たちも同じように"認識ミス"を犯す画像がいくつも含まれていることが分かります。たとえば、左上の画像（正解は「6」）は「0」に見えますし、その隣の画像（正解は「3」）は確かに「5」にも見えます。全体的に「1」と「7」、「0」と「6」、「3」と「5」の組み合わせが紛らわしいようですが、このような例を見ていくと、認識を誤ったのも納得できると思います。

今回のディープな CNN は、高精度でありながら、認識を誤った画像に対しても、人間と同じような"認識ミス"を犯しています。このような点からも、ディープな CNN には大きな可能性を感じることができるでしょう。

8.1.2　さらに認識精度を高めるには

「What is the class of this image ?」というタイトルの Web サイト [32] には、さまざまなデータセットを対象に、これまで論文などで発表されてきた手法の認識精度がランキング形式で掲載されています（図8-3）。

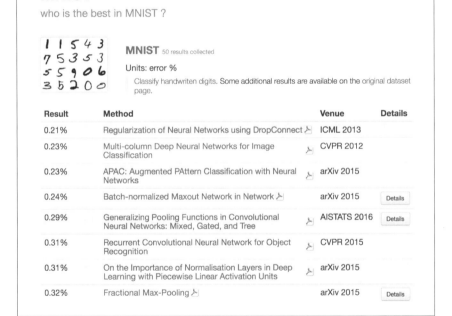

図8-3　MNIST データセットに対する各手法のランキング（文献 [32] より引用：2016 年 6 月時点）

図8-3 のランキング結果を見てみると、「Neural Networks」や「Deep」「Convolutional」というキーワードが目立ちます。実際のところ、ランキングの上位を占めている手法の多くは、CNN をベースとした手法なのです。ちなみに、2016 年 6 月時点の MNIST データセットに対する最高の認識精度は 99.79％（誤認識率 0.21％）で、その手法も CNN をベースとしています [33]。ただし、そこで使用

するCNNは、さほどディープなネットワークではありません（畳み込み層が2層、全結合層が2層程度のネットワーク）。

MNISTデータセットに対しては、層をそこまで深くせずに（現時点では）最高精度の結果が得られています。これは、手書き数字という比較的単純な問題に対しては、ネットワークの表現力をそこまで高める必要がないからだと考えられます。そのため、層を深くすることの恩恵が少ないと言えるでしょう。この後に紹介する大規模な一般物体認識では、問題が複雑になるため、層を深くすることが認識精度の向上に大いに貢献することが分かります。

　先のランキングの上位の手法を参考にすると、認識精度をさらに高めるための技術やヒントを発見できるでしょう。たとえば、アンサンブル学習、学習係数の減衰（learning rate decay）、**Data Augmentation**（データ拡張）などは、認識精度の向上に貢献していることが分かります。特に、Data Augmentationは簡単な手法でありながら、認識精度を向上させる上で特に有効な方法です。

　Data Augmentationは、入力画像（訓練画像）をアルゴリズムによって"人工的"に拡張します。具体的に言うと、図8-4に示すように、入力画像に対して、回転や縦横方向の移動などの微小な変化を与え、画像枚数を増やすことを行います。これは、データセットの枚数が限られている場合には特に有効な手段です。

図8-4　Data Augmentationの例

　Data Augmentationは、図8-4のような変形以外にも、さまざまな方法で画像を拡張することができます。たとえば、画像の中から一部を切り出す「crop処理」や、左右をひっくり返す「flip処理」[†2]などです。また、一般的な画像では、輝度などの

---

†2　flip処理は、画像の対称性を考慮する必要のない場合にのみ有効です。

見た目の変化や拡大・縮小などのスケール変化をつけることも有効です。いずれにせよ、Data Augmentation によって訓練画像をうまく増やすことができれば、ディープラーニングの認識精度を向上させることができます。これは簡単な"トリック"に思えるかもしれませんが、良い結果をもたらすことが多くあります。ここでは Data Augmentation の実装は行いませんが、この"トリック"の実装は簡単に行えますので、興味のある方は試してみてください。

8.1.3　層を深くすることのモチベーション

「層を深くすること」の重要性については、理論的にはそれほど多くのことが分かっていないのが現状です。理論的側面は現在のところ乏しいにしろ、これまでの研究や実験から、説明できることはいくつかあります（やや直感的にではあるにせよ）。ここでは、「層を深くすること」の重要性について、それを補強するデータや説明をいくつか与えたいと思います。

まず初めに、層を深くすることの重要性は、ILSVRC に代表される大規模画像認識のコンペティションの結果から汲み取ることができます（詳細は次節を参照）。そのようなコンペティションの結果が示すところでは、最近の上位を占める手法の多くはディープラーニングによる手法であり、傾向としては、ネットワークの層を深くする方向へ向かっています。つまり、層を深くすることに比例して、認識性能も向上していると読み取れます。

続いて、層を深くすることの利点について述べます。層を深くすることの利点のひとつは、ネットワークのパラメータ数を少なくできることです。より詳しく言えば、層を深くしたネットワークは、層を深くしなかった場合に比べて、より少ないパラメータで同レベル（もしくはそれ以上）の表現力を達成できるのです。このことは、畳み込み演算でのフィルターサイズに着目して考えてみると分かりやすいでしょう。たとえば、5×5 のフィルターからなる畳み込み層の例を**図8-5**に示します。

ここで注目してほしい点は、出力データの各ノードは、入力データのどの領域から計算されているか、ということです。当たり前ですが、**図8-5**の例では、出力ノードひとつあたり、入力データの 5×5 の領域から計算されることになります。続いて、**図8-6**のように、3×3 の畳み込み演算を2回繰り返して行う場合を考えます。この場合、出力ノードひとつあたり、中間データでは 3×3 の領域から計算されます。それでは、中間データの 3×3 の領域は、ひとつ前の入力データのどの領域から計算されるでしょうか？ **図8-6**をよく見て考えれば、それは 5×5 の領域に対応することが分かります。つまり、**図8-6**の出力データは、入力データの 5×5 の領域を"見て"計算することになるのです。

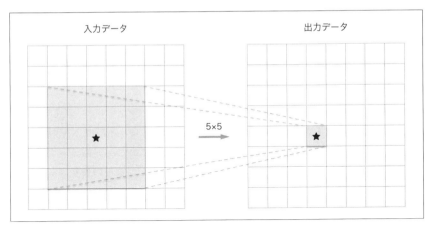

図8-5　5 × 5 の畳み込み演算の例

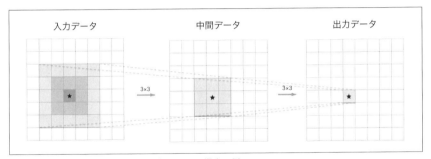

図8-6　3 × 3 の畳み込み層を 2 回繰り返した場合の例

　5 × 5 の畳み込み演算 1 回の領域は、3 × 3 の畳み込み演算を 2 回行うことでカバーできます。しかも、前者のパラメータ数が 25（5 × 5）であるのに対して、後者は合計 18（2 × 3 × 3）であり、パラメータ数は畳み込み層を重ねて行ったほうが少なくなります。そして、そのパラメータ数の差は、層が深くなるにつれて大きくなります。たとえば、3 × 3 の畳み込み演算を 3 回繰り返す場合のパラメータ数は全部で 27 個になりますが、それと同じ領域を 1 回の畳み込み演算で"見る"ためには 7 × 7 のフィルターが必要であり、そのときのパラメータ数は 49 個になります。

　　　小さなフィルターを重ねてネットワークを深くすることの利点は、パラメータ数を小さくでき、**受容野**（receptive field）を広くカバーできる点にあります（受容野とは、ニューロンに変化を生じさせる局所的な空間領域のこと）。さらに、層を重ねることで、ReLU などの活性化関数が畳み込み層の間に挟まれる

ことになり、ネットワークの表現力がさらに向上します。これは、活性化関数によってネットワークに「非線形」の力が加わるからであり、非線形の関数が重なることで、さらに複雑な表現が可能になるのです。

学習の効率性も、層を深くすることの利点のひとつです。これは、層を深くしなかった場合に比べて、層を深くすることで、学習データを少なくでき、高速に学習が行えることを意味します。これを（直感的に）理解するには、「7.6 CNN の可視化」で説明したことを思い出すとよいでしょう。7.6 節では、CNN の畳み込み層が階層的に情報を抽出していることを説明しました。具体的には、前層の畳み込み層では、エッジなどの単純な形状にニューロンが反応し、層が深くなるにつれて、テクスチャや物体のパーツといったように、階層的に複雑になっていくことを説明しました。

そのようなネットワークの階層構造を頭に置きながら、「犬」を認識する問題について考えてみましょう。この問題を浅いネットワークで解決しようとすれば、畳み込み層は「犬」の特徴の多くを一度に"理解"する必要があるでしょう。「犬」にはさまざまな種類があり、撮影される環境によって見え方も大きく変化します。そのため、「犬」の特徴を理解するためには、多くのバリエーションに富んだ学習データが必要になり、それによって、学習に多くの時間が必要になります。

しかし、ネットワークを深くすれば、学習すべき問題を階層的に分解することができます。そのため、各層が学習すべき問題は、より単純な問題として取り組むことができるのです。これは、たとえば、最初の層はエッジだけを学習することに専念すればよいということになり、少ない学習データで効率良く学習を行うことができるのです。なぜなら、「犬」が写っている画像に比べて、エッジを含む画像はたくさん存在するから、そして、エッジのパターンは「犬」のパターンよりも簡単な構造であるからです。

また、層を深くすることで階層的に情報を渡していくことができる点も重要です。たとえば、エッジを抽出した層の次の層は、エッジ情報を使えるので、より高度なパターンを効率良く学習できることが期待できます。つまり、層を深くすることで、各層が学習すべき問題を「解きやすいシンプルな問題」へと分解することができ、効率良く学習することが期待できるのです。

以上が、層を深くすることの重要性を補強する説明になります。ただし、ここでの注意点としては、近年の層のディープ化は、層を深くしても正しく学習できるだけの新たな技術や環境——ビッグデータやコンピュータパワーなど——によってもたらされたことを強調しておきます。

8.2　ディープラーニングの小歴史

　ディープラーニングが現在のように大きな注目を集めるきっかけになったのは、2012 年に開催された大規模画像認識のコンペティション ILSVRC（ImageNet Large Scale Visual Recognition Challenge）だと言われています。その年のコンペティションで、ディープラーニングによる手法——通称、AlexNet——が、圧倒的な成績で優勝し、これまでの画像認識に対するアプローチを根底から覆しました。まさに、転換点となった 2012 年のディープラーニングの逆襲により、それ以降のコンペティションでは、常にディープラーニングが主役に躍り出ました。ここでは、ILSVRC という大規模画像認識のコンペティションを軸に、最近のディープラーニングのトレンドを見ていきたいと思います。

8.2.1　ImageNet

　ImageNet [25] は、100 万枚を超える画像のデータセットです。図 8-7 に示すように、さまざまな種類の画像が含まれており、それぞれの画像にはラベル（クラス名）が紐付けられています。この巨大なデータセットを使って、ILSVRC という画像認識のコンペティションが毎年行われます。

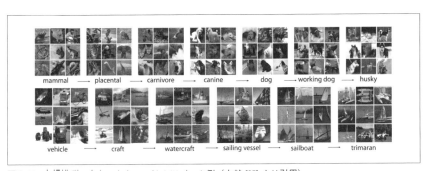

図 8-7　大規模データセット ImageNet のデータ例（文献 [25] より引用）

　ILSVRC のコンペティションには、テスト項目がいくつかありますが、その中のひとつに「クラス分類（classification）」があります（「クラス分類」の部門では、1,000 クラスの分類を行って認識精度を競います）。それでは、ここ最近の ILSVRC のクラス分類の結果を見てみましょう。図 8-8 に、ILSVRC のクラス分類を対象として、2010 年から最近までの優勝チームの成績を示します。ここでは、上位 5 クラスまでに正解が入っている場合を「正しい」と見なして、その際の誤認識率を棒グラフで表

します。

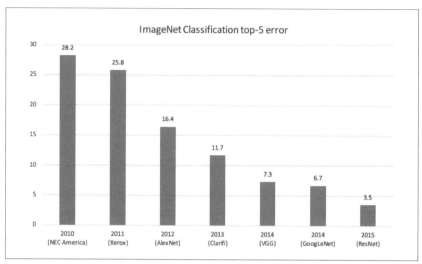

図8-8 ILSVRCにおける優秀チームの成績の推移：縦軸は誤認識率、横軸は各年。横軸の括弧内には、チーム名または手法名を示す

図8-8のグラフで注目すべき点は、2012年を境にディープラーニングによる手法が常にトップに立っているという点です。実際、2012年のAlexNetが誤認識率を大幅に下げていることが分かります。そして、それ以降、ディープラーニングによる手法が着実に精度を改善してきています。特に、2015年のResNet——150層を超えるディープなネットワーク——においては、誤認識率を3.5%まで下げてきました。ちなみに、この結果は、一般的な人間の認識能力を上回ったとさえ言われています。

さて、ここ数年の素晴らしい成績を残してきたディープラーニングですが、中でもVGG、GoogLeNet、ResNetは有名なネットワークです。これらのネットワークは、ディープラーニングに関連するさまざまな場所で出くわすでしょう。ここでは、これら3つの有名なネットワークを簡単に紹介していきます。

8.2.2 VGG

VGGは、畳み込み層とプーリング層から構成される"基本的"なCNNです。ただし、図8-9に示すように、重みのある層（畳み込み層や全結合層）を全部で16層（もしくは19層）まで重ねてディープにしている点が特徴です（層の深さに応じて、「VGG16」や「VGG19」と呼ぶ場合があります）。

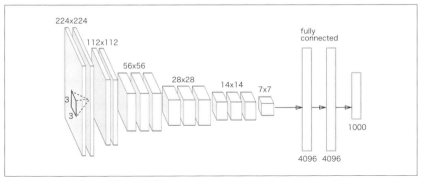

図 8-9　VGG（文献 [22] を参考に作成）

　VGG で注目すべきポイントは、3 × 3 の小さなフィルターによる畳み込み層を連続して行っている点です。図に示すとおり、畳み込み層を 2 回から 4 回連続し、プーリング層でサイズを半分にするという処理を繰り返し行います。そして、最後に全結合層を経由して結果を出力します。

　VGG は、2014 年のコンペティションで 2 位の成績に終わりました（次に紹介する GoogLeNet が、2014 年の勝者でした）。性能の面では 1 位の GoogLeNet には及びませんでしたが、VGG はとてもシンプルな構成であり応用性が高いため、多くの技術者は VGG ベースのネットワークを好んで使います。

8.2.3　GoogLeNet

　GoogLeNet のネットワーク構成を図 8-10 に示します。図中の矩形が、畳み込み層やプーリング層などのレイヤを表しています。

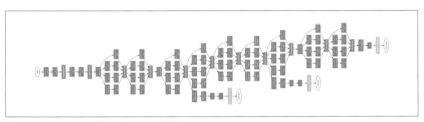

図 8-10　GoogLeNet（文献 [23] より引用）

図を見るかぎり、とても複雑そうに見えるネットワーク構成ですが、基本的にはこれまで見てきた CNN と同じ構成です。ただし、GoogLeNet は、ネットワークが縦方向の深さだけではなく、横方向にも深さ（広がり）を持っているという点が特徴です。

GoogLeNet には横方向に"幅"があります。これは、「インセプション構造」と呼ばれ、図 8-11 で示す構造をベースとします。

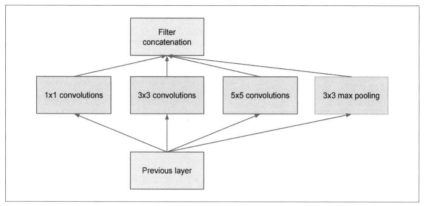

図 8-11　GoogLeNet のインセプション構造（文献 [23] より引用）

インセプション構造は、図 8-11 に示すように、サイズの異なるフィルター（とプーリング）を複数適用し、その結果を結合します。このインセプション構造をひとつのビルディングブロック（構成要素）として使用するのが、GoogLeNet の特徴です。また、GoogLeNet では、サイズが 1×1 のフィルターの畳み込み層を多くの場所で使用します。この 1×1 の畳み込み演算はチャンネル方向にサイズを減らすことで、パラメータの削減や処理の高速化に貢献できます（詳しくは原著論文 [23] を参照してください）。

8.2.4　ResNet

ResNet [24] は Microsoft のチームによって開発されたネットワークです。その特徴は、これまで以上に層を深くできるような"仕掛け"にあります。

これまで、層を深くすることが性能の向上において重要であることは分かっていました。しかし、ディープラーニングの学習においては、層を深くしすぎると、学習がうまくいかず、最終的な性能が劣ることも多々ありました。ResNet では、そのよう

な問題を解決するために「スキップ構造」(「ショートカット」や「バイパス」とも呼ぶ) を導入します。このスキップ構造を導入することで、層を深くすることに比例して、性能を向上させることができるようになりました（もちろん、層を深くすることに限界はありますが）。

スキップ構造とは、図8-12に示すように、入力データの畳み込み層をまたいで——スキップして——出力に合算する構造を言います。

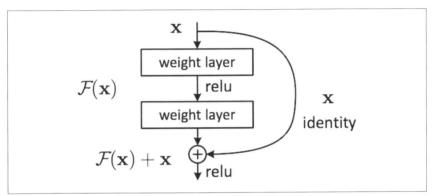

図8-12　ResNet の構成要素（文献 [24] より引用）：ここで「weight layer」とは畳み込み層を指す

図8-12 では、2 層連続する畳み込み層において、入力の x を 2 層先の出力にスキップしてつなげます。本来であれば、2 層の畳み込み層の出力が $\mathcal{F}(\mathbf{x})$ であるところを、スキップ構造によって $\mathcal{F}(\mathbf{x}) + \mathbf{x}$ にする点がポイントです。このようなスキップ構造を取り入れることで、層を深くしても効率良く学習することができます。これは、逆伝播の際に、スキップ構造によって信号が減衰することなく伝わっていくからです。

スキップ構造は入力データを"そのまま"流すだけなので、逆伝播時も、上流からの勾配を"そのまま"下流へ流します。ここでのポイントは、上流からの勾配に対して何の手も加えずに、"そのまま"流すということです。そのため、スキップ構造によって、勾配が小さくなったり（または大きくなりすぎたり）する心配がなく、前層のレイヤに「意味のある勾配」が伝わっていくことが期待できます。これまであった、層を深くすることで勾配が小さくなる勾配消失問題は、このスキップ構造で軽減することが期待できます。

ResNet は、先に説明した VGG のネットワークをベースとして、スキップ構造を取り入れ、層を深くしています。その結果は、図8-13 のようになります。

図8-13 ResNet（文献 [24] より引用）：ブロックが 3 × 3 の畳み込み層に対応。層をまたぐスキップ構造が特徴

図8-13 に示すように、ResNet は、畳み込み層を 2 層おきにスキップしてつなぎ、層を深くしていきます。なお、実験によって、150 層以上に深くしても認識精度は向上し続けることが分かりました。そして、ILSVRC のコンペティションでは、誤認識率（上位 5 クラス以内に正解が含まれる精度の誤認識率）が 3.5% という、驚異的な結果を出しました。

ImageNet の巨大なデータセットを使って学習した重みデータを有効活用するということが実践的によく行われます。これは**転移学習**と言って、学習済みの重み（の一部）を別のニューラルネットワークにコピーして、再学習を行います。たとえば、VGG と同じ構成のネットワークを用意し、学習済みの重みを初期値とし、新しいデータセットを対象に、再学習（fine tuning）を行います。転移学習は、手元にあるデータセットが少ない場合において、特に有効な手法です。

8.3　ディープラーニングの高速化

ビッグデータとネットワークの大規模化により、ディープラーニングでは大量の演算を行う必要があります。これまで私たちは CPU を使って計算を行ってきましたが、CPU だけでディープラーニングに立ち向かうのは心許ないというのが現実です。実際、周りを見渡してみると、ディープラーニングのフレームワークの多くは GPU（Graphics Processing Unit）をサポートしており、大量の演算を高速に処理することが可能です。また最近のフレームワークでは、複数の GPU や複数台のマシンでの分散学習にも対応し始めています。ここでは、ディープラーニングにおける計算の高速化にスポットを当て、話を進めていきます。なお、私たちのディープラーニングの

実装は 8.1 節で終わりにして、ここで説明するような高速化（GPU 対応など）は行わないものとします。

8.3.1 取り組むべき問題

ディープラーニングの高速化の話を進める前に、ディープラーニングでは、どういった処理に時間が費やされているのかを見てみましょう。図 8-14 には、AlexNet の forward 処理を対象に、各層に費やされる時間を円グラフで示します。

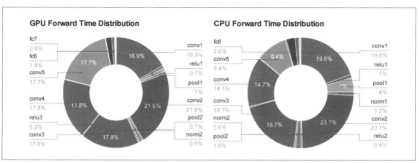

図 8-14　AlexNet の forward 処理における各層の時間比率：左が GPU、右が CPU を使用した場合。図中の「conv」は畳み込み層、「pool」はプーリング層、「fc」は全結合層、「norm」は正規化層に対応する（文献 [26] より引用）

図から分かるとおり、AlexNet では多くの時間が畳み込み層に費やされます。実際、畳み込み層の処理時間を合計すると、GPU では全体の 95%、CPU では全体の 89% までに達するのです！ そのため、畳み込み層で行われる演算をいかに高速に効率良く行うかという点がディープラーニングでの課題になります。また、図 8-14 の結果は、推論時のものですが、学習時も同様に、畳み込み層で多くの時間が費やされることになります。

畳み込み層で行う演算は、「7.2 畳み込み層」で説明したように、元をたどると「積和演算」に行き着きます。そのため、ディープラーニングの高速化の主題は、大量の「積和演算」をいかに高速に効率良く計算するかということになるのです。

8.3.2　GPUによる高速化

　GPUは元々、グラフィックのための専用のボードとして利用されてきました。しかし最近では、グラフィック処理だけでなく、汎用的な数値計算にもGPUは利用されます。GPUは並列的な数値演算を高速に行うことができるため、その圧倒的なパワーをさまざまな用途に活用しようというのが**GPUコンピューティング**の狙いです。なお、GPUによって汎用的な数値演算を行うことを、GPUコンピューティングと言います。

　ディープラーニングでは、大量の積和演算（または、大きな行列の積）を行う必要があります。そのような大量にある並列的な演算は、GPUが得意とするところです（逆に、CPUは連続的で複雑な計算を得意とします）。そのため、ディープラーニングの演算では、GPUを利用することによって、CPU単体の場合に比べて驚くほどの高速化を達成することができます。それでは、GPUによってどれくらいの高速化が達成できるのか例を見てみましょう。次の**図**8-15は、AlexNetの学習に要する時間を、CPUとGPUで比較した結果です。

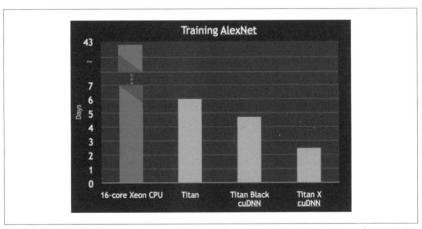

図8-15　AlexNetの学習に要する時間を、CPUの「16-core Xeon CPU」とGPUの「Titanシリーズ」で比較した結果（文献 [27] より引用）

　図から分かるとおり、CPUでは40日以上も要する時間を、GPUによって6日まで短縮できる結果となっています。また。cuDNNというディープラーニングに最適化されたライブラリを用いることで、さらなる高速化を達成できることを図は示しています。

8.3 ディープラーニングの高速化

ところで、GPU は主に、NVIDIA 社と AMD 社の 2 社によって提供されています。両者の GPU は汎用的な数値演算のために利用することはできますが、ディープラーニングと"親しい"のは NVIDIA の GPU です。実際、多くのディープラーニングのフレームワークでは、NVIDIA の GPU だけから恩恵を受けることができます。これは、NVIDIA が提供する CUDA という GPU コンピューティング向けの統合開発環境が、ディープラーニングのフレームワークで使われているからです。図 8-15 に登場する cuDNN は、CUDA の上で動作するライブラリで、これにはディープラーニング用に最適化された関数などが実装されています。

畳み込み層で行う演算は、im2col によって、大きな行列の積に変換することができました。この im2col 方式の実装は、GPU にとって都合の良い実装方式です。というのは、GPU は"ちまちま"と小さな単位で計算するよりも、大きなまとまりを一気に計算することを得意とするからです。つまり、im2col によって巨大な行列の積としてまとめて計算することで、GPU の本領を発揮させることが容易になるのです。

8.3.3 分散学習

GPU によりディープラーニングの演算はかなり高速化できますが、それでもディープなネットワークになると、学習のために数日・数週間といったオーダーの時間が必要になります。そして、これまで見てきたように、ディープラーニングでは多くの試行錯誤を伴います。良いネットワークを作るためには、さまざまなことを数多く試す必要があり、そのためには、1 回の学習に要する時間をできるだけ小さくしたいという要望が必然的に生まれます。そこで、ディープラーニングの学習をスケールアウトさせようという考え――つまり、「分散学習」――が重要になってくるのです。

ディープラーニングに必要な計算をさらに高速化するためには、複数の GPU や複数台のマシンで分散して計算を行うことが考えられます。現在、ディープラーニングのフレームワークでは、複数 GPU や複数マシンによる分散学習をサポートしたものがいくつか現れてきています。中でも Google の TensorFlow や Microsoft の CNTK（Computational Network Toolkit）は、分散学習を重要視して開発が行われています。巨大なデータセンターの低遅延・高スループットなネットワークを支えとして、それらのフレームワークによる分散学習は驚くほどの効果を見せています。

分散学習によって、どれだけ高速化を達成できるのでしょうか？ 図 8-16 には、TensorFlow による分散学習の効果が示されています。

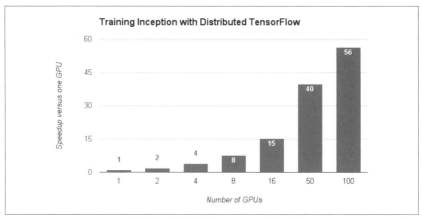

図8-16 TensorFlow による分散学習の効果：横軸は GPU の個数、縦軸は GPU ひとつのときと比べた高速化率（文献 [28] より引用）

図8-16 に示すように、使用する GPU が増えるに従って、学習速度も向上することが分かります。実際、100 個の GPU（複数のマシンに設定された合計 100 個の GPU）によって、GPU がひとつのときに比べて 56 倍の高速化が可能なようです！これは、たとえば、7 日かかっていた学習がわずか 3 時間で完了することを意味し、分散学習の驚くべき効果を物語っています。

分散学習について「どのように計算を分散させるか」というテーマは、とても難しい問題です。マシン間での通信やデータの同期など、簡単には解決できない問題をいくつもはらんでいます。そのような難しい問題は、TensorFlow のような優れたフレームワークに任せるのがよいでしょう。ここでは、分散学習の詳細には立ち入らないことにします。分散学習の技術的な内容については TensorFlow の技術論文（ホワイトペーパー）[29] などを参照してください。

8.3.4 演算精度のビット削減

ディープラーニングの高速化においては、計算量に加えて、メモリ容量やバス帯域などがボトルネックになりえます。メモリ容量の点で言うと、大量の重みパラメータや中間データをメモリに収めることを考慮する必要があります。また、バス帯域の点では、GPU（もしくは CPU）のバスを流れるデータが増加してある制限を超えると、そこがボトルネックになります。このようなケースを想定すると、ネットワークを流れるデータのビット数は、できるだけ小さくすることが望まれます。

コンピュータでは実数を表現するために、主に 64 ビットや 32 ビットの浮動小数

8.3 ディープラーニングの高速化

点数が使われます。数を表現するために多くのビットを使うことで、数値計算時の誤差による影響は少なくなりますが、その分、計算の処理コストやメモリ使用量が増大し、バス帯域に負荷をかけます。

数値精度（何ビットのデータで数値を表現するかということ）に関して、ディープラーニングで分かっていることは、ディープラーニングでは数値精度のビット数をそこまで必要としない、ということです。これは、ニューラルネットワークの重要な性質のひとつです。この性質は、ニューラルネットワークのロバスト性によるものです。ここで言うロバスト性とは、たとえば、ニューラルネットワークは、入力画像に小さなノイズがのってしまっても、出力結果が変わらないような頑健な性質があるということです。そのようなロバスト性のおかげで、ネットワークを流れるデータを"劣化"させても、出力結果に与える影響は少ないと考えることができます。

コンピュータ上で小数を表現するには、32 ビットの単精度浮動小数点数や 64 ビットの倍精度浮動小数点数などのフォーマットがありますが、これまでの実験によって、ディープラーニングにおいては、16 ビットの**半精度浮動小数点数**（half float）でも、問題なく学習ができることが分かっています [30]。実際、NVIDIA の次世代 GPU である Pascal アーキテクチャでは、半精度浮動小数点数の演算もサポートされるため、これからは半精度浮動小数点数が標準的に用いられると考えられます。

NVIDIA の Maxwell 世代の GPU は、半精度浮動小数点数はストレージ（データを保持する機能）としてはサポートしていましたが、演算自体は 16 ビットでは行っていませんでした。次世代の Pascal アーキテクチャは、演算も含めて 16 ビットで行うため、単に半精度浮動小数点数で計算を行うだけで、前世代の GPU と比較しておよそ 2 倍の高速化が期待できます。

なお、これまでのディープラーニングの実装では数値精度に注意を払いませんでしたが、Python では一般的に 64 ビットの浮動小数点数が使われます。NumPy には 16 ビットの半精度浮動小数点数の型が用意されています（ただし、ストレージとして 16 ビットの型があるだけで、演算自体は 16 ビットでは行われません）。NumPy の半精度浮動小数点数を使っても認識精度が低下しないことは簡単に示すことができます。興味のある方は、ch08/half_float_network.py を参照してください。

ディープラーニングのビット数を削減するというテーマの研究は、これまでにも、いくつか行われています。最近では、重みや中間データを 1 ビットで表現する「Binarized Neural Networks」という手法が提案されています [31]。ディープラー

ニングの高速化のためにビットを削減するというテーマは、今後目が離せない分野であり、特に組み込み向けでディープラーニングを利用する際に重要なテーマとなってきます。

8.4 ディープラーニングの実用例

これまでディープラーニングを使った例として、手書き数字認識のような画像のクラス分類——これを「物体認識」と言います——を中心に見てきました。しかし、ディープラーニングは、物体認識だけではなく、さまざまな問題に適用することができます。また、画像や音声、自然言語など、分野は異なりますが、多くの問題に対して、ディープラーニングは優れた性能を発揮します。ここではディープラーニングができること（アプリケーション）について、コンピュータビジョンの分野を中心に、いくつか紹介したいと思います。

8.4.1 物体検出

物体検出は、画像中から物体の位置の特定を含めてクラス分類を行う問題です。図8-17に示すように、画像中から物体の種類と物体の位置を特定します。

図8-17 物体検出の例（文献[34]より引用）

図8-17を見て分かるとおり、物体検出は、物体認識よりも難しい問題です。これまで見てきた物体認識は、画像全体を対象にしましたが、物体検出では、画像中から

クラスの位置まで特定する必要があります。しかも、物体は複数存在する可能性もあります。

このような物体検出の問題に対して、CNN をベースとした手法がいくつか提案されています。それらの手法は、とても優れた性能を示しており、物体検出の問題に対しても、ディープラーニングが有効であることを物語っています。

さて、CNN を用いて物体検出を行う手法はいくつかありますが、その中でもR-CNN [35] と呼ばれる手法が有名です。**図 8-18** に R-CNN の処理フローを示します。

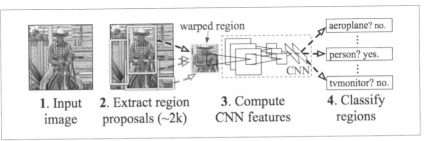

図 8-18 R-CNN の処理フロー（文献 [35] より引用）

図 8-18 で注目してほしい点は、図中の「2. 候補領域抽出（Extract region proposals）」と「3. CNN 特徴の計算（Compute CNN features）」の処理パートです。これは、最初にオブジェクトらしい領域を（何らかの方法で）探し出し、そして、その抽出された領域に対して CNN を適用しクラス分類を行っています。R-CNN では、画像を正方形に変形したり、分類の際に SVM（サポートベクターマシン）を使ったりと、実際の処理フローはやや複雑ですが、大きな視点では、先の 2 つの処理——候補領域抽出と CNN——によって構成されています。

なお、R-CNN の前半の処理である「候補領域抽出（オブジェクトらしい物体を見つける処理）」には、コンピュータビジョンで培われたさまざまな手法を用いることができます。R-CNN の論文では、Selective Search と呼ばれる手法が使われています。最近では、この候補領域抽出までも CNN によって行う「Faster R-CNN」[36] という手法が提案されています。Faster R-CNN は、すべての処理をひとつの CNN で行うので、高速な処理が可能になります。

8.4.2 セグメンテーション

　セグメンテーションとは、画像に対してピクセルレベルでクラス分類を行う問題です。図8-19に示すように、ピクセル単位でオブジェクトごとに色付けされた教師データを使って学習を行います。そして、推論の際には、入力画像のすべてのピクセルに対して、クラス分類を行います。

図8-19　セグメンテーションの例（文献 [34] より引用）：左が入力画像、右が教師用のラベリング画像

　さて、これまで実装してきたニューラルネットワークは、画像全体に対してクラス分類を行ってきました。これをピクセルレベルに落とし込むには、どのようにすればよいでしょうか？

　ニューラルネットワークによって、セグメンテーションを行う最も単純な方法は、すべてのピクセルを対象として、ピクセルごとに推論処理を行うことでしょう。たとえば、ある矩形領域の中心のピクセルに対してクラス分類を行うネットワークを用意して、すべてのピクセルを対象に推論処理を実行するのです。お察しのとおり、そのような方法ではピクセルの数だけ `forward` 処理を行う必要があり、多くの時間が必要になってしまいます（正確には、畳み込み演算で、多くの領域を再計算するという無駄な計算が発生してしまうことが問題になります）。そのような計算の無駄を改善する方法として、FCN（Fully Convolutional Network）[37] という手法が提案されています。これは、1回の `forward` 処理ですべてのピクセルに対してクラス分類を行います（図8-20 参照）。

　FCN の Fully Convolutional Network を直訳すれば、「すべてが畳み込み層から構成されるネットワーク」という意味です。これは、一般的な CNN が全結合層を含むのに対して、FCN では、全結合層を「同じ働きをする畳み込み層」に置き換えま

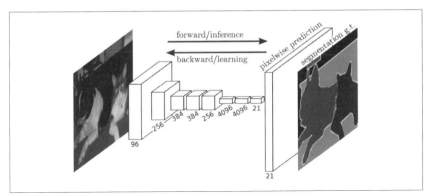

図 8-20　FCN の全体図（文献 [37] より引用）

す。物体認識で用いたネットワークの全結合層では、中間データの空間ボリュームは1列に並んだノードとして処理されていましたが、畳み込み層だけから構成されるネットワークでは、空間ボリュームは保たれたまま最後の出力まで処理することができます。

また、FCN の特徴としては、図 8-20 に示すように、最後に空間サイズを拡大する処理を導入している点です。この拡大処理によって、小さくなった中間データを入力画像のサイズと同じ大きさまで一気に拡大することができるのです。なお、FCN の最後に行う拡大処理は、バイリニア補間による拡大（バイリニア拡大）です。FCN では、このバイリニア拡大をデコンボリューション（逆畳み込み演算）によって実現しています（詳細は FCN の論文 [37] を参照）。

全結合層では、出力がすべての入力と結びつきます。これとまったく同じ構成の結びつきを畳み込み層によっても実現することができます。たとえば、入力サイズが 32 × 10 × 10（チャンネル数が 32、高さ 10、横幅 10）のデータに対する全結合層は、32 × 10 × 10 のフィルターサイズの畳み込み層に置き換えることができます。もし、全結合層の出力ノード数が 100 であれば、畳み込み層では、先の 32 × 10 × 10 のフィルターを 100 個用意すれば、完全に同じ処理を実現することができます。このように、全結合層は、同等の処理を行う畳み込み層に置き換えることができるのです。

8.4.3　画像キャプション生成

コンピュータビジョンと自然言語を融合したおもしろい研究があります。図8-21に示すように、画像を与えると、その画像を説明する文章（画像キャプション）を自動で生成する研究です。

図8-21　ディープラーニングによる画像のキャプション生成の例（文献[38]より引用）

画像を与えると、その画像の内容を表するテキストが図8-21のように自動で生成されます。たとえば、一番左上の画像は、「未舗装の道路上でバイクに乗る人（A person riding a motorcycle on a dirt road.）」という文章です（この文章を画像だけから自動で生成します）。確かに、テキストの内容と画像は一致しています。しかも、バイクに乗っていることだけでなく、未舗装の荒れた道路であることまで"理解"しているとは驚きです。

ディープラーニングによって、画像キャプションを生成する代表的な方法に、**NIC**（Neural Image Caption）と呼ばれるモデルがあります。NICは図8-22に示すように、ディープなCNNと自然言語を扱うための**RNN**（Recurrent Neural Network）から構成されます。RNNとは、再帰的なつながりを持つネットワークであり、自然言語や時系列データなどの連続性のあるデータに対してよく用いられます。

NICは、画像からCNNによって特徴を抽出し、その特徴をRNNに渡します。

8.5 ディープラーニングの未来 | 265

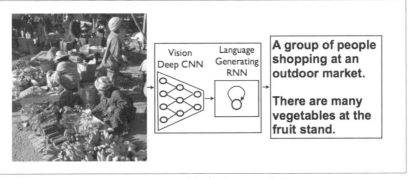

図 8-22　Neural Image Caption（NIC）の全体構成（文献 [38] より引用）

RNN は、CNN が抽出した特徴を初期値として、テキストを"再帰的"に生成していきます。ここでは、これ以上、技術の詳細には立ち入らないことにしますが、基本的には、NIC は 2 つのニューラルネットワーク――CNN と RNN――を組み合わせたシンプルな構成です。それによって、驚くほど高精度な画像キャプションの生成が行えるのです。なお、画像と自然言語といったような、複数の種類の情報を組み合わせて処理することを**マルチモーダル処理**と言います。マルチモーダル処理は、近年注目を集めている分野です。

RNN の R は Recurrent（再帰的な）を表します。この再帰とは、ニューラルネットワークの再帰的なネットワーク構造を指します。この再帰的な構造によって、以前に生成した情報から影響を受ける――言い換えると、過去の情報を記憶する――点が RNN の特徴です。たとえば「私」という言葉を生成した後に、次に生成する言葉は「私」という言葉の影響を受けて、「は」という言葉を生成する。そして、「私は」というこれまで生成した言葉から影響を受けて、次に「寝る」という言葉を生成する、といったことが行われます。自然言語や時系列データなど、連続性のあるデータに対して、RNN は過去の情報を記憶するように動作します。

8.5　ディープラーニングの未来

ディープラーニングは、従来の分野にとどまらず、さまざまな分野で用いられるようになってきました。ここでは、ディープラーニングの可能性と、これからの未来を感じさせるような研究をいくつか紹介したいと思います。

8.5.1　画像スタイル変換

ディープラーニングを使って、アーティストのような絵を"描かせる"という研究があります。次の図 8-23 で示す例は、2 つの画像を入力し、新しい画像を生成するという研究です。2 つの画像のうちひとつは「コンテンツ画像」、もうひとつは「スタイル画像」と呼び、その 2 枚の画像を入力すると、新しい画像が生成されます。

図 8-23　論文「A Neural Algorithm of Artistic Style」による画像スタイル変換の例：左上が「スタイル画像」、右上が「コンテンツ画像」、下の画像が新たに生成された画像（画像は文献 [40] より引用）

図 8-23 に示すように、ゴッホの描画スタイルを、コンテンツ画像に適用するように指定すれば、ディープラーニングが、指定されたとおりに新しい絵画を描いてくれます。これは「A Neural Algorithm of Artistic Style」[39] という論文の研究で、発表されるやいなや世界中で多くの注目を集めました。

ここでは、この研究の詳細な説明は行いません。技術の大枠だけを述べるとすれば、先の手法では、ネットワークの中間データが「コンテンツ画像」の中間データに近づくように学習します。そうすることで、入力画像をコンテンツ画像の形状に似せ

ることができます。また、「スタイル画像」からスタイルを吸収するために、スタイル行列という概念を導入します。そのスタイル行列のズレを小さくするように学習することで、入力画像をゴッホのスタイルに近づけるといったことが実現できるのです。

8.5.2 画像生成

先の画像スタイル変換の例は、新しい画像を生成する際に2枚の画像を入力しました。一方そのような研究とは別に、新しい画像を生成する際に、何の画像も必要とせずに新たな画像を描き出すといった研究も行われています（先に大量の画像を使って学習を行いますが、新しい画像を"描く"際には何の画像も必要としません）。たとえば、「ベッドルーム」の画像をゼロから生成するといったことがディープラーニングによって実現できます。図8-24で示す画像は、**DCGAN**（Deep Convolutional Generative Adversarial Network）**[41]** という手法によって生成されたベッドルームの画像例です。

図8-24　DCGANによって新たに生成されたベッドルームの画像（文献 [41] より引用）

図8-24の画像は本物の写真のように見えるかもしれませんが、これらの画像は、DCGANによって新たに生成された画像です。つまり、DCGANが描き出す画像は、まだ誰も見たことがない画像（学習データには存在しない画像）であり、ゼロから新たに生成された画像なのです。

さて、本物と見間違うほどのクオリティーで画像を描き出すDCGANですが、DCGANは画像が生成される過程をモデル化します。そのモデルを、大量の画像（た

とえば、ベッドルームが写っている大量の画像）を使って学習を行います。学習が終われば、後はそのモデルを利用して、新しい画像を生成させることができるのです。

DCGANの中ではディープラーニングが使われています。DCGANの技術の要点は、Generator（生成する人）とDiscriminator（識別する人）と呼ばれる2つのニューラルネットワークを利用している点です。Generatorが本物そっくりの画像を生成し、Discriminatorは、それが本物かどうか——Generatorが生成した画像か、それとも実際に撮影された画像か——を判定します。そのようにして、両者を競わせるように学習させていくことで、Generatorは、より精巧な騙し画像の技術を学習し、Discriminatorは、より高精度に見破ることができる鑑定師のように成長していくのです。両者は互いに切磋琢磨しながら成長していくという点が、**GAN**（Generative Adversarial Network）と呼ばれる技術のおもしろいところです。そのように切磋琢磨して成長したGeneratorは、最終的には本物と見間違うほどの画像を描き出せる能力を身につけるのです（もしくは、そのように成長する場合があるのです）。

これまで見てきた機械学習の問題は、**教師あり学習**（supervised learning）と呼ばれるタイプの問題でした。それは、手書き数字認識のように、画像データと教師ラベルが対になって与えられたデータセットを利用します。しかし、ここで取り上げた問題は、教師データは与えられず、単に大量の画像（画像の集合）だけが与えられます。これは、**教師なし学習**（unsupervised learning）と呼ばれる問題です。教師なし学習は比較的昔から研究されてきた分野ですが（**Deep Belief Network**や**Deep Boltzmann Machine**などが有名）、最近では、あまり活発に研究は行われていない印象です。今後、ディープラーニングを使ったDCGANなどのような手法が注目を集めるに従って、教師なし学習のさらなる発展が期待できるかもしれません。

8.5.3　自動運転

人間に代わりコンピュータが自動車を運転する「自動運転」の技術が現実味を帯びてきました。自動車メーカーだけでなくIT企業や大学・研究機関なども含めて、自動運転の実現に向けてしのぎを削っています。自動運転は、さまざまな技術——通行ルートを決めるパスプラン（path plan）技術やカメラやレーザーなどのセンシング技術など——が力を合わせて初めて実現することができますが、その中でも周囲の環境を正しく認識する技術が重要な問題だと言われています。これは、日々刻々と変わ

る環境や縦横無尽に行き交う車や人々を正しく認識することが、非常に難しい問題だからです。

さまざまな環境でもロバストに走行領域を正しく認識できるようになれば、自動運転の実現もそう遠くないかもしれません。そして、最近では、そのような周囲の環境を認識する技術に、ディープラーニングのパワーが期待されています。たとえば、SegNet [42] と呼ばれる CNN ベースのネットワークは、図 8-25 に示すように、高精度に走路環境を認識することができます。

図 8-25　ディープラーニングによる画像のセグメンテーションの例：道路や車、建物や歩道などが高精度に認識されている（文献 [43] より引用）

図 8-25 に示すように、入力画像に対してセグメンテーション（ピクセルレベルの判定）を行っています。結果を見ると、道路や建物、歩道や木、車やバイクなどを、ある程度正確に判別していることが分かります。このような認識技術が、ディープラーニングによって今後さらに高精度化・高速化すれば、自動運転の実用化もそう遠くないのかもしれません。

8.5.4　Deep Q-Network（強化学習）

人が試行錯誤を経て学ぶように――たとえば、自転車の乗り方など――、コンピュータにも試行錯誤の過程から自立的に学習させようという分野があります。これは、"教師"が寄り添って教える「教師あり学習」とは異なる分野であり、**強化学習**（reinforcement learning）と呼ばれます。

強化学習では、エージェントと呼ばれるものが、環境の状況に応じて行動を選択

し、その行動によって環境が変化するというのが基本的な枠組みです。環境の変化によって、エージェントは何らかの報酬を得ます。強化学習での目的は、より良い報酬が得られるようにエージェントの行動指針を決めるという点にあります（図8-26）。

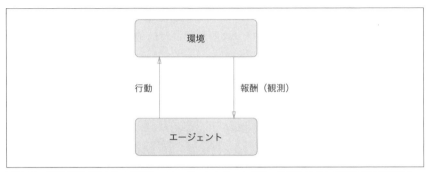

図8-26　強化学習の基本的な枠組み：エージェントは、より良い報酬を目指して自立的に学習する

　図8-26で示す模式図が強化学習の基本的な枠組みですが、ここでの注意点は、報酬とは決められたものではなく、「見込みの報酬」であるという点です。たとえば、テレビゲームの『スーパーマリオブラザーズ』を考えてみると、マリオを右に動かすことによってどれくらいの報酬を得るかということは必ずしも明確ではありません。その場合、ゲームのスコア（コインを取った、敵を倒したなど）やゲームオーバーなどの明確な指標から逆算して、「見込みの報酬」を決める必要があります。これがもし教師あり学習であれば、それぞれの行動に対して"教師"から正しい評価を受けることができます。

　ディープラーニングを使った強化学習の手法として、Deep Q-Network（通称、**DQN**）[44]という手法があります。これは、Q学習と呼ばれる強化学習のアルゴリズムをベースにします。Q学習の詳細は省略しますが、Q学習では最適な行動を決定するために、 最適行動価値関数と呼ばれる関数を決定します。その関数を近似するためにディープラーニング（CNN）を用いるというのがDQNです。

　DQNの研究では、テレビゲームを自動的に学習させ、人を超えるレベルの操作を実現した例が報告されています。図8-27に示すように、DQNで使われるCNNは、ゲーム画像のフレーム（4つの連続したフレーム）を入力として、最終的にはゲームのコントローラーの動き（ジョイスティックの移動量やボタン操作の有無）に対して、その動作の"価値"をそれぞれ出力します。

　これまでテレビゲームなどを学習する場合、ゲームの状態（キャラクターの場所な

8.5 ディープラーニングの未来 | 271

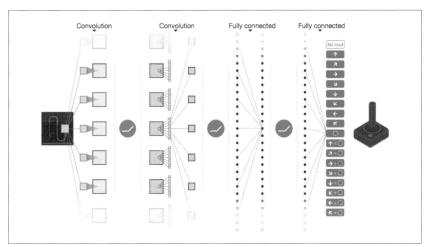

図8-27　Deep Q-Networkによってテレビゲームの操作を学習する。入力はテレビゲームの画像であり、試行錯誤を経て、プロ顔負けのゲームコントローラー（ジョイスティック）の手さばきを学習する（文献 [44] より引用）

ど）はあらかじめ抜き出して与えることが一般的でした。しかし、DQNでは、図8-27で示すように、入力データはテレビゲームの画像だけです。これはDQNの特筆すべき点であり、DQNの応用性を格段に高めていると言えます。なぜなら、ゲームごとに設定を変える必要がなく、DQNには単にゲームの画像を与えればよいからです。実際 DQN は、『パックマン』や『Atari』など多くのゲームを同じ構成で学習することができ、さらに多くのゲームで人を上回る成績を叩き出したのです。

人工知能である AlphaGo [45] が囲碁のチャンピオンを破ったというニュースは大きな注目を集めました。この AlphaGo という技術の内部でも、ディープラーニングと強化学習が用いられています。AlphaGoでは、3,000万個のプロの棋譜を与えて学習させ、さらに、AlphaGo自身が自分自身と対戦することを何度も繰り返しながら、学習を積み重ねたそうです。なお、AlphaGo と DQN は両方とも、Google の Deep Mind 社によって行われた研究です。今後も、Deep Mind 社の活躍には目が離せません。

8.6 まとめ

　本章では、(やや) ディープな CNN を実装し、手書き数字認識において 99% を超える高精度な認識結果を得ました。また、ネットワークをディープにすることのモチベーションを語り、最近のディープラーニングがディープな方向へと向かっていることも説明しました。そして、ディープラーニングのトレンドや実用例、また、高速化に向けた研究や未来を感じさせる研究例を紹介しました。

　ディープラーニングの分野では、まだまだ分かっていないことが多く、新しい研究が次から次に発表されています。世界中の研究者や技術者たちは、これからも活発に研究を続け、そして、今では想像もつかないような技術が現実化されるでしょう。

　最後までお読みいただき、ありがとうございました。読者の皆さんが本書を通じてディープラーニングについての理解を深め、ディープラーニングのおもしろさに気づいてくれたのであれば、著者としてこれ以上の幸せはありません。

本章で学んだこと

- 多くの問題では、ネットワークを深くすることで、性能の向上が期待できる。
- ILSVRC と呼ばれる画像認識のコンペティションの最近の動向は、ディープラーニングによる手法が上位を独占し、使われるネットワークもディープ化している。
- 有名なネットワークには、VGG、GoogLeNet、ResNet がある。
- GPU や分散学習、ビット精度の削減などによってディープラーニングの高速化を実現できる。
- ディープラーニング（ニューラルネットワーク）は、物体認識だけではなく、物体検出やセグメンテーションに利用できる。
- ディープラーニングを用いたアプリケーションとして、画像のキャプション生成、画像の生成、強化学習などがある。最近では、自動運転へのディープラーニングの利用も期待されている。

付録A
Softmax-with-Lossレイヤの計算グラフ

　ここでは、ソフトマックス関数と交差エントロピー誤差の計算グラフを示し、それらの逆伝播を求めます。ソフトマックス関数は Softmax レイヤ、交差エントロピー誤差は Cross Entropy Error レイヤと呼び、また、この2つを組み合わせたレイヤを Softmax-with-Loss レイヤと呼ぶことにします。先に結果を示すと、Softmax-with-Loss レイヤは図A-1 のような計算グラフで書くことができます。

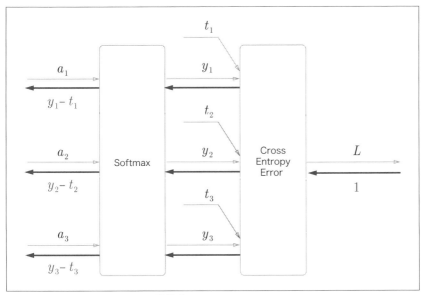

図A-1　Softmax-with-Loss レイヤの計算グラフ

図A-1 の計算グラフでは、3 クラス分類を行うニューラルネットワークを想定しています。前レイヤからの入力は (a_1, a_2, a_3) であり、Softmax レイヤは (y_1, y_2, y_3) を出力します。また、教師ラベルは (t_1, t_2, t_3) であり、Cross Entropy Error レイヤは損失 L を出力します。

本付録では、Softmax-with-Loss レイヤの逆伝播の結果が図A-1 のように、$(y_1 - t_1, y_2 - t_2, y_3 - t_3)$ になることを示します。

A.1　順伝播

図A-1 の計算グラフでは、Softmax レイヤと Cross Entropy Error レイヤの中身は省略して図示しました。ここでは、その 2 つのレイヤの中身を省略せずに描くことから始めたいと思います。

まずは Softmax レイヤですが、ソフトマックス関数は次の数式で表されます。

$$y_k = \frac{\exp(a_k)}{\sum_{i=1}^{n} \exp(a_i)} \tag{A.1}$$

そのため、Softmax レイヤを計算グラフで表すと図A-2 のようになります。

図A-2 の計算グラフでは、指数の和——式 (A.1) の分母にあたる項——を S として略記しています。また、最終的な出力を (y_1, y_2, y_3) としています。

続いて、Cross Entropy Error レイヤについてです。交差エントロピー誤差は数式で次のように表されます。

$$L = -\sum_{k} t_k \log y_k \tag{A.2}$$

式 (A.2) から、Cross Entropy Error レイヤの計算グラフは、図A-3 のように描くことができます。

図A-3 の計算グラフは、式 (A.2) を素直に計算グラフとして表したものです。そのため、特に難しい点はないと思います。

それでは続いて、逆伝播について見ていきましょう。

A.1 順伝播

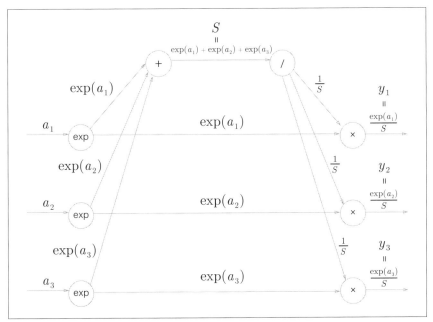

図A-2 Softmax レイヤの計算グラフ（順伝播のみ）

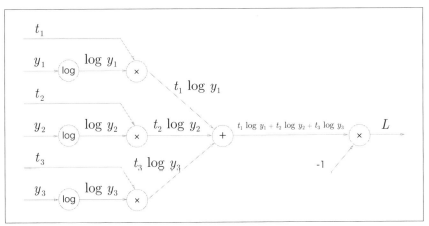

図A-3 Cross Entropy Error レイヤの計算グラフ（順伝播のみ）

A.2 逆伝播

まずは Cross Entropy Error レイヤの逆伝播からです。Cross Entropy Error レイヤの逆伝播は次の図 A-4 のように描くことができます。

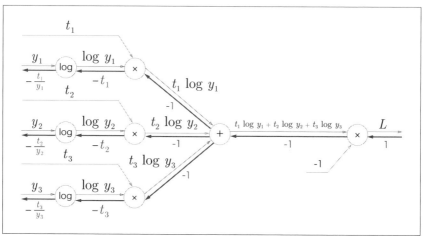

図 A-4 交差エントロピー誤差の逆伝播

この計算グラフの逆伝播を求める際には、次の点に気をつけます。

- 逆伝播の最初の値——図 A-4 の一番右の逆伝播の値——は 1 である ($\frac{\partial L}{\partial L} = 1$ であるため)
- 「×」ノードの逆伝播では、順伝播時の入力値をひっくり返した値を、上流からの微分に乗算して下流に流す
- 「+」ノードでは、上流から伝わる微分をそのまま流す
- 「log」ノードの逆伝播は、次の式に従う

$$y = \log x$$

$$\frac{\partial y}{\partial x} = \frac{1}{x}$$

以上のポイントに従えば、Cross Entropy Error レイヤの逆伝播は簡単に求めることができます。結果は、$\left(-\frac{t_1}{y_1}, -\frac{t_2}{y_2}, -\frac{t_3}{y_3}\right)$ という値が Softmax レイヤへの逆伝播の入力となります。

続いて、Softmax レイヤの逆伝播についてです。Softmax レイヤは少し複雑なので、ひとつずつ確認しながら、逆伝播を進めていきたいと思います。

ステップ 1

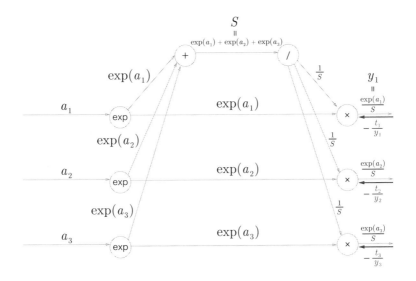

前レイヤ（Cross Entropy Error レイヤ）からの逆伝播の値が流れてきます。

ステップ2

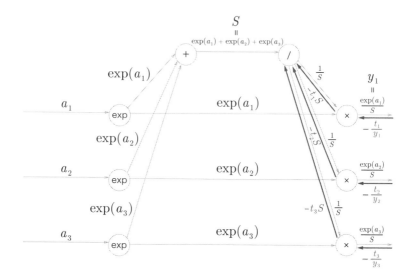

「×」ノードでは、順伝播の値を"ひっくり返して"乗算します。ここでは、次の計算が行われます。

$$-\frac{t_1}{y_1}\exp(a_1) = -t_1\frac{S}{\exp(a_1)}\exp(a_1) = -t_1 S \tag{A.3}$$

ステップ 3

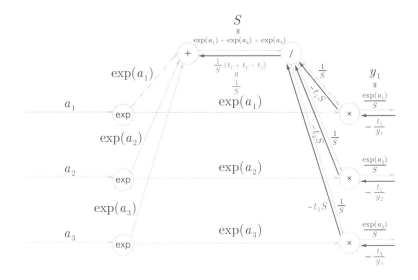

順伝播の際に複数に枝分かれして流れた場合、逆伝播のときには、それらの逆伝播の値が加算されます。そのため、ここでは、3 つの枝分かれした逆伝播の値 $(-t_1 S, -t_2 S, -t_3 S)$ が加算されます。そして、この加算された値に対して「/」の逆伝播を行うので、その結果は $\frac{1}{S}(t_1 + t_2 + t_3)$ になります。また、ここで (t_1, t_2, t_3) は教師ラベルですが、これは「one-hot ベクトル」です。one-hot ベクトルとは、(t_1, t_2, t_3) のどれかひとつだけが 1 で、残りはすべて 0 です。そのため、(t_1, t_2, t_3) の和は 1 になります。

ステップ 4

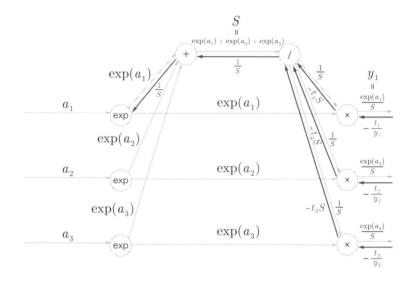

「+」ノードは、そのまま流すだけです。

ステップ5

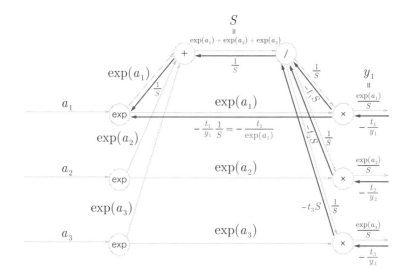

「×」ノードは、"ひっくり返して"乗算です。ここでは、式変形の際に、$y_1 = \frac{\exp(a_1)}{S}$ を利用しています。

ステップ 6

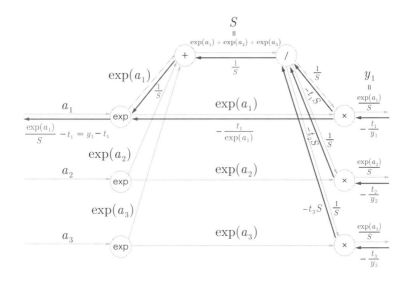

「exp」ノードは次の関係式が成り立ちます。

$$y = \exp(x)$$
$$\frac{\partial y}{\partial x} = \exp(x) \tag{A.4}$$

これより、枝分かれした 2 つの入力の和に $\exp(a_1)$ を掛けた値が、求める逆伝播になります。式で書くと、$(\frac{1}{S} - \frac{t_1}{\exp(a_1)}) \exp(a_1)$ となり、これを整形すると $y_1 - t_1$ になります。以上から、順伝播の入力が a_1 のノードでは、逆伝播が $y_1 - t_1$ であることが導かれました。残りの a_2、a_3 についても同様の手順で求めることができます（結果はそれぞれ、$y_2 - t_2$、$y_3 - t_3$ になります）。また、ここで扱った 3 クラス分類以外で——たとえば、n クラス分類の場合でも——同様の結果が導かれることは簡単に示すことができます。

A.3　まとめ

　ここでは、Softmax-with-Loss レイヤの計算グラフを省略せずに図示し、その逆伝播を求めました。Softmax-with-Loss レイヤの計算グラフを省略せずに描けば、図 A-5 のようになりました。

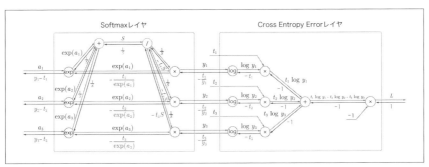

図 A-5　Softmax-with-Loss レイヤの計算グラフ

　図 A-5 の計算グラフは複雑そうに見えます。しかし、計算グラフを使ってひとつずつ確認しながら進めれば、微分を求めること（逆伝播の手順）は、そこまで大変な作業ではなかったのではないでしょうか。ここで説明した Softmax-with-Loss レイヤ以外にも、（Batch Normalization レイヤなど）複雑そうに見えるレイヤに出くわしたら、ここで行ったような手順でぜひ考えてみてください。きっと数式を追いかけるだけの場合よりも理解しやすいでしょう。

参考文献

Python / NumPy

[1] Bill Lubanovic：『Introducing Python』O'Reilly Media 刊、2014 年（邦題『入門 Python 3』斎藤康毅 監訳、長尾高弘 訳、オライリー・ジャパン刊）

[2] Wes McKinney：『Python for Data Analysis』O'Reilly Media 刊、2012 年（邦題『Python によるデータ分析入門——NumPy、pandas を使ったデータ処理』小林儀匡、鈴木宏尚、瀬戸山雅人、滝口開資、野上大介 訳、オライリー・ジャパン刊）

[3] Scipy Lecture Notes（http://www.turbare.net/transl/scipy-lecture-notes/index.html）

計算グラフ（誤差逆伝播法）

[4] Andrej Karpathy's blog "Hacker's guide to Neural Networks"（http://karpathy.github.io/neuralnets/）

Deep Learning のオンライン授業（資料）

[5] CS231n: Convolutional Neural Networks for Visual Recognition（http://cs231n.github.io/）

パラメータの更新方法

[6] John Duchi, Elad Hazan, and Yoram Singer (2011)：Adaptive Subgradient Methods for Online Learning and Stochastic Optimization. Journal of

Machine Learning Research 12, Jul (2011), 2121–2159.
[7] Tieleman, T., & Hinton, G. (2012)：Lecture 6.5—RMSProp: Divide the gradient by a running average of its recent magnitude. COURSERA: Neural Networks for Machine Learning.
[8] Diederik Kingma and Jimmy Ba. (2014)：Adam: A Method for Stochastic Optimization. arXiv:1412.6980 [cs] (December 2014).

重みパラメータの初期値

[9] Xavier Glorot and Yoshua Bengio (2010)：Understanding the difficulty of training deep feedforward neural networks. In Proceedings of the International Conference on Artificial Intelligence and Statistics (AISTATS2010). Society for Artificial Intelligence and Statistics.
[10] Kaiming He, Xiangyu Zhang, Shaoqing Ren, and Jian Sun (2015)：Delving Deep into Rectifiers: Surpassing Human-Level Performance on ImageNet Classification. In 1026–1034.

Batch Normalization / Dropout

[11] Sergey Ioffe and Christian Szegedy (2015)：Batch Normalization: Accelerating Deep Network Training by Reducing Internal Covariate Shift. arXiv:1502.03167 [cs] (February 2015).
[12] Dmytro Mishkin and Jiri Matas (2015)：All you need is a good init. arXiv:1511.06422 [cs] (November 2015).
[13] Frederik Kratzert's blog "Understanding the backward pass through Batch Normalization Layer" (https://kratzert.github.io/2016/02/12/understanding-the-gradient-flow-through-the-batch-normalization-layer.html)
[14] N. Srivastava, G. Hinton, A. Krizhevsky, I. Sutskever, and R. Salakhutdinov (2014)：Dropout: A simple way to prevent neural networks from overfitting. The Journal of Machine Learning Research, pages 1929–1958, 2014.

ハイパーパラメータの最適化

[15] James Bergstra and Yoshua Bengio (2012)：Random Search for Hyper-Parameter Optimization. Journal of Machine Learning Research 13, Feb (2012), 281–305.

[16] Jasper Snoek, Hugo Larochelle, and Ryan P. Adams (2012)：Practical Bayesian Optimization of Machine Learning Algorithms. In F. Pereira, C. J. C. Burges, L. Bottou, & K. Q. Weinberger, eds. Advances in Neural Information Processing Systems 25. Curran Associates, Inc., 2951–2959.

CNNの可視化

[17] Matthew D. Zeiler and Rob Fergus (2014)：Visualizing and Understanding Convolutional Networks. In David Fleet, Tomas Pajdla, Bernt Schiele, & Tinne Tuytelaars, eds. Computer Vision – ECCV 2014. Lecture Notes in Computer Science. Springer International Publishing, 818–833.

[18] A. Mahendran and A. Vedaldi (2015)：Understanding deep image representations by inverting them. In 2015 IEEE Conference on Computer Vision and Pattern Recognition (CVPR). 5188–5196. DOI: 〈http://dx.doi.org/10.1109/CVPR.2015.7299155〉

[19] Donglai Wei, Bolei Zhou, Antonio Torralba, William T. Freeman (2015)：mNeuron: A Matlab Plugin to Visualize Neurons from Deep Models 〈http://vision03.csail.mit.edu/cnn_art/index.html#v_single〉

代表的なネットワーク

[20] Y. Lecun, L. Bottou, Y. Bengio, and P. Haffner (1998)：Gradient-based learning applied to document recognition. Proceedings of the IEEE 86, 11 (November 1998), 2278–2324. DOI: 〈http://dx.doi.org/10.1109/5.726791〉

[21] Alex Krizhevsky, Ilya Sutskever, and Geoffrey E. Hinton (2012)：ImageNet Classification with Deep Convolutional Neural Networks. In F. Pereira, C. J. C. Burges, L. Bottou, & K. Q. Weinberger, eds. Advances in Neural Information Processing Systems 25. Curran Associates, Inc., 1097–1105.

[22] Karen Simonyan and Andrew Zisserman (2014)：Very Deep Convolutional Networks for Large-Scale Image Recognition. arXiv:1409.1556 [cs] (September 2014).

[23] Christian Szegedy et al (2015)：Going Deeper With Convolutions. In The IEEE Conference on Computer Vision and Pattern Recognition (CVPR).

[24] Kaiming He, Xiangyu Zhang, Shaoqing Ren, and Jian Sun (2015)：Deep Residual Learning for Image Recognition. arXiv:1512.03385 [cs] (December 2015).

データセット

[25] J. Deng, W. Dong, R. Socher, L.J. Li, Kai Li, and Li Fei-Fei (2009)：ImageNet: A large-scale hierarchical image database. In IEEE Conference on Computer Vision and Pattern Recognition, 2009. CVPR 2009. 248–255. DOI: 〈http://dx.doi.org/10.1109/CVPR.2009.5206848〉

計算の高速化

[26] Jia Yangqing (2014)：Learning Semantic Image Representations at a Large Scale. PhD thesis, EECS Department, University of California, Berkeley, May 2014. 〈http://www.eecs.berkeley.edu/Pubs/TechRpts/2014/EECS-2014-93.html〉

[27] NVIDIA blog "NVIDIA Propels Deep Learning with TITAN X, New DIGITS Training System and DevBox" 〈https://blogs.nvidia.com/blog/2015/03/17/digits-devbox/〉

[28] Google Research Blog "Announcing TensorFlow 0.8 – now with distributed computing support!" 〈http://googleresearch.blogspot.jp/2016/04/announcing-tensorflow-08-now-with.html〉

[29] Martín Abadi et al (2016)：TensorFlow: Large-Scale Machine Learning on Heterogeneous Distributed Systems. arXiv:1603.04467 [cs] (March 2016).

[30] Suyog Gupta, Ankur Agrawal, Kailash Gopalakrishnan, and Pritish Narayanan (2015)：Deep learning with limited numerical precision. CoRR, abs/1502.02551 392 (2015).

[31] Matthieu Courbariaux and Yoshua Bengio (2016):Binarized Neural Networks: Training Deep Neural Networks with Weights and Activations Constrained to +1 or -1. arXiv preprint arXiv:1602.02830 (2016).

MNIST データセットの精度ランキングおよび最高精度の手法

[32] Rodrigo Benenson's blog "Classification datasets results" (http://rodrigob.github.io/are_we_there_yet/build/classification_datasets_results.html)

[33] Li Wan, Matthew Zeiler, Sixin Zhang, Yann L. Cun, and Rob Fergus (2013):Regularization of Neural Networks using DropConnect. In Sanjoy Dasgupta & David McAllester, eds. Proceedings of the 30th International Conference on Machine Learning (ICML2013). JMLR Workshop and Conference Proceedings, 1058–1066.

ディープラーニングのアプリケーション

[34] Visual Object Classes Challenge 2012 (VOC2012) (http://host.robots.ox.ac.uk/pascal/VOC/voc2012/)

[35] Ross Girshick, Jeff Donahue, Trevor Darrell, and Jitendra Malik (2014):Rich Feature Hierarchies for Accurate Object Detection and Semantic Segmentation. In 580–587.

[36] Shaoqing Ren, Kaiming He, Ross Girshick, and Jian Sun (2015):Faster R-CNN: Towards Real-Time Object Detection with Region Proposal Networks. In C. Cortes, N. D. Lawrence, D. D. Lee, M. Sugiyama, & R. Garnett, eds. Advances in Neural Information Processing Systems 28. Curran Associates, Inc., 91–99.

[37] Jonathan Long, Evan Shelhamer, and Trevor Darrell (2015):Fully Convolutional Networks for Semantic Segmentation. In The IEEE Conference on Computer Vision and Pattern Recognition (CVPR).

[38] Oriol Vinyals, Alexander Toshev, Samy Bengio, and Dumitru Erhan (2015):Show and Tell: A Neural Image Caption Generator. In The IEEE Conference on Computer Vision and Pattern Recognition (CVPR).

[39] Leon A. Gatys, Alexander S. Ecker, and Matthias Bethge (2015):A

Neural Algorithm of Artistic Style. arXiv:1508.06576 [cs, q-bio] (August 2015).

[40] neural-style "Torch implementation of neural style algorithm" (https://github.com/jcjohnson/neural-style/)

[41] Alec Radford, Luke Metz, and Soumith Chintala (2015)：Unsupervised Representation Learning with Deep Convolutional Generative Adversarial Networks. arXiv:1511.06434 [cs] (November 2015).

[42] Vijay Badrinarayanan, Kendall, and Roberto Cipolla (2015)：SegNet: A Deep Convolutional Encoder-Decoder Architecture for Image Segmentation. arXiv preprint arXiv:1511.00561 (2015).

[43] SegNet Demo page (http://mi.eng.cam.ac.uk/projects/segnet/)

[44] Volodymyr Mnih et al (2015)：Human-level control through deep reinforcement learning. Nature 518, 7540 (2015), 529–533.

[45] David Silver et al (2016)：Mastering the game of Go with deep neural networks and tree search. Nature 529, 7587 (2016), 484–489.

索引

記号

__init__ ································ 10
2 乗和誤差 ································ 88

A

activation function ················ 42
AdaGrad ······························172
AdaGrad（class）················173
Adam ··································175
AddLayer（class）···············139
Affine（class）·····················152
AlexNet ·······························237
AlphaGo ······························271
ALU ·····································36
Anaconda ·······························3
AND ゲート ·························23
argmax() ·······························80
Average プーリング ············220

B

batch ···································79
Batch Normalization ···········186

C

class ····································10
CNN ···································205
CNN の可視化 ····················233
CNTK ·································257
column ································54
Convolution（class）···········225
CPU ···································36
crop 処理 ····························245
cross entropy error ············89
cross_entropy_error() ········91
CUDA ·································257
cuDNN ·······························256

D

Data Augmentation ············245
DCGAN ······························267
Deep Belief Network ··········268
Deep Boltzmann Machine ···268
Deep Q-Network ················269
DQN ··································270
Dropout ······························195
dtype ··································13

E

- element-wise 12
- else 8
- end-to-end 86

F

- False 7
- Faster R-CNN 261
- FCN 262
- fine tuning 254
- flatten() 15
- flip 処理 245
- float 5
- for 8
- forward propagation 72
- fully-connected 205

G

- GAN 268
- GoogLeNet 251
- GPU 238, 256
- GPU コンピューティング 256
- gradient 104
- gradient ascent method 107
- gradient descent method 107
- gradient method 106
- gradient_descent() 107

H

- half float 259
- He の初期値 184
- HOG 85

I

- identity_function() 63
- if 8
- ILSVRC 249
- im2col 222
- Image.fromarray() 75
- ImageNet 249
- imread() 18
- imshow() 18
- inf 68
- int 5

K

- KNN 85

L

- L1 ノルム 194
- L2 ノルム 194
- learning rate 107
- LeNet 236
- load_mnist() 73
- loss function 87
- LRN 238

M

- Matplotlib 16
- matplotlib.image 18
- matrix 54
- Max ノルム 194
- Max プーリング 220
- MNIST 72
- Momentum 170
- Momentum (class) 171
- MulLayer (class) 137

N

- nan 69
- NAND ゲート 23
- NIC 264
- np.arange() 16, 47
- np.argmax() 77
- np.array 12
- np.dot() 55
- np.exp() 48
- np.int 46
- np.maximum() 52

np.ndim() ······ 53
np.random.choice() ······ 93
np.random.randn() ······ 178
np.random.uniform() ······ 201
np.sum() ······ 26
np.zeros_like() ······ 104
numerical differentiation ······ 98
numerical_gradient() ······ 104
NumPy ······ 11
N 次元配列 ······ 13

O

one-hot 表現 ······ 74, 88
optimizer ······ 167
OrderedDict ······ 160
OR ゲート ······ 23
overfitting ······ 87

P

padding ······ 210
pickle ······ 74
PIL ······ 74
plt.plot() ······ 17
plt.show() ······ 17
plt.title() ······ 18
plt.xlabel() ······ 18
plt.ylabel() ······ 18
Pooling (class) ······ 227
pyplot ······ 17
Python ······ 1
python --version ······ 4
Python 2 系 ······ 2
Python 3 系 ······ 2

R

R-CNN ······ 261
range() ······ 80
relu() ······ 52
Relu (class) ······ 142
ReLU 関数 ······ 51
reshape() ······ 75

ResNet ······ 252
RMSProp ······ 173
RNN ······ 264
row ······ 54

S

SegNet ······ 269
self ······ 10
SGD ······ 113, 166
SGD (class) ······ 167
shape ······ 13
SIFT ······ 85
sigmoid() ······ 48
Sigmoid (class) ······ 146
SimpleConvNet ······ 229
simpleNet (class) ······ 110
softmax() ······ 69
Softmax-with-Loss ······ 152
SoftmaxWithLoss (class) ······ 156
step_function() ······ 45
stochastic gradient descent ······ 113
stride ······ 211
sum of squared error ······ 88
sum_squared_error() ······ 89
SURF ······ 85
SVM ······ 85
sys.path.append() ······ 73

T

tanh 関数 ······ 183
TensorFlow ······ 257
transpose ······ 226
True ······ 7
TwoLayerNet ······ 157

V

VGG ······ 250

W

Weight decay ······ 193

X

Xavier の初期値 ……………………………… 182
XOR ゲート ……………………………………… 28

Y

y.astype() ……………………………………… 46

あ行

アクティベーション ……………………………… 179
アフィン変換 …………………………………… 147
アンサンブル学習 ……………………………… 197
鞍点 ……………………………………………… 106
閾値 ………………………………………………… 22
インスタンス変数 ………………………………… 11
インセプション構造 …………………………… 252
インタプリタ ……………………………………… 4
インデント ………………………………………… 8
エッジ …………………………………………… 234
エポック ………………………………………… 119
演算精度 ………………………………………… 258
オーバーフロー ………………………………… 68
重み ……………………………………………… 26
重み付き和 ……………………………………… 61
重みの初期値 …………………………………… 177
親ディレクトリ ………………………………… 73

か行

カーネル ………………………………………… 208
回帰問題 ………………………………………… 66
解析的 …………………………………………… 100
階段関数 ………………………………………… 44
過学習 …………………………………… 87, 190
学習 ………………………………………… 25, 71
学習係数の減衰 ………………………………… 172
学習率 …………………………………………… 107
確率的勾配降下法 ………………………… 113, 166
隠れ層 …………………………………………… 40
荷重減衰 ………………………………………… 193
画像キャプション生成 ………………………… 264
画像スタイル変換 ……………………………… 266
画像生成 ………………………………………… 267
活性化関数 ………………………………………… 42
関数 ………………………………………………… 9
逆伝播 …………………………………………… 126
行 ………………………………………………… 54
強化学習 ………………………………………… 269
教師あり学習 …………………………………… 268
教師データ ……………………………………… 87
教師なし学習 …………………………………… 268
行列 ………………………………………… 14, 54
局所的正規化 …………………………………… 238
局所的な計算 …………………………………… 126
クラス …………………………………………… 10
グリッドサーチ ………………………………… 200
訓練データ ……………………………………… 86
計算グラフ ……………………………………… 124
検証データ ……………………………………… 198
交差エントロピー誤差 ………………………… 89
合成関数 ………………………………………… 129
高速化 …………………………………………… 254
恒等関数 ………………………………………… 64
勾配 ……………………………………………… 104
勾配確認 ………………………………………… 161
勾配降下法 ……………………………………… 107
勾配消失 ………………………………………… 180
勾配上昇法 ……………………………………… 107
勾配法 …………………………………………… 106
誤差逆伝播法 …………………………………… 117
コメントアウト ………………………………… 6
コンストラクタ ………………………………… 10

さ行

再学習 …………………………………………… 254
最適化 …………………………………………… 165
サブサンプリング ……………………………… 236
サブリスト ……………………………………… 6
算術計算 ………………………………………… 4
算術論理演算装置 ……………………………… 36
シグモイド関数 ………………………………… 45
指数移動平均 …………………………………… 173
自動運転 ………………………………………… 268
出力層 …………………………………………… 40
出力特徴マップ ………………………………… 207

受容野	247
順伝播	126
順番付きのディクショナリ	160
順方向伝播	72
乗算レイヤ	137
真理値表	23
推論	71
推論処理	72
数値微分	98, 99
スカラ	14
スカラ値	13
スキップ構造	253
スクリプトファイル	9
ステップ関数	44, 45
ストライド	211
スライシング	6
正規化	77
正則化	189
積	55
積和演算	208
セグメンテーション	262
全加算器	36
線形	30
全結合	205
前方差分	99
双曲線関数	183
ソフトマックス関数	66
損失関数	87

た行

多次元配列	53
多層パーセプトロン	33, 44
畳み込み演算	208
畳み込み層	206
畳み込みニューラルネットワーク	205
単純パーセプトロン	44
単調増加	70
チャンネル	214
中間層	40
中心差分	99
ディクショナリ	7
データ型	5
データ駆動	84
データ転送	79
デコンボリューション	263
テストデータ	86
転移学習	254
テンソル	14
特徴マップ	207
特徴量	85
ドット積	55

な行

入力層	40
入力特徴マップ	207
ニューロン	22
ネイピア数	45
ノード	22

は行

パーセプトロン	21
パーセプトロンの収束定理	84
バイアス	26
バイアス補正	175
排他的論理和	28
ハイパーパラメータ	109, 197
白色化	78
バス帯域	79
バッチ	79
パディング	210
半加算器	36
半精度浮動小数点数	259
非線形	30
非線形関数	51
ビッグデータ	238
微分	97
汎化能力	86
フィルター	208
フィルター演算	208
ブーリアン	7
プーリング層	219
物体検出	260
プラトー	106
ブロードキャスト	14
ブロブ	234

分散学習 ……………………………257
分類問題 …………………………… 66
ベイズ最適化 ……………………201
ベクトル …………………………… 14
変数 ………………………………… 5
偏微分 ……………………………103

丸め誤差 …………………………… 98
ミニバッチ学習 …………………… 92

ま行

前処理 ……………………………… 77

ら行

ランダムサンプリング ……………200
リスト ……………………………… 6
列 …………………………………… 54
連鎖律 ……………………………129

● **著者紹介**

斎藤 康毅（さいとう こうき）

1984年長崎県対馬生まれ。東京工業大学工学部卒、東京大学大学院学際情報学府修士課程修了。現在、企業にて、コンピュータビジョンや機械学習に関する研究開発に従事。翻訳書に『実践 Python 3』『コンピュータシステムの理論と実装』『実践 機械学習システム』（以上、オライリー・ジャパン）などがある。

ゼロから作る Deep Learning
──Pythonで学ぶディープラーニングの理論と実装

2016年 9 月 28 日　初版第 1 刷発行
2022年 12 月 2 日　初版第15刷発行

著　　　者	斎藤 康毅（さいとう こうき）	
発 行 人	ティム・オライリー	
制　　　作	株式会社トップスタジオ	
印刷・製本	日経印刷株式会社	
発 行 所	株式会社オライリー・ジャパン	
	〒160-0002　東京都新宿区四谷坂町12番22号	
	Tel　（03）3356-5227	
	Fax　（03）3356-5263	
	電子メール　japan@oreilly.co.jp	
発 売 元	株式会社オーム社	
	〒101-8460　東京都千代田区神田錦町3-1	
	Tel　（03）3233-0641（代表）	
	Fax　（03）3233-3440	

Printed in Japan（ISBN978-4-87311-758-4）
乱丁本、落丁本はお取り替え致します。

本書は著作権上の保護を受けています。本書の一部あるいは全部について、株式会社オライリー・ジャパンから文書による許諾を得ずに、いかなる方法においても無断で複写、複製することは禁じられています。